Inspecteur Felse en de mooie vrouw

NOT Liz's

Chronologische volgorde van:
Broeder Cadfael-mysteries door Ellis Peters:

Het heilige vuur
Het laatste lijk
Het gemene gewas
De kwade knecht
De eenzame bruid
De kille maagd
Het vege lijf
De duivelse droom
De gouden speld
Een wisse dood
Een hard gelag
De ware aard
Een witte roos
Het stille woud
De laatste eer
Het rechte pad
Een zijden haar

***

Inspecteur Felse en de dode man

Ellis Peters

Inspecteur Felse en de mooie vrouw

dB

1992 – De Boekerij – Amsterdam

Oorspronkelijke titel: Death and the Joyful Woman
Vertaling: Els Franci-Ekeler
Omslagontwerp: ADM International/Pieter van Delft
Omslagfoto: Pieter van Delft

CIP-GEGEVENS KONINKLIJKE BIBLIOTHEEK, DEN HAAG

Peters, Ellis

Inspecteur Felse en de mooie vrouw / Ellis Peters ; (vert. uit het Engels: Els Franci-Ekeler). – Amsterdam : De Boekerij
Vert. van: Death and the joyful woman. – London : Collins, 1961.
ISBN 90-225-1329-7
NUGI 332
Trefw.: romans ; vertaald.

HOOFDSTUK EEN

De allereerste keer dat Dominic Felse Kitty Norris zag, danste ze op blote voeten op de lage, brede muur rond het terras van de roeiclub. Ze draaide rond in een wazige regenboogkleurige wolk, terwijl ze aan iedere hand een zilveren schoentje liet bungelen. Die dag was de regatta van Comerbourne gehouden en de daaropvolgende traditionele dansavond van de roeiclub was in volle gang, zodat dergelijke acrobatische voorstellingen nauwelijks verbazing opriepen, hoewel ze meestal werden uitgevoerd door de mannelijke gasten. Het was tevens de vooravond van Leslie Armigers trouwdag, hoewel Dominic daar geen weet van had en de betekenis ervan ook niet zou hebben kunnen doorgronden als hij het wel had geweten.
Hij was op weg naar huis na de vervelende maar onontkoombare muziekles waar hij zich iedere week aan moest onderwerpen. Het was zo'n mooie warme avond dat hij de bus zonder hem had laten vertrekken en de weg langs de rivier had gekozen naar het twee kilometer verderop gelegen Comerford. Aan de rand van de stad liep de weg vlak langs het hoger gelegen terras van het clubgebouw. Flarden muziek dreven naar hem toe en een druk geroezemoes steeg samen met de deuntjes van het orkest boven de houten balustrade uit. En langs die balustrade, zo'n drie meter boven zijn hoofd, zweefde Kitty in haar opvallende japon. Ze had haar armen wijd uitgespreid en liet de belachelijke verzameling ragfijne bandjes en tien centimeter hoge naaldhakken die zij schoenen noemde, losjes aan haar wijsvingers bengelen. Verschillende mannenstemmen riepen dringend dat ze niet zo dom moest doen en van die muur af moest komen. Twee van de jongelui haastten zich tussen de tafeltjes door om haar vast te grijpen en een van hen was zo op haar geconcentreerd dat hij geen erg had in de kelner die net met een dienblad vol glazen aankwam. Met geschrokken kreten spron-

gen de gasten snel weg van de plaats des onheils waar nu een grote plas gemengde drankjes lag. Kitty had nergens erg in en danste gewoon door. De schemerlampjes op de tafels wierpen een gedempt licht op haar gezicht. Met het puntje van haar tong in haar mondhoek vertoonde ze een kinderlijke concentratie. Dominic had nog nooit iemand zo'n vrolijkheid zien uitstralen.
Zijn eerste reactie was nogal geringschattend: als ze om kwart voor tien al zo aangeschoten waren, dacht hij, hoe zouden ze er om één uur 's nachts dan voor staan? Dit was de automatische reactie van zijn jeugdige verwaandheid, die meteen werd ingetoomd door enige nieuwsgierigheid. Het afgelopen jaar had hij, zonder dat zijn ouders er iets van af wisten, veel met tabak geëxperimenteerd, maar het nieuwtje was er voor hem al gauw af geweest, zonder dat hij het genot ervan had kunnen ontdekken. Nu zat hij erover te denken maar eens sterke drank uit te proberen, want hij was er met dezelfde onverbeterlijke drang van overtuigd dat het wel iets geweldigs moest zijn, als de volwassenen er zo dol op waren en het zo angstvallig voor zichzelf gereserveerd hielden. De capriolen daar boven zijn hoofd maakten blijkbaar deel uit van de riten; Dominic trok een minachtend gezicht, maar bleef toch in de duisternis onder het terras staan om het drinkgelag waar hij niet mocht komen, eens wat beter te bekijken. En toen hij Kitty eenmaal had gezien, was de rest volkomen onbelangrijk geworden.
Ze vormde het middelpunt van het tumult, maar maakte zelf geen enkel geluid en dat verhoogde de overweldigende illusie van lichaamloze schoonheid nog meer. Ze was niet erg groot, maar zo slank dat ze de indruk maakte lang te zijn, helemaal omdat ze boven zijn hoofd stond afgetekend tegen de donkerblauwe hemel. Ze leek hem erg bleek, bijna doorschijnend wit, hoewel ze juist stevig gebouwd was, zo robuust als een bullterriër en bruin verbrand door de zon. Haar lichaam en geest schenen in transparante, zinsbegoochelende wolken te zweven, maar binnen die illusie was Kitty wel degelijk een zeer levend wezen.
Hij bleef vanaf de beschaduwde plek beneden naar haar staan staren, met ingehouden adem uit angst dat ze zou vallen. Een van de jongemannen dook in een flits van diepzwart en helder wit over het muurtje naar voren en probeerde haar te grijpen, maar ze draaide zich met een gevaarlijke zwier om en wist hem te ontwijken, terwijl haar wijde rok achter haar aan danste. Dominic, die gefascineerd

omhoog staarde, ving een glimp op van lange, slanke benen en een gladde, bleekgouden dij. Hij sloeg snel zijn ogen neer, maar keek nog sneller weer op. Niemand wist immers dat hij daar stond. Zij had er zelf geen weet van. Niemand lette op hem, niemand wist dat hij er was.

'Pas op! Zo dadelijk val je nog! Kom toch van die muur af!' smeekte de angstige jongeman boven. Hij probeerde haar hand te pakken, maar ze danste weer van hem weg. Een geïrriteerd kreetje ontsnapte aan haar lippen en opeens viel een van haar schoenen precies in de handen van de geschrokken Dominic; daar, als een ware microkosmos, had hij werkelijk iets tastbaars van het wezen dat zich in de regenboogkleurige wolk bevond. Het mocht dan een belachelijke verzameling zilverkleurige bandjes zijn, maar die was wel degelijk bestemd voor een gezonde, moderne voet met schoenmaat 36. Dominic hield de schoen angstvallig van zich af, alsof hij bang was dat hij geladen was met onbekende magische krachten en was zo overrompeld dat het een paar seconden duurde voor het tot hem doordrong dat het boven volkomen stil was geworden. Toen hij uiteindelijk opkeek, zag hij drie of vier hoofden over de houten balustrade heen naar hem kijken. Hij had slechts oog voor één van hen en hij verspilde geen tijd om de anderen te bekijken.

'Neem me niet kwalijk,' zei Kitty. 'Heb je je bezeerd? Als ik had geweten dat daar beneden iemand stond, zou ik me niet zo slecht hebben gedragen.'

Ze had een heldere, duidelijke stem en een onomwonden, onthutsende en uiterst beleefde manier van spreken, waar hij nog meer van in de war raakte dan van haar buitenissige capriolen. Ze was blijkbaar helemaal niet dronken, ze was niet eens aangeschoten. Nu ze zich eenmaal van hem bewust was geworden, gedroeg ze zich als een beleefd kind tegenover een volwassene. En waar was alle vrolijkheid gebleven? Ze keek met grote, treurige, paarsblauwe ogen op hem neer vanuit de schaduw van haar lange, steile, lichtbruine haar en de uitdrukking op haar gezicht veranderde niet toen ze doorhad tegen wie ze sprak. Dominic was gewend aan de minzame blik die over de meeste gezichten gleed, zodra men besefte hoe jong hij nog was, maar Kitty bleef hem aankijken met een vragende, bedachtzame, welgemanierde blik; alsof hij haar leeftijdgenoot en gelijke was.

Hij verloor meteen zijn tong; hij wist niets te bedenken dat niet idioot zou klinken en hij had geen idee hoe hij uit die penibele situatie moest komen. Met een rood hoofd en een hart vol walging om zichzelf, bleef hij zwetend van schaamte staan. Was hij maar met de bus gegaan, waarom was het niet donkerder, waarom hielden die idioten daarboven niet op met grijnzen, waarom gingen ze niet weg?

'Gooi maar,' zei Kitty eenvoudig. 'Toe maar, ik vang hem wel.'

Ze ving de schoen inderdaad netjes. Hij had de afstand zorgvuldig gemeten en de schoen precies in haar uitgestoken handen gemikt. Ze plukte hem uit de lucht alsof hij zo licht was als distelpluis en hield hem even omhoog, opdat hij hem zou kunnen zien. Met een gebaar dat het midden hield tussen een groet en een saluut, bukte ze zich om de schoen aan te trekken. En dat was het eind van het incident. Een van de jongemannen sloeg zijn arm om haar schouders en ze liet zich meetronen, terug naar de dansvloer. Heel even nog keek ze om, met een blik die tegenzin en spijt uitdrukte, alsof ze wist dat ze de gemoedsrust van een medemens die niet in staat was zich te verdedigen, ernstig had verstoord. Het ovale gezicht met de pittige gelaatstrekken had een honingkleurige gloed in de schaduw van het glanzende haar; de paarsblauwe ogen waren groot en donker en vervuld van een peinzende verbazing. Hij had nog nooit iemand zo droevig zien kijken. En toen was ze verdwenen.

Maar ze bleef bij hem en niet alleen op weg naar huis; nog maandenlang stuurde ze zijn hele leven in de war. Op school zakte hij van de eerste naar de vijfde plaats, zijn coördinatie op het rugbyveld leek die winter nergens op en hij kreeg niet eens een vaste plaats in het team. Hij kon met niemand over Kitty praten; zijn beste vrienden zouden hem, zonder kwade bedoelingen, het leven zuur hebben gemaakt en zijn ouders kwamen helemaal niet in aanmerking: zijn moeder niet omdat ze nu eenmaal een vrouw was en hij intuïtief aanvoelde dat hij bij haar niet hoefde aan te komen met ontboezemingen over een andere vrouw, die haar van haar plaats in zijn hart zou dreigen te verdringen; en zijn vader niet, omdat hij een man was, die nog jong genoeg was en er goed genoeg uitzag om in zekere zin als een rivaal te kunnen worden beschouwd. En ook al had hij zijn hart bij hen willen uitstorten, dan zou hij niet geweten hebben hoe hij had moeten beginnen; hij begreep zelf niet wat er

met hem aan de hand was.
Voor een veertienjarige is de liefde vaak een allesoverheersende belevenis, zeker omdat het zoiets volkomen onbegrijpelijks is. Maar Dominic was gelukkig net zo normaal als zijn nieuwe ervaringen: zijn eetlust leed er niet onder, maar scheen zelfs nog groter te worden; hij sliep uitstekend en had plezier in de nieuwe ervaring, ook al was die nog zo verontrustend, en langzaam maar zeker raakte hij eroverheen. Tegen de tijd dat hij het meisje terugzag, meer dan een jaar later, was hij niet alleen weer de beste van de klas, maar was hij helemaal weg van sportwagens en had hij een campagne op touw gezet om zijn vader over te halen een motorfiets voor hem te kopen zodra hij daar oud genoeg voor zou zijn. Hij was zelfs bijna vergeten hoe Kitty eruitzag. Hij was er nooit achter gekomen wie ze eigenlijk was, maar daar had hij eerlijk gezegd ook geen pogingen toe gedaan, omdat hij door vragen stellen, aan wie dan ook, zichzelf zou hebben verraden. Ze was gewoon Kitty, een vervagende herinnering aan absurde, melancholieke schoonheid.
De tweede keer dat ze elkaar zagen, was toen de mobiele bloedtransfusiedienst eind september zijn driemaandelijkse bezoek aan het gymnasium van Comerbourne bracht. Dominic had na school meegedaan aan de extra voetbaltraining en nadat hij onder de douche was geweest, was hem opeens te binnen geschoten dat hij nog iets moest opzoeken voor een geschiedenisproefwerk, zodat hij nog een uur in de schoolbibliotheek had doorgebracht. Het begon al te schemeren toen hij eindelijk het schoolplein overstak en de grote wagen met de brede achterportieren wijd open vlak bij het gymnastieklokaal zag staan. Een verpleegster was bezig apparatuur naar binnen te dragen. De bloedtransfusiedienst kwam eens in de drie maanden, maar Dominic had er nog nooit op gelet en zou dat nu ook niet hebben gedaan, als er niet net een donkerrode Karmann-Ghia achter de dienstauto de parkeerplaats op was gedraaid. Hij bleef als aan de grond genageld staan en zijn adem stokte even toen hij de compacte, subtiele schoonheid van de wagen bekeek. Zelfs toen het portier openging kon hij zijn ogen nauwelijks afhouden van de zuivere, soepele vormen om te kijken wie de gelukkige eigenaar was. Maar het volgende moment was zelfs de auto niet belangrijk meer. Een meisje zwaaide haar lange, elegante benen naar buiten en liep langzaam over de stoep naar de deur

van het gymnastieklokaal, alsof ze niet helemaal zeker wist of ze wel naar binnen wilde gaan en of ze daar wel welkom zou zijn. En het meisje was Kitty.
Het maakte niet uit of het nu schemerde, klaarlichte dag of midden in de nacht was. Dominic zou haar overal hebben herkend. Eén glimp was voldoende, zelfs na een jaar en drie maanden, om alles wat met haar te maken had een zo intense betekenis te geven dat de rest van de wereld gewoon niet meer bestond. De geparkeerde dienstauto, de verlichte ramen waarachter de verpleegsters druk heen en weer liepen, het hele ritueel van het afstaan van bloed werd voor Dominic opeens iets heel belangrijks, omdat Kitty blijkbaar een bloeddonor was. Hij wist dat hij nodig naar huis moest om aan zijn huiswerk te beginnen, maar hij stond als aan de grond genageld en toen hij zijn benen eindelijk weer in beweging kreeg, merkte hij dat ze hem naar het gymnastieklokaal brachten, in plaats van naar het hek van het schoolplein.
Hij had zijn bus waarschijnlijk toch al gemist en de volgende zou pas over vijfentwintig minuten komen. Als hij nu weg zou gaan, zou hij misschien nooit meer zo'n kans krijgen. Ze zat dit keer niet midden in een heel gezelschap, ze stond niet op een terras drie meter boven zijn hoofd; de toegang tot het gymnastieklokaal was vrij voor iedereen die bloed wilde afstaan. Het was bovendien voor een goed doel en zelfs als ze een lijst met vaste klanten mochten hebben, zouden ze een nieuwkomer heus niet weigeren. Ik zou eens wat meer op dit soort dingen moeten gaan letten, dacht hij deugdzaam, zeker vanwege pa; ik mag wel eens beginnen hem met dit soort dingen wat eer aan te doen. Het is nu of nooit, hitste een heel wat eerlijker duiveltje ergens in zijn achterhoofd hem op. Ze is nu nog alleen, je hebt zelf gezien dat ze in haar eentje is, maar als je niet snel bent, komt de bus met vrijwilligers eraan en dan kun je het wel vergeten. Wil je soms voor niets een halve liter bloed laten aftappen? voegde het duiveltje er geniepig aan toe, in één klap Dominics zogenaamde nobele gedachten dat hij dit offer voor een goed doel zou brengen, de grond in borend. Dominic was zich echter niet echt bewust van de ingewikkelde tegenstrijdigheden die binnen in hem woelden, maar had de deur al opengeduwd en stapte nu de hal binnen.
Ze zat in haar eentje op een van de stoelen die langs de muur waren neergezet en zag er een beetje onthutst en verloren uit, alsof ze zich

zat af te vragen wat ze daar eigenlijk deed. Ze had een donkergroen wollen pakje aan met een moderne korte, strakke rok; de mooie benen die hem zo van de kaart hadden gebracht, glansden gladjes van knie tot enkel en waren zo prachtig gebruind dat hij niet kon zien of ze nylons aan had of niet. Ze keek meteen op toen hij binnenkwam, blij dat ze daar niet langer in haar eentje hoefde te zitten. De dikke bos honingkleurig haar streek langs haar gladde wang en haar openhartige ogen keken hem met een hoopvolle glimlach aan.
'Goedenavond!' zei ze een beetje verlegen, bijna innemend.
Ze herkende hem niet, dat zag hij meteen, ze beschouwde hem gewoon als een medeslachtoffer.
'Goedenavond,' antwoordde hij met een aarzelende glimlach. Hij legde zijn boeken op de vensterbank en ging een paar stoelen bij haar vandaan zitten, want hij wilde zich niet aan haar opdringen, ook al was het duidelijk dat ze er de voorkeur aan gaf gezelschap te hebben dan in haar eentje te moeten wachten.
'We zijn een beetje aan de vroege kant,' zei Kitty. 'Ze zijn nog niet helemaal klaar. Ik heb er een vreselijke hekel aan om op dit soort dingen te moeten wachten. Is dit voor jou de eerste keer?'
'Ja,' antwoordde Dominic een beetje stijfjes, omdat hij dacht dat ze een zinspeling maakte op zijn jeugdige leeftijd.
'Voor mij ook,' zei ze opgelucht en toen begreep hij dat hij haar helemaal verkeerd had beoordeeld. 'Ik vond dat ik me wel eens nuttig mocht maken. Af en toe krijg ik zo'n aanval. Ik kan niets en ik doe niets, maar bloed heb ik in ieder geval wel. Hoop ik! Ben jij ook door je geweten hierheen gedreven?'
Ze grijnsde naar hem. Er was geen ander woord voor. Het was te wrang, te komiek en te samenzweerderig om gewoon een glimlach genoemd te kunnen worden. Hij voelde zijn stijve houding verdwijnen als sneeuw voor de zon, maar tegelijkertijd smolt het merg in zijn botten ook weg.
'Voor mij was het meer een plotselinge ingeving,' bekende hij. Hij glimlachte verlegen terug; hij, die amper wist wat verlegenheid was en die juist vaak een veel te brutale mond gaf. 'Ik was net op weg naar huis, toen ik de auto zag staan en toen dacht ik dat ik ook wel eens – mijn vader is bij de politie, zie je, en –'
'Meen je dat?' zei Kitty, duidelijk onder de indruk. De grote ogen sperden zich open; ze waren helemaal niet paarsblauw, zag hij nu,

maar paarsbruin.
'Nou, hij is eigenlijk inspecteur,' legde Dominic uit en meteen bloosde hij omdat het vrij theatraal klonk, terwijl hij drommels goed wist dat het in werkelijkheid helemaal niet zoiets bijzonders was. De rang klonk echter zo indrukwekkend dat men over het algemeen geen idee had hoe alledaags het leven van een lid van het plaatselijke politiekorps eigenlijk was.
'Goh!' zei Kitty met ogen die zo mogelijk nog groter waren geworden van ontzag. 'Ik kan jou beter te vriend houden. Wie weet wanneer ik je nog eens nodig zal hebben? Met al die snelheidsbeperkingen in het weekend en parkeerverboden in het centrum van de stad zou ik ieder moment opgepakt kunnen worden.' Ze zag zijn gefascineerde blik en lachte. 'Ik praat te veel, ik weet het. Weet je waarom? Omdat ik eigenlijk als de dood ben voor wat ons hier te wachten staat. Ik weet dat het niets te betekenen heeft, maar het staat me toch niets aan om zomaar afgetapt te worden.'
'Het zit mij ook helemaal niet lekker,' zei Dominic.
Dat was niet waar. Hij had aan de transfusie zelf nog helemaal niet gedacht, maar had zijn opmerking als een tegemoetkoming bedoeld. Hij had echter geen idee hoe moeilijk hij het daarmee voor haar had gemaakt om een antwoord te verzinnen waarmee ze zijn eigenwaarde in gelijke mate zou kunnen opvijzelen, maar ze slaagde er toch in, door een geniale ingeving. Ze keek hem eerst vergenoegd en toen weifelend aan, waarop ze hem een stralende glimlach schonk.
'Daar geloof ik niets van,' zei ze medeplichtig, 'maar ik vind het toch aardig van je. Als ik ga gillen als ze in mijn oor prikken om een monstertje te nemen, gil je dan met me mee? Dan zal ik me iets minder laf voelen.'
'Ik denk dat ik als eerste zal gillen,' zei hij galant, warm van verrukking en verlegenheid.
Hun onderonsje werd verstoord toen de deur openzwaaide en een mollige jonge verpleegster haar hoofd om de hoek stak.
'Kijk eens aan!' zei ze op de opgewekte toon die in haar beroep blijkbaar een vereiste is. 'Er zijn er al twee, terwijl de bus er nog niet eens is! Wat zijn we bereidwillig vandaag!'
'Zeg dat wel!' zei Kitty liefjes, terwijl ze Dominics blik snel ontweek omdat ze anders allebei in lachen zouden zijn uitgebarsten.
'Als jullie er soms snel van af willen zijn, kunnen jullie wel vast

binnenkomen.' Ze liepen samen naar binnen om hun offer te brengen. Een rij smalle veldbedden en twee dienstdoende nimfen stonden vol verwachting klaar. Een oudere verpleegster schikte wat formulieren op een tafeltje en keek hen over de rand van haar bril heen aan.

'Goedenavond!' zei ze opgewekt. 'Naam?' Maar ze keek Kitty glimlachend aan en wachtte niet op een antwoord. 'Ja, natuurlijk!' zei ze terwijl ze een van de namen op haar lijst aankruiste. 'Erg aardig van je, lieve kind, we stellen het erg op prijs. Het doet me altijd plezier als jonge mensen zo'n goed voorbeeld geven.'

Ze deed wel erg familiaar, dacht Dominic. Kitty was blijkbaar een bekende persoonlijkheid, maar ja, een meisje dat haar eigen Karmann-Ghia had, moest dat ook wel zijn. Hij wou alleen dat die ouwe draak gezegd had hoe ze heette! Hij probeerde de lijst op zijn kop te lezen en schrok op toen de blauwgrijze ogen zich scherp op hem richtten en hem aan een nauwkeurige inspectie onderwierpen. 'Naam?'

Hij gaf zijn naam op. Ze liet haar pen langs haar lijst glijden, maar deed het heel vluchtig, want ze was alleen op zoek naar de bevestiging van wat ze al wist.

'Je staat niet op de lijst. We hadden je blijkbaar niet verwacht.' Ze bekeek hem van top tot teen en het harde, ervaren gezicht begon opeens te glimlachen.

'Nee, ik kwam toevallig langs...' begon hij, maar ze zwaaide al met een waarschuwende vinger naar hem en zei op luide, vriendelijke, vertrouwelijke toon die geen tegenspraak duldde: 'Jij bent nog geen achttien, jongetje! Je kent de reglementen toch wel?'

'Ik ben zestien,' zei hij, zijn waardigheid verdedigend. Hij haatte het dat ze het meteen bij het juiste eind had en hij vond het nog erger dat ze haar bevindingen dacht te moeten rondbazuinen als een stadsomroeper. Uit haar mond klonk *achttien* zelfs nog zo minderjarig dat je met zestien nauwelijks uit de luiers was en daar kwam nog bij dat hij pas één week geleden zestien was geworden. Deze kenau hoefde hem maar aan te kijken om ook dat detail meteen op te merken. 'Ik dacht dat het van zestien tot zestig was,' zei hij, slecht op zijn gemak.

'Achttien tot vijfenzestig, jochie, maar het is leuk dat je het hebt geprobeerd. We mogen hier geen kinderen voor nemen, die hebben al hun kracht nodig om te groeien. Ga maar lekker naar huis en

kom over twee jaar maar terug, dan zullen we je met alle plezier op de lijst zetten, hoewel we ook dan toestemming van je ouders moeten hebben.'
Een van de jonge verpleegsters stond te giechelen. Zelfs Kitty glimlachte waarschijnlijk achter het glanzende gordijn van haar haar. Niet opzettelijk, dat wist hij nu wel, maar dat deed niets af aan zijn bittere vernedering. En hij had écht gedacht dat de minimumleeftijd zestien was. Hij had er iets onder durven verwedden.
'Weet u het zeker? Was het vroeger dan soms vanaf zestien jaar?'
Met een brede glimlach schudde ze haar hoofd. 'Het spijt me. Al zolang ik hier werk is het altijd vanaf achttien geweest. Maak je geen zorgen, jong zijn is iets dat vanzelf overgaat.'
Er viel niets aan te verhelpen. Het enige dat hij kon doen, was naar huis gaan. Kitty strekte haar hals om vanaf haar veldbed over de schouder van de verpleegster te kunnen kijken en zag hem, vernederd en verslagen, naar de deur lopen. Ze wou dat die ouwe heks hem niet zo had geplaagd. Die arme jongen was zo ontmoedigd dat hij haar niet eens gedag kwam zeggen.
'Ga je al?' riep ze op klagende toon tegen zijn rug. 'Als je soms even op me wilt wachten, zal ik je een lift geven.' Ze liet het klinken alsof ze een klein kind was dat niet alleen gelaten wilde worden, in een poging zijn gevoel voor eigenwaarde een beetje op te vijzelen. Het voorstel om hem een lift te geven had ze er als lokmiddel tegenaan gegooid zodat hij zijn gekrenkte trots zou kunnen vergeten. Ze was blij dat ze zijn ogen zag oplichten toen hij omkeek, hoewel ze aannam dat ze dat aan haar auto te danken had. Een intelligente, doch onjuiste veronderstelling. 'Kom je even bij me zitten?' vroeg ze. 'Ik had er echt op gerekend dat je me een beetje zou afleiden van die afgrijselijke fles.'
Ze wisten allebei dat het helemaal niet nodig was om haar bezig te houden of af te leiden, maar meisjes als Kitty hebben het recht net zoveel grillen te veinzen als ze zelf willen.
'Als je dat echt graag wilt...' zei hij, terwijl hij zijn zelfvertrouwen langzaam voelde terugkeren.
'Ga je gang, hoor,' zei de hoofdverpleegster met een goedgunstige glimlach. 'Je mag best op haar wachten. Gewillige jongelui jagen wij hier nooit weg.' Ze was te zeer met zichzelf ingenomen om de blik die hij haar toezond te kunnen begrijpen. Als ze een kind over zijn bol zou strijken, dacht hij bitter, zou ze zijn nek nog breken, zo

zachtzinnig was ze. De hoofdverpleegster was voor hem echter niet belangrijk meer, nu Kitty hem had teruggeroepen.
'Alsjeblieft,' zei de jonge verpleegster en ze zette een stoel naast Kitty's veldbed. 'Ga maar zitten. Zo dadelijk krijgen jullie allebei een lekker kopje thee.'
Dominic ging zitten. Kitty keek hem aan, met haar hoofd angstvallig afgewend van de fles die langzaam volstroomde met haar bloed, maar niet, zag hij, omdat ze daar misselijk van werd. Ze schudde van het lachen en toen hij met zijn slanke gestalte tussen haar en de officiële ogen was gaan zitten, fluisterde ze meteen samenzweerderig: 'Ik word gewoon niet *goed* van die lui!'
Daarmee was het weer goed, want ze had de rollen in één klap omgedraaid. Dat hij zich als een dwaas had gedragen, scheen haar helemaal niet te zijn opgevallen; maar dat de verpleegsters gewoon hun werk deden, daar werd ze niet goed van.
'Ik dacht echt dat zestien de minimumleeftijd was,' zei hij, de wond nog een keertje openkrabbend, hoewel hij er nu zelf ook om moest lachen.
'Dat weet ik,' zei Kitty. 'Ik wist helemaal niet dat er een minimumleeftijd wás, maar dat is ook eigenlijk wel logisch. Is mijn fles al vol? Kijk jij even, ik kan er niet zo goed tegen.'
Dat kon hij ook niet; het idee dat haar bloed langzaam uit de zachte, gouden arm stroomde, bezorgde hem een bijna lichamelijke pijn. 'Bijna,' zei hij en hij keek gauw van de fles weg. 'Pas op, daar komt ons lekkere kopje thee aan.'
Het was natuurlijk geen lekker kopje thee; de thee was veel te sterk en veel te zoet en had een vreemde roodbruine kleur, die verried dat men er melk uit een blikje in had gedaan. Toen ze weer alleen waren, ging Kitty rechtop zitten en bewoog ze voorzichtig haar verbonden arm. Ze nam een slokje van de thee, proefde en keek met een vies en ongelovig gezicht naar het kopje.
'Erg, hè?' zei Dominic meelevend. 'Ik hou ook niet van zoveel suiker in de thee, maar dat schijn je nodig te hebben na dit soort dingen, omdat je een hoop kracht bent kwijtgeraakt, of iets in die geest.'
'Ik heb anders helemaal niet het gevoel dat ik een hoop kracht ben kwijtgeraakt,' antwoordde Kitty een beetje verbaasd. Ze keek met een bedachtzaam gezicht naar het verband om haar arm. 'En ik begrijp eerlijk gezegd ook niet helemaal wat ze nu eigenlijk in

die fles hebben zitten,' zei ze met een ondoorgrondelijk gezicht. 'Ik had gedacht dat het bier zou zijn.' Toen ze zijn vragende gezicht zag, legde ze snel uit wat ze bedoelde, maar daardoor raakte hij nog veel meer in de war. 'Ik teer immers op bier.'

Hij staarde haar verbijsterd aan en hoopte maar dat hij het verkeerd had begrepen, maar hoe moest hij daar nu achter komen? Hij kende haar helemaal niet. Hij wist alleen dat ze het meest charmante meisje was dat hij ooit had ontmoet en dat ze een bijzonder storende invloed op hem had. Haar optreden op het feest van de roeiclub was hij nog lang niet vergeten.

'Ik bedoel niet dat ik alleen maar bier drink,' zei ze nu snel. 'Ik bedoel dat ik daarvan leef – dat ik daar mijn geld mee verdien. Sorry, ik heb me helemaal niet voorgesteld. Kitty Norris. Zegt die naam je iets? Hoeft helemaal niet, hoor,' voegde ze er snel aan toe. 'Van Norris Bier.' Ze zei het op een gelaten toon, alsof ze het had over een vreemde, maar geen onoverkomelijke verminking waar ze allang aan gewend was geraakt, maar waar een vreemdeling toch van zou kunnen schrikken.

'O, nu begrijp ik het,' zei Dominic, zowel opgelucht als doodsbenauwd. Wat moest ze wel van hem denken? Ze wist vast dat hij haar woorden bijna letterlijk had opgevat. En hij had het kunnen weten. Katherine Norris, de nieuwe eigenaresse van de grote bierfabriek, stond regelmatig in de krant en hij had haar foto al een paar keer gezien, maar het waren blijkbaar geen flatteuze foto's geweest, anders had hij haar wel herkend. Haar naam stond op de uithangborden van minstens een derde van alle cafés in de wijde omgeving; van alle cafés, om precies te zijn, die niet tot het monopolie van Armiger's Ales behoorden. En was ze ooit niet verloofd geweest met de zoon van Armiger? Dominic groef in zijn herinnering, maar het wel en wee van de plaatselijke society was iets waar hij nauwelijks aandacht aan besteedde en hij had dan ook geen idee waarom de bruiloft uiteindelijk niet was doorgegaan. Het was nog mooi dat hij zich iets over de verloving wist te herinneren, maar hij wist echt niet wat er verder allemaal achter had gezeten.

'Dat had ik moeten weten,' zei hij. 'Mijn naam is Dominic Felse.'

'Proost, Dominic!' Ze hief het kopje sterke, mierzoete thee naar hem op. 'Weet je dat dit ooit een flesje donker bier is geweest? Vroeger gaven ze de slachtoffers namelijk een flesje bier om weer op krachten te komen. Dat heb ik van Shelley gehoord. Ik voel me

dus aardig genept hier.'
'Norris bier?' vroeg Dominic, een voorzichtig grapje wagend. Hij had er succes mee; ze gooide haar hoofd achterover en lachte hartelijk.
'Goed gezien! Ik ben er van twee kanten ingestonken!' lachte ze verontwaardigd. Ze zwaaide haar benen over de rand van het bed en schudde haar mouw over het al half losgeraakte verband.
Nu is het bijna voorbij, dacht hij toen hij achter haar aan naar buiten liep. De bus was inmiddels aangekomen en een stroom vrijwilligers liep het schoolplein op. Zoals meestal tegen het eind van september was de schemering opeens overgegaan in de nacht. Het was een heldere, koude avond geworden. Nu zou ze in haar Karmann-Ghia stappen en hem vriendelijk maar zonder verdere plichtplegingen gedag zwaaien en wegrijden. Hij zou naar de bushalte lopen en naar huis gaan, zonder te weten of hij haar ooit nog zou zien.
'Waarnaar toe?' vroeg ze opgewekt terwijl ze zich over de passagiersstoel heen boog om het portier van binnenuit open te maken. Hij aarzelde even, want hij wist niet helemaal zeker of hij dat aanbod wel zou moeten aannemen. Hij wilde haar niet tot last zijn, maar kon het ritje nauwelijks afslaan. 'Dat is erg aardig van je,' zei hij, bijna stotterend, 'maar ik hoef alleen maar tot aan de bushalte.'
'Alleen maar tot aan de bushalte?' herhaalde ze met een uitgestreken gezicht. 'Hoezo? Slaap je daar dan?'
'Ik bedoel, dat ik best gewoon met de bus naar huis kan.'
'Doe niet zo mal,' zei Kitty. 'Vertel je me nu maar gauw waar je woont, anders zal ik je er nog van verdenken dat je mijn auto niet mooi vindt. Heb je wel eens in zo'n karretje gezeten?'
Hij zat er al in, vlak naast haar, zodat de mouwen van hun jassen tegen elkaar schuurden. De kunstleren bekleding had net zo goed een gouden wolk kunnen zijn, een wolk van triomf. Het meisje was al zo fantastisch, maar de auto was helemaal het einde. Kitty startte de motor en reed voorzichtig een stukje achteruit in de richting van de struiken om te kunnen keren, want de grote wagen van de bloedtransfusiedienst zat haar gebruikelijke rijstijl een beetje in de weg. De struiken doemden als een wazige massa achter hen op, zwiepend in de duisternis. Ze zette het achteruitrijlicht aan om te kunnen zien hoeveel ruimte ze had en maakte meteen Dominics

bijna dronken gevoel van trots en verrukking over haar waar door de auto in één vloeiende beweging en met een roekeloze vaart langs de bumper van de dienstauto te laten glijden en als een autocoureur weg te schieten. De huizen aan de Howard Road flitsten voorbij tot ze vaart minderden voor het stoplicht.
'Je hebt me nog steeds niet verteld waar ik je kan afzetten,' zei Kitty.
Nu moest hij wel capituleren en haar vertellen waar hij woonde en dat deed hij dan ook, in een roes van opwinding.
'Comerford?' zei ze, 'Dat is nauwelijks ver genoeg om de motor warm te laten lopen. Laten we een omweg nemen.' Ze zette haar knipperlicht aan ten teken dat ze wilde afslaan en schoof netjes opzij om een achteropkomende auto de ruimte te geven. De bestuurder leunde uit zijn raampje toen hij langs hen heen reed en riep iets terwijl hij naar de achterwielen van de Karmann-Ghia wees. Dominic, die niet had verstaan wat hij zei, zette zijn stekels al op om voor Kitty in de bres te springen, maar Kitty had het wel begrepen. Ze liet zich een verwensing ontglippen, grijnsde en stak even haar hand op om de man te bedanken.
'Verdorie!' zei ze en ze knipte het achteruitrijlicht uit. 'Dat doe ik nu *altijd*. De volgende keer neem ik een automatische. Je verklapt het toch niet aan je vader, hè? Ik probeer er echt altijd aan te denken. Ik heb echt geen slecht geheugen, maar wat auto's betreft ben ik steeds weer de pineut. Dat verdraaide achteruitrijlicht en de benzinetank! Je hebt geen idee hoe vaak ik al zonder benzine heb gestaan.'
'Heb je dan geen benzinemeter?' vroeg hij terwijl hij vergeefs het dashboard afzocht.
'Nee, ik heb een reservetank, dat leek me beter omdat je daarmee weet dat je nog precies vier liter hebt als je daarop overschakelt, zodat je rustig naar een tankstation kunt zoeken.'
'En werkt dat goed?' vroeg Dominic nieuwsgierig.
'Ja en nee. Op lange afstanden wel, omdat ik dan nooit weet waar het eerstvolgende tankstation is, zodat ik bij de eerste de beste gelegenheid stop en beide tanks laat vullen. Maar als ik in de stad rondrijd, om boodschappen te doen of wat dan ook, schakel ik vaak over op de reservetank en denk ik: tijd genoeg, ik heb nog vier liter en hier zijn tankstations genoeg. Maar dan vergeet ik het weer en sta ik opeens helemaal zonder, midden in de hoofdstraat

of op weg naar de golfclub. Ik zal het wel nooit leren,' zei ze met een quasi-treurig gezicht. 'Ook toen ik een auto met een benzinemeter had, vergat ik steeds te kijken; wat dat betreft maakt het allemaal niets uit. Het ligt gewoon aan mij. Ik let nergens op.'
'Je rijdt anders goed, zeg,' zei Dominic. Het was het beste dat hij zo gauw kon bedenken om haar een beetje op te fleuren. De wat honende toon die ze gebruikte, zowel komisch als droevig, begon al naar een tot nu toe onontdekt plaatsje in zijn hart te glijden, als een sleutel in het slot van een geheime deur.
'Meen je dat echt?'
'Jazeker. Vind je zelf dan van niet?'
'Jawel,' zei Kitty, 'maar ik hoor het toch graag van een ander. Wat vind je van de wagen?'
Auto's vormden een onderwerp waar hij in ieder geval over kon meepraten en helemaal nu ze het over Kitty's auto hadden. De hele weg naar Comerford spraken ze deskundig over sportwagens en toen ze voor de voordeur van zijn huis in het dorp tot stilstand kwamen, keek hij zo verbaasd op van de plotselinge terugkeer naar zijn vertrouwde wereld en de dagelijkse routines, dat het leek alsof hij een klap had gekregen. Die paar minuten van pure vrijheid en het onbelemmerde gesprek dat ze hadden gevoerd, waren zowel een eind als een begin geweest. Hij kon alleen maar dankbaar zijn voor dit wonder, dat hem niet zo snel een tweede keer ten deel zou vallen. Hij stapte langzaam uit, verstijfd door de plotselinge overgang en bleef verlegen naast haar portier staan, terwijl hij moeizaam zocht naar woorden die niet alledaags en onbeduidend zouden klinken en de hele ervaring zouden torpederen.
'Bedankt voor de lift.'
'Geen dank!' Kitty glimlachte tegen hem. 'En jij bedankt voor de geestelijke steun. Ik zou niet weten met wie ik mijn bloed liever zou hebben vergoten.'
'Voel je je echt weer helemaal goed?' wist hij alleen maar te bedenken.
Uit Kitty's mouw was een stukje verbandgaas te voorschijn gekropen; toen ze er voorzichtig aan trok, kwam het verband als een verwrongen sliert te voorschijn. Ze gooide het op de stoel naast zich. Ze moesten er allebei hartelijk om lachen.
'Ik voel me uitstekend,' zei Kitty. 'Misschien had ik wel hoge bloeddruk en ben ik daar meteen van genezen.'

Even was het stil. Het zachte licht viel vanachter de vitrage van het raam van de voorkamer op de volle, stevige ronding van haar mond, terwijl haar voorhoofd en ogen in de schaduw bleven. Wat een zachte mond had ze, maar toch zo gedecideerd, met die vastberaden lippen en de diepe mondhoekjes, die spottend, kwetsbaar en droevig tegelijk leken. De kern van vloeibare vreugde in Dominics hart laaide op met een kwellende pijn toen hij die mond zag vertrekken tot een afscheidsglimlach.
'Nogmaals bedankt – en tot ziens!'
'Tot ziens bij de volgende gelegenheid tot bloedvergieten,' zei Kitty vrolijk en reed weg nadat ze haar vingers even aan haar voorhoofd had gebracht, in een gebaar dat het midden hield tussen een groet en een saluut. Hij bleef haar staan nakijken en hield zo lang zijn adem in dat het bloed in zijn oren begon te suizen en de pijn in zijn middenrif zo scherp en onontkoombaar was als kiespijn.
Ze zagen elkaar veel eerder terug dan ze voorspeld had en onder heel andere omstandigheden; en het bloed dat toen al rijkelijk was vergoten, was noch van hem noch van haar.

HOOFDSTUK TWEE

De laatste aanwinst in de reeks supercafés van Alfred Armiger, Het Vrolijke Barmeisje, werd tegen het eind van die zelfde maand september officieel geopend. Het café stond aan een provinciale weg, op een afstand van bijna een kilometer van Comerford en ruim twee kilometer van Comerbourne. Het leek op het eerste gezicht geen gunstige plek, maar als het om geld ging, wist de oude Armiger altijd precies wat hij deed, zodat er niet veel mensen waren die eraan twijfelden of hij er wel winst uit zou weten te halen. Degenen die de bierbaron het beste kenden, vroegen zich zelfs af of hij soms geheime informatie had over de nieuwe weg waarover zoveel geruchten de ronde deden en of het asfalt daarvan soms op den duur precies langs de muren van de nieuwe herberg zou komen te lopen. Er waren zeven maanden verstreken sinds hij het huis had gekocht en zijn legertje ontwerpers, aannemers en binnenhuisarchitecten aan het werk had gezet en op de avond van de officiële opening kwamen velen een kijkje nemen om te zien hoe het was geworden.
Inspecteur George Felse liep uit pure nieuwsgierigheid even binnen, niet in zijn officiële functie, maar als gewoon burger. Hij had het oude stenen huis met de hoge ramen vaak bewonderd en het jammer gevonden dat het langzaam aan het wegrotten was tot een pittoreske, onrendabele bouwval. Er hadden twee oude dames in gewoond, die, zoals met bejaarde zusters wel vaker gebeurt, vlak na elkaar waren gestorven. Het huis had bijna een jaar leeggestaan voor hun ver afgelegen wonende erfgenaam had besloten het te verkopen om zichzelf de kosten van onderhoud ervan te besparen. Veel keus had hij ook niet gehad met een huis van dergelijke afmetingen dat zich in niet al te beste staat bevond; de enige vraag was geweest of hij er wel een koper voor zou kunnen vinden, maar dat was achteraf geen probleem gebleken: Alfred Armiger, de ge-

wiekste handelaar in de hele provincie en omstreken, had meteen toegehapt.
George bleef het een onbegrijpelijke zaak vinden, zelfs toen hij de prachtige, nieuwe, in tudorstijl uitgevoerde voordeur openduwde en de hal inliep met een schitterende lambrizering, zwarte eikehouten balken, gebeeldhouwde zitbanken en koperkleurige glazen bollampen. Hij schatte dat de restauratie minstens tienduizend pond moest hebben gekost en hij begreep echt niet hoe Armiger dacht dat geld er ooit uit te kunnen halen, tenzij hij het hele gebouw zou kunnen oppakken en aan de hoofdweg neerzetten, maar dat ging zelfs de macht van een man als Armiger te boven. Zelfs als het iedere avond zo vol zou zitten als vandaag – en dat viel ten zeerste te betwijfelen – zouden de lopende kosten plus het salaris van het personeel dat hij hier nodig had, veel hoger blijven dan het ooit zou opbrengen.
Vanavond ging het er trouwens vrolijk toe. In de rumoerige open bar links van de hal, die in landelijke stijl was uitgevoerd met koperen lampen en haardijzers bij de open haard, zag George een groot deel van de bohémienachtige bevolking van Comerbourne, hoofdzakelijk jongelui. Wilde baarden en mohair truien gaven de bar de sfeer van een geitestal en eerlijk gezegd rook het daar ook een beetje naar. In de twee kleine zitbars aan de rechterkant was de sfeer van de achttiende eeuw intact gelaten en een aantal oudere en bedaardere dorpelingen had zich geïnstalleerd in de met brokaat beklede zithoekjes. De eetzaal scheen ook goede zaken te doen, te oordelen naar het aantal in witte jasjes gestoken kelners die af en aan liepen met drankjes uit de bar. George herkende geen van de kelners. Ze kwamen blijkbaar niet uit de naburige dorpen en moesten dus speciaal voor dit café zijn gerekruteerd. Hij zag slechts één bekend gezicht: de oude Bennie uit Het Witte Paard in Comerbourne, die ongetwijfeld hier was gaan werken omdat hij de clientèle kende. Het was altijd nuttig om iemand in de buurt te hebben die de plaatselijke beroemdheden en lastposten kende.
In de grote gelagkamer zat een gemengd publiek, geen kliek van vooraanstaande burgers of artistieke figuren. Het was een grote ruimte die helemaal was verbouwd en in nogal overdadige tudorstijl uitgevoerd. De balken aan het plafond waren te laag en te overheersend en er hing een veel te bonte mengeling gepoetst koper, waarvan het meeste onbeschaamd nieuw was. Armiger kreeg

altijd precies wat hij wilde en als er geen antiek beschikbaar was, liet hij het gewoon namaken, ook al veroorzaakte dat een aantal storende anachronismen. De bezoekers waren in ieder geval wel authentiek: boeren, winkeliers, reizigers, dorpelingen en arbeiders plus een aantal notabelen die nog steeds de voorkeur gaven aan dit soort gezelschap.
George zocht zich geduldig een weg tussen de menigte door naar de bar en bestelde een biertje. Een blonde barjuffrouw met hoog opgestoken haar en lange roze nagels zette een pul bier voor hem neer en vertelde hem met een meewarig glimlachje dat vanavond alle consumpties gratis waren, met de complimenten van meneer Armiger. Vandaar dat het zo vol was, dacht George, en de avond was nog jong. Vóór sluitingstijd zouden er waarschijnlijk nog vele anderen lucht van krijgen. Als er ergens gratis drank werd geschonken, hield George het zelf altijd op één consumptie. Als hij het geweten had, zou hij zijn bezoek zelfs hebben uitgesteld tot een andere avond, maar hij was er nu eenmaal al en het schouwspel was zonder enige twijfel de moeite waard. Hij zag de halve gemeenteraad van Borough over de gelagkamer verspreid zitten en er was ook een aardige deputatie aanwezig van het omvangrijker provinciaal bestuur. Armiger hoefde maar met zijn vingers te knippen of de mensen kwamen aangehold, maar hoeveel zouden er zijn die kwamen omdat ze hem graag mochten? Die zou je op de vingers van één hand kunnen tellen, dacht George.
Hij was met zijn biertje op weg naar het meest afgelegen hoekje dat hij kon vinden, toen een zware hand op zijn schouder neerdaalde en een stem die zo welluidend en zelfverzekerd klonk als een trompet, en even goed gestemd, in zijn oor bulderde: ‘Kijk eens wie we daar hebben! Moet ik dit als een eer beschouwen of als een waarschuwing?’
Als men over de duivel spreekt, trapt men hem op de staart.
‘Geen nood,’ zei George. Hij grijnsde over zijn schouder tegen de man die zijn biertje had betaald. ‘Ik heb geen dienst. Ik had gewoon dorst, maar een gratis biertje had ik niet verwacht. Proost!’
Armiger had een glas whisky in zijn hand; hij hief het op naar George en gooide het in één teug achterover. De bierbaron was niet erg groot, nauwelijks de gemiddelde lengte, maar gebouwd als een stier, met zware schouders, een te verwaarlozen nek en een groot hoofd dat altijd dreigend naar voren stak. Hij was een man

die altijd recht op zijn doel afging, zowel wat zijn zaken als zijn privé-leven betrof: zijn interesses, zijn tegenstanders, iedereen die hem in de weg stond en alles wat een tijdelijk of blijvend voordeel kon betekenen voor zijn zaken of zijn ego, werd even rechtlijnig aanvaard of uit de weg geruimd. Hij had een donkere huidskleur, dun wordend haar dat hij over zijn gebruinde schedel kamde en een klein zwart snorretje dat zijn bovenlip sierde alsof het geladen was met energie, trillende voelsprieten als het ware. Zijn blauwige kin en steenrode wangen gaven hem een opvallend uiterlijk, al kleedde hij zich nog zo conservatief. Misschien had hij al flink wat van zijn eigen produkt achter zijn kiezen, maar het zou ook kunnen dat hij gewoon opgewonden was van trots en plezier had in zijn nieuwe speeltje, waarvan hij heel veel voor de toekomst verwachtte. Eigenlijk was het niet erg waarschijnlijk dat hij ooit onder invloed van de drank zou raken. Hij had er al zo lang in gehandeld en er zoveel van zijn mededingers mee gemanipuleerd, dat het nauwelijks denkbaar was dat hij er in dit stadium zelf door in verleiding gebracht zou worden. Hij straalde van opwinding en voldoening en zijn scherpe, sluwe ogen fonkelden.
'Nou? Wat vindt u van mijn herberg? Mooi werk, hè?'
'Geweldig,' zei George met respect, 'maar gelooft u echt dat het de moeite waard is geweest de vergunning buiten de stadsgrenzen te krijgen? Het lijkt mij een nogal kostbare business.'
'Beste kerel, ik gooi nooit geld over de balk als ik niet zeker weet dat het vanzelf terug zal komen en al zijn familieleden zal meebrengen! Geen zorgen, ik zal de boel wel rendabel houden.'
Met een veelbetekenende grijns gaf hij George een klap op zijn schouder en liep hij door de menigte weg, met zijn hoofd vooruitgestoken en zijn zware schouders zachtjes heen en weer deinend. Links en rechts begroette hij kennissen en gaf zijn gasten een hand. Hij scheen golven van energie uit te stralen die over de menigte heen sloegen, tegen de betimmerde wanden ketsten en aan het met koper gesierde plafond bleven hangen. Alfred Armiger was een man die op eigen kracht de top had bereikt en vele minder bedeelde stervelingen hadden het in zijn rechtlijnige jacht op succes tegen hem moeten afleggen. Sommigen van die slachtoffers zaten vanavond in zijn café en toen hij de gelagkamer doorliep, werd hij gevolgd door vele blikken die hem ter plekke geveld zouden hebben, als blikken hadden kunnen doden.

'Die is in een goede bui,' zei een stem in Georges oor. 'Zoals altijd als hij een ander een loer heeft kunnen draaien.' Barney Wilson van het architectenbureau schoof naast hem op de bank en plantte zijn magere ellebogen op de tafel; het was een lange, sombere man met een ontgoocheld gezicht. 'Let maar niet op mij,' zei hij met een wrange glimlach toen hij George nieuwsgierig naar hem zag kijken, 'ik ben bevooroordeeld. Ik heb lange tijd de hoop gekoesterd dit huis zelf nog eens te kunnen kopen. Ik had de slechte delen weg willen halen en van de rest een mooi huis willen maken voor mijn gezin. Ik heb het hem nog steeds niet vergeven. Waar heeft hij in vredesnaam nóg een café voor nodig? Hij heeft er al zoveel dat hij ze niet eens meer kan tellen.'
'Het zou anders een flinke klus zijn geweest om een huis als dit in je eentje op te knappen. Het verkeerde niet bepaald in goede staat,' merkte George op terwijl hij Wilson aandachtig bleef bekijken.
'Dat weet ik, maar ik was van plan om er in het begin alleen het hoogst noodzakelijke aan te doen, zodat Nell en ik er met de kinderen vast in zouden kunnen trekken en dan langzaam aan de rest te werken. De prijzen van koopwoningen zijn de laatste tijd erg opgelopen en eerlijk gezegd had ik alleen kans op een bouwvallige kast als deze. Tegenwoordig wil iedereen een modern, makkelijk te onderhouden huis, al dan niet vrijstaand, en die worden dan ook steeds duurder, maar deze grote ouderwetse kasten kun je nog voor een prikje krijgen. De meeste mensen denken dat je minstens een paar bedienden nodig hebt om ze schoon te kunnen houden en dat ze een kapitaal kosten aan onderhoud, maar ik ben architect en het onderhoud van zo'n huis is voor mij een peuleschil. Bovendien is Nell op een boerderij in Wales opgegroeid en weet ze precies hoe ze een groot huis op een efficiënte manier kan schoonhouden. Ja, we dachten echt dat we het voor elkaar hadden. Ik was zelfs al begonnen tekeningen te maken voor de verbouwing, zo zeker was ik van mijn zaak. We waren als kinderen zo blij, maar zodra ik die man op de veiling in de gaten kreeg, wist ik dat het niet door zou gaan. Als hij er niet was geweest, hadden we het bijna voor niets kunnen krijgen. Niemand anders had er belangstelling voor.' Hij staarde met een somber gezicht naar zijn pul bier en zuchtte. 'Maar nee, hij moest het met alle geweld onder onze neus vandaan graaien en er deze monsterlijke vertoning van maken. Maar iets anders kun je ook niet verwachten van een man die "De Vreugdevolle

Vrouw" in "Het Vrolijke Barmeisje" verandert!'
'Heette het vroeger zo?' vroeg George, verbaasd en verrast. 'Dat heb ik nooit geweten.'
'Ik ben heel wat over de geschiedenis van dit huis te weten gekomen, want toen ik dacht dat het van ons zou worden, ben ik meteen in de archieven gedoken. Het is eeuwenlang een café geweest, lang voor het als woonhuis in gebruik werd genomen. Het had een uithangbord waar De Vreugdevolle Vrouw op stond. Mooie naam, hè? Die dateert uit ongeveer 1600. Daarvóór was het ook een woonhuis en weer dáárvoor een landgoed dat tot de pastorie van Charnock behoorde. En nu heet het Het Vrolijke Barmeisje.'
'Zaken zijn zaken,' zei George, nogal afgezaagd.
'Laat me niet lachen! Hij is bereid aan dit café geld te verliezen, enkel en alleen omdat hij het zijn zoon niet gunt. Dáár gaat het allemaal om, punt uit.'
'Wat heeft zijn zoon hiermee te maken?'
'We hadden het samen willen kopen. We hadden al ons geld bij elkaar gelegd en zouden daarmee een bod doen. Leslie en Jean zouden de schuur in een atelier veranderen en Nell en ik zouden met de kinderen het huis nemen. Heeft u die schuur wel eens bekeken? Hij staat aan de andere kant van het erf, dat nu in een parkeerplaats is veranderd. Het is een oersterk stenen gebouw dat nog eeuwen mee kan. Het had een ideaal atelier annex woonruimte kunnen worden. Op de een of andere manier heeft zijn lieve vader er echter lucht van gekregen en die vond dat een paar duizend pond welbesteed zouden zijn om zijn zoon de ogen uit te steken.'
De ruzie tussen vader en zoon Armiger was George bekend. De hele provincie wist ervan. Het was wel te begrijpen dat Armiger, die self-made, ambitieuze, van energie laaiende man, het liefst had gehad dat zijn enige zoon bij hem in de zaak zou komen en met de erfgename van een andere grote bierfabrikant zou trouwen zodat hij de twee maatschappijen zou kunnen laten samensmelten. Het was echter ook te begrijpen, dat de zoon zich uit alle macht had verzet tegen de plannen en de overweldigende persoonlijkheid van zijn vader en had geweigerd een tweede bierbaron te worden. Het was algemeen bekend dat Leslie van schilderen zijn beroep wilde maken en de breuk was zo goed als onvermijdelijk geweest, zelfs als hij zijn eigen lot niet had bezegeld door zich te verloven met een eenvoudige typiste die op het kantoor van de brouwerij werkte, in

plaats van zich te schikken in de plannen van zijn vader. Over wat er daarna precies was gebeurd, deden vele verhalen de ronde; het enige dat men eigenlijk wist, was dat Leslie zonder meer het huis uit was gezet en dat het meisje ofwel ontslag had genomen ofwel was ontslagen en dat ze vlak daarna voor de burgerlijke stand waren getrouwd. Nadat het huwelijk eenmaal was voltrokken, hadden ze zich stilletjes teruggetrokken en hadden de nieuwtjesjagers hun aandacht voor hen al gauw verloren. Dat Armiger hen nog steeds zo kwaadwillig dwarszat en hun zelfs een eigen huis misgunde, had George echter niet geweten.

'Er moet toch wel een grens zijn geweest aan wat hij bereid was weg te gooien,' opperde George. 'Hij is erg op zijn geld gesteld.'

Wilson schudde zijn hoofd. 'Toen wij al aan onze limiet zaten, was hij nog maar net begonnen! Het is waar dat hij op zijn geld is gesteld, maar hij heeft inmiddels meer dan hij ooit kan opmaken en hij houdt er blijkbaar nog meer van zijn eigen zin door te drijven.'

'Had Leslie dan geen hypotheek kunnen krijgen? Met zijn vooruitzichten –'

'Hij heeft helemaal geen vooruitzichten. Hij heeft geen vader meer. Deze breuk is definitief en iedereen weet dat. De mensen hier kennen Armiger maar al te goed. Niemand zal het in zijn hoofd halen Leslie geld te lenen. Hij heeft ongeveer duizend pond van zijn moeder geërfd en verder leeft hij op zijn salaris, maar daar houdt het mee op. Waar dacht u iemand te kunnen vinden die bereid zou zijn zich aan de kant te scharen van iemand aan wie Armiger de oorlog heeft verklaard?'

Dat was waar, dacht George. De mensen zouden niet alleen door het geld en de macht worden afgeschrikt, maar nog meer door de pure kracht van die meedogenloze persoonlijkheid. Er zijn mensen die alleen door helden uitgedaagd kunnen worden en helden kom je niet iedere dag tegen. 'Wat doet Leslie nu eigenlijk?' vroeg hij. Hij besefte opeens dat Leslie dus eigenlijk een held was. Een held die bij voorbaat al gehandicapt was.

'Hij werkt op het pakhuis van Malden, als inpakker, sjouwer en manusje-van-alles en daar verdient hij ongeveer acht pond per week mee,' antwoordde Wilson op bittere toon. 'Men heeft hem nooit geleerd hoe hij zijn brood moet verdienen en met zijn schilderijen kan hij de rekeningen niet betalen. En nu is er nog een baby onderweg ook, zodat Jean eerdaags haar baan zal moeten opzeg-

gen.' Armiger was de gelagkamer weer binnengekomen, dit keer met een paar nieuwe klanten die hij met gastvrije gebaren in de richting van de gratis drankjes stuwde.
Ze volgden het kogelronde hoofd dat tussen de mensen door gleed, maar in hun ogen lag een meewarige blik. Het gezelschap dat hij aan een hoektafeltje van de grote zaal installeerde, scheen uit zeer speciale gasten te bestaan.
'Een breuk tussen ouders en kinderen trekt meestal wel bij, hoe diep ze ook mag zijn,' zei George zonder al te veel overtuiging.
'Met ouders, ja. Met monolieten, nee. Leslie heeft eigenlijk altijd maar één ouder gehad en die is bijna drie jaar geleden gestorven, anders had ze het misschien wel voor hem opgenomen toen de crisis uitbrak. Niet dat ze ooit veel in te brengen heeft gehad, het arme mens.'
Wilson rekte zijn hals om tussen de deinende schouders door te kunnen zien wie er plaats hadden genomen aan het hoektafeltje en toen de menigte uiteenweek voor een kelner met een volgeladen dienblad, kreeg hij even een doorkijkje. De andere cafébezoekers waren al even geïnteresseerd in het schouwspel. Een vrouwenstem zei koel: 'Ordinair wezen!' en een mannenstem mompelde, iets meer geïnteresseerd: 'Dus dat was inderdaad Kitty's rode wagentje op het parkeerterrein. Ik kon me al niet voorstellen dat daarvan hier in de buurt een tweede zou rondrijden.'
Het gezelschap dat Armiger binnen had gebracht, bestond uit drie personen. De man was precies het tegenovergestelde van Armiger en was hem juist daarom zoveel waard; George kende het contrast tussen het tweetal en wist wat dat inhield. Op bedrijven waar Armigers boerse agressie niet gewenst was, werd Raymond Shelley met zijn lange, grijze, elegante gestalte en zijn verfijnde manieren zonder meer verwelkomd; als er voor bepaalde onderhandelingen discreet opgetreden moest worden – waarvan Armiger geen kaas had gegeten – stuurde hij Shelley. Officieel werkte Shelly als rechtskundig adviseur voor de firma; hij was echter in feite het tweede gezicht van Armiger, dat al naar gelang de omstandigheden onthuld of verhuld kon worden. Het was een rustige, bedachtzame man van middelbare leeftijd, die op zich niet bijzonder energiek of doelmatig was ingesteld, maar die precies was wat Armiger nodig had. In ruil voor zijn diensten gaf Armiger hem wat hij het meest begeerde en dat was geld. Hij was bovendien jarenlang met

de vader van Kitty Norris bevriend geweest en was nu haar gevolmachtigde en zakelijk adviseur. Kitty zelf zat naast hem. Ze was gekleed in een zwarte jurk met een wijde rok, die haar er veel jonger deed uitzien dan ze was. Zelfs met de kleurige sjaal die ze om haar schouders had gedrapeerd, zou je haar nooit tweeëntwintig geven. Ze had een glas bier voor zich op tafel staan. Dus dat, dacht George, terwijl hij haar mooie profiel in het zachte roze licht bewonderde, is het meisje dat Dom laatst een lift heeft gegeven. En Dom heeft alleen maar over de auto gepraat! Wat is het leven toch eenvoudig als je nog zo jong bent.
Het derde lid van het gezelschap was een knappe, gelaten uitziende, rustige vrouw van vijfenveertig. Ze droeg een zwart mantelpakje en was bezig een sigaret in een kort zwart sigarettepijpje te steken. De bewegingen van haar lange handen waren elegant en zelfverzekerd, net als haar lichaam onder de strakke snit van haar kleren. Ze liet de mannen aan het woord. Intelligente ogen waar geen illusies in stonden, gleden zonder merkbare emotie van het ene gezicht naar het andere; alleen toen ze naar Kitty keek, glimlachte ze vluchtig en betekenisvol en legde daarmee een contact waardoor de mannen een beetje op een afstand werden gehouden. Vrouwen die zo efficiënt waren als Ruth Hamilton en die zo diep in de zakengeheimen van hun werkgevers verwikkeld waren, voelden vaak een lichte minachting voor de tempels die ze op hun schouders torsten en voor de goden die ze dienden.
'Zijn secretaresse,' zei een man hardop fluisterend ergens achter hen. 'Al twintig jaar. Ze schijnt echter meer te doen dan alleen zijn brieven tikken.'
Ook dat was geen nieuws. George had dergelijke geruchten al zeker tien jaar lang steeds weer de kop horen opsteken. Het enige verrassende was dat het er nu nog eens apart werd bij verteld; iedereen wist ervan en kon zelf uitmaken of hij het wilde geloven of niet, maar er viel geen druppel sensatie meer uit te halen. Het was niet erg waarschijnlijk dat iemand er ooit achter zou komen of het waar was, maar de legende op zich was onvermijdelijk geweest, aangezien Ruth Hamilton niet alleen de zaken van Armiger behandelde, maar sinds het begin van de langdurige ziekte van zijn vrouw ook zijn huishouden had geregeld en dat was alweer heel wat jaren geleden geweest.
Wilson dronk zijn kroes leeg en duwde hem van zich af. 'Jean is een

geweldige meid, maar toch vraag ik me wel eens af hoe het komt dat Leslie juist voor haar is gevallen, terwijl hij Kitty steeds om zich heen had. Niet dat ik vind dat hij een fout heeft gemaakt. Helemaal niet. Maar toch – wat een schoonheid!'
George had ook al in die richting zitten denken, al kende hij Jean Armiger niet. Het gebeurde wel vaker dat jonge mannen een mooi meisje lieten staan, als dat door hun vader te nadrukkelijk naar hen toe werd geschoven en Armiger kennende, had hij die zaak ongetwijfeld als een bulldozer aangepakt, stug doorduwend, zonder links of rechts te kijken. Maar toch – wat een schoonheid!
Ze was de laatste persoon naar wie hij keek toen hij om tien uur de gelagkamer verliet. Ze had zich niet bewogen en bijna niets gezegd; haar glas was nog bijna vol. Armiger was verdwenen om elders zijn aanwezigheid duidelijk te maken en Ruth Hamilton scheen zich gereed te maken om te vertrekken, want ze had haar tas en handschoenen gepakt, maar Kitty bleef doodstil zitten; zo stil dat de glittertjes van de kleurige sjaal bewegingloos op haar schouders bleven liggen, als zwevende kruimeltjes licht. De klapdeur tussen George en haar ernstige gezichtje viel dicht. George zette zijn kraag op en liep de hal door in de richting van de koude septemberavond.
De oude Bennie Blocksidge, een klein, pezig en gehard mannetje, kwam net met een leeg dienblad de hal in lopen. Zijn roze kale hoofd werd in de koperen bollampen weerspiegeld toen hij eronderdoor liep. Toen hij George zag, bleef hij even staan om een praatje te maken. Hij knikte in de richting van de zijdeur die toegang gaf tot de binnenplaats.
'Hij is vanavond helemaal door het dolle heen, meneer Felse. Geen houden meer aan.'
'Hij' kon alleen maar duiden op Armiger. 'Ik heb hem daarstraks opeens zien verdwijnen,' zei George. 'Wat voert hij nu weer in zijn schild? Je zou denken dat hij vanavond toch wel genoeg triomfen heeft gevierd.'
'Hij is daarnet met een fles champagne onder zijn arm de deur uit gelopen om zijn nieuwe balzaal aan een kennis van hem te laten zien. Die heeft hij in de oude schuur laten maken, aan de andere kant van het parkeerterrein. Hij had de balzaal deze week ook willen openen, maar ze zijn nog maar net klaar met het afwerken. Hij is erg op die balzaal gesteld en dat mag ook wel, want die heeft hem

een flinke duit gekost.'
Leslies atelier was dus een balzaal geworden. George deed een stapje opzij om twee mensen die vlak achter hem de gelagkamer uit waren gekomen, erdoor te laten en keek Ruth Hamilton en Raymond Shelley na die samen door de hal liepen en door de klapdeuren en de met koperen klinknagels beslagen buitendeur die de hele avond wijd open had gestaan, naar buiten gingen. Even later hoorde hij op het parkeerterrein een motor aanslaan en zag hij de Austin van Shelley langzaam de oprit afrijden en richting Comerbourne afslaan.
'Hij heeft gezegd dat hij niet gestoord wenst te worden,' zei Bennie snuivend, 'maar dat hij vanzelf wel terug zou komen wanneer hij daar klaar was. Hij had gezegd dat zijn chauffeur om tien uur de auto voor moest rijden, maar nu zei hij: "Laat hij maar wachten, ook al is het tot middernacht." Clayton zit te vloeken als een ketter, maar daar schiet hij niks mee op. Meneer Armiger doet altijd precies waar hij zin in heeft en als je van je werk houdt, heb je je maar aan te passen, niks aan te doen.'
'Hou jij van je werk, Bennie?'
'Ik?' zei Bennie. Hij grijnsde en haalde zijn schouders op. 'Ik ben eraan gewend, ik drijf gewoon met de stroom mee. Er zijn wel kwaaiere bazen te vinden. Je moet gewoon doen wat hij wil, dan heb je helemaal geen problemen, maar die jongelui hebben tegenwoordig geen geduld.'
'Laten we dan maar hopen dat hij die champagne snel opdrinkt, zodat Clayton hem naar huis kan brengen.'
'Het was anders een grote fles, een magnum. De man denkt nu eenmaal altijd in het groot.'
'Zeg dat wel!' zei George. Het Vrolijke Barmeisje was een klassiek voorbeeld van Armigers overdreven gedachtenwereld. 'Tot kijk, Bennie!'
'Goeienavond, meneer Felse.'
George liep terug naar Comerford en gaf zijn vrouw en zoon een korte beschrijving van zijn vertier van die avond.
'Je meisje was er ook, Dom,' zei hij met een plagerige blik op Dominic, die in zijn huiswerkhoekje nog over een boek gebogen zat, niet vanwege een overdreven plichtsgevoel, maar omdat hij nogal laat was begonnen. Nu duwde hij de zwenklamp van zich af en knipte hem snel uit om de hete blos die opeens naar zijn wangen

kroop, te verbergen. Met de behendigheid van een in het nauw gedreven dier nam hij meteen een schutkleur aan door er gretig op in te gaan: 'O ja? Heb je haar auto dan ook gezien? Wat een mooi wagentje, hè?'
'Naar de auto heb ik eerlijk gezegd helemaal niet gekeken.'
'Meen je dat? Dan heb je wel wat gemist, hoor!' zei Dominic met een hartgrondige minachting en hij ging zomaar uit zichzelf naar bed. Hij had zijn ouders verteld dat hij in de Karmann-Ghia was thuisgebracht want hij wist uit ervaring, dat zelfs als ze hem niet zelf hadden zien aankomen, het een van de buren ongetwijfeld zou zijn opgevallen en dat die informatie onder het was ophangen of grasmaaien met alle plezier zou zijn doorgegeven. Het was beter en veiliger om hun zelf een beknopte versie te geven en de auto vormde een uitstekende dekmantel. Als zijn vader er nu echter een gewoonte van ging maken hem op onaangename verrassingen te trakteren als die steek onder water van daarnet, zou hij ofwel voortdurend in donkere hoekjes moeten blijven of zijn ouders voortaan letterlijk de rug moeten toekeren.
Bunty Felse was net ingedommeld toen ze vlak na middernacht wakker schoot omdat een vreemde vraag door haar hoofd speelde. Ze schudde George wakker met de zachtaardige meedogenloosheid die vrouwen vaak gebruiken in plaats van openlijke wreedheid.
'George,' zei ze zachtjes. Hij gromde iets onduidelijks in haar rode haar. 'Kun jij je die zangeres nog herinneren op de Weston-super-Mare afgelopen zomer? Dat meisje dat Dom het toneel op sleepte als zogenaamde vrijwilliger?'
'Mmm,' zei George, die absoluut niet begreep waar die vraag op sloeg. 'Hoezo?'
'Voor háár had hij wel ogen, hè?'
'Hij kon moeilijk anders,' gromde George. 'Ze hing letterlijk om zijn nek. Ik snap trouwens nog steeds niet hoe ze hem dat toneel op heeft gekregen. Mooi trucje. Ik weet wel dat ik er zelf om moest blozen.'
'Ja, jij wel,' zei Bunty veelbetekenend, 'maar *hij* niet. Hij liep er nog dagen over op te scheppen. "Wat een stuk, hè?" zei hij steeds.'
'Dat heeft hij uit die pocketboekjes die hij aldoor zit te lezen.'
'Nee, van de popmuziek, maar daar gaat het niet om. Het punt is, dat die Kitty Norris er blijkbaar ook mag zijn, maar daar heeft hij

helemaal niets over gezegd. En ik vraag me af waarom niet?'
'Over smaak valt niet te twisten,' mompelde George. 'Misschien vindt hij haar geen stuk.'
'Waarom niet? Iedereen schijnt haar mooi te vinden. *Jij* in ieder geval,' zei Bunty. Ze begon net weer in slaap te sukkelen, nog vaag piekerend over het vraagstuk, toen de telefoon naast hun bed begon te rinkelen.
'Verdorie!' zei George. Hij ging rechtop zitten en tastte naar de hoorn. 'Wat nu weer?'
Uit de telefoon blaatte een trillende stem die hij met moeite wist te herkennen als die van Bennie Blocksidge. 'Meneer Felse?' piepte hij. 'O, meneer Felse, ik weet niet of ik hier goed aan doe, maar ik vertel het liever aan u, want u woont het dichtste bij en u was vanavond hier, vandaar. Er is iets gebeurd, meneer Felse. Met de baas. Hij kwam maar niet terug. Het was al sluitingstijd en hij was er nog steeds niet. Het werd elf uur, half twaalf en het licht brandde daar nog steeds. Meneer Calverley begon zich zorgen te maken en toen zijn ze ernaar toe gegaan, ook al had hij gezegd dat we hem niet mochten storen, want ze wilden zien of alles wel in orde was –'
'Hou het kort,' zei George, terwijl hij naar zijn pantoffels tastte. 'Wat is er gebeurd? Ik ben al onderweg, maar je moet me eerst vertellen wat er is gebeurd. En in drie woorden, als het kan, niet in driehonderd.'
'Hij is dood,' zei Bennie, in precies drie woorden. 'Hij ligt in de schuur, helemaal in zijn eentje. Hij is morsdood en hij zit helemaal onder het bloed.'

HOOFDSTUK DRIE

Het uur der waarheid had voor Armiger geslagen midden op de grote nieuwe vloer, die de afmetingen had van een arena en een kleur die je deed denken aan het zachte zand daarvan. Hij lag op zijn buik onder het felle licht van de gloednieuwe lampen, met zijn armen en benen uitgespreid en zijn rechterwang op de glanzende parketvloer. Als je je bukte kon je het vlezige profiel met de opvallende huidskleur nog ongeschonden zien; de achterkant van zijn schedel was echter volkomen verbrijzeld. Donker bloed sijpelde uit de splinterige gaten en stroomde traag naar de plas die zich op de vloer had gevormd, met een schuimig rozerood randje waar de heldere wijn zich met het bloed had vermengd. Rond het hoofd en de schouders waren het bloed en de champagne rondgespetterd tot een afstand van bijna een meter, maar het was lang niet zo erg als Bennie had beschreven. Je kon nog tussen de plasjes doorlopen, zeker als je het lijk van achteren benaderde, zoals ook de moordenaar moest hebben gedaan, dacht George, die naast de roerloze gestalte neerknielde. Hij wist niet wie van Alfred Armigers vijanden dit had gedaan, maar het was niet verwonderlijk dat hij er de voorkeur aan had gegeven hem niet aan te kijken toen hij hem de dodelijke slag toebracht. De hals van de grote champagnefles lag vlak bij het verbrijzelde achterhoofd in de roze schuimkopjes van de plas bloed en op de brede schouders glinsterden glassplinters; de rest van de fles lag twee meter verderop en een dunne streep bloed liet zien hoe hij was weggerold nadat hij uiteindelijk was gebroken.

We zitten in ieder geval niet met het klassieke vraagstuk, dacht George grimmig, of het moord of zelfmoord is geweest; Armiger was geveld door dat wat het makkelijkst met hem werd geassocieerd, daar bestond geen enkele twijfel over.

Voor hij van huis was gegaan, had hij het hoofdbureau in Comer-

bourne al gebeld. Na een vluchtig onderzoek op de plaats van het misdrijf stuurde hij iedereen de balzaal uit en belde hij om versterking. Hij had ongeveer een kwartier tot zijn beschikking tot de anderen zouden komen. Wat Armiger betrof voelde hij voorlopig niets; hooguit verbazing dat die bonk duivelse energie zo abrupt weggevaagd had kunnen worden. De donkere vlek op de grote, blanke vloer zag eruit als een tegen het raam doodgeslagen vlieg. Hij bleef op een afstandje staan om niet in de bloedspetters te trappen en keek de zaal rond. Het tafereel had niets reëels, het was een decor, een weelderige, vulgaire mise-en-scène van een goedkope thriller. De schuur had blijkbaar ooit deel uitgemaakt van het huis. De grote ruimte was prachtig van verhoudingen en de steekbalken zoldering moest erg mooi zijn geweest tot Armiger er zijn lusten op had botgevierd. Zijn aandeel was onherstelbaar: alle steekbalken, hoofdbalken, gekromde schoren en gordingen waren goud geschilderd; de betimmering tussen de gouden dakspanten was glanzend wit gelakt en aan de hoofdbalk in het midden hingen vier spichtige moderne elektrische kroonluchters. De concentratie van weerspiegelend licht was verblindend. Langs de bovenste helft van de muren was een galerij gebouwd met een podium voor een orkestje aan de ene kant en een in glas en chroom uitgevoerde bar aan de andere. Een brede trap met een uit de toon vallende barokachtige draai leidde van de dansvloer naar de galerij. Tegen de muren onder de galerij waren halfronde nissen gebouwd, elk uitgerust met zitbanken en een uitsparing waarin een wit gipsen beeld van een dansende figuur stond. Neoklassiek, als je het tenminste een stijl kon noemen. Kleine tafeltjes nestelden zich in de hoeken van de balustrade die langs de hele galerij liep. De muren waren ook al in wit met goud uitgevoerd en bedekt met fonkelende spiegels. De plaatselijke jetset, dacht George verbluft, zou het wel mooi vinden. Arme Leslie, nu kon hij zijn mooie ruime atelier wel helemaal vergeten; George betwijfelde trouwens of hij het ooit warm had kunnen stoken en het zou hier 's winters ijskoud zijn.
Dat wat de zaal zelf betrof. Afgezien van het lijk waren er twee dingen die in het zo nauwgezet ingerichte decor uit de toon vielen. Een van de gipsen beeldjes die in een nis rechts van de deur had gestaan, lag in brokstukken op de vloer. Daar scheen geen duidelijke reden voor te zijn, want het lag wel vijftien meter bij Armiger vandaan en afgezien van het feit dat het gebroken was, was er niets

dat erop wees dat er op die plek was gevochten. Het tweede vreemde detail was nogal ironisch. Iemand – waarschijnlijk Armiger zelf – had twee champagneglazen uit de bar gehaald en die, blijkbaar niets vermoedend, op het eerste van de rij tafeltjes gezet, boven aan de vergulde leuning van de trap. Armiger was in een uitstekend humeur geweest en had iets willen vieren, maar had geen kans gekregen de magnum te openen.
George mat peinzend de korte afstand tussen de gespreide voeten met de handgemaakte schoenen en de eerste tree van de trap. Op de glanzende vloer waren geen aanwijzingen te bespeuren. Hij staarde naar de gebroken magnum; er bestond niet veel twijfel over dat de fles het moordwapen was geweest. Hij zat helemaal volgesmeerd met bloed, tot aan het gouden papier rond de kurk toe en je kon met het blote oog de haren en stukjes huid zien die aan de rand van de bodem kleefden.
George keek de verblindend witte balzaal nog één keer rond en liep toen naar buiten, waar drie mannen gespannen op hem stonden te wachten.
'Wie van u heeft hem ontdekt?'
'Clayton en ik zijn samen naar binnen gegaan,' zei Calverley.
De mensen die Armiger had gekozen om zijn diverse etablissementen te beheren, hadden allemaal veel van elkaar weg en George besefte nu pas waarom: ze leken allemaal op Armiger zelf. Hij had mensen gekozen die lichamelijk en geestelijk veel met hem gemeen hadden. Eigenlijk was dat ook wel logisch. Calverley, bijvoorbeeld, was een jonge, potige vent die atletisch was gebouwd, als een ex-rugbyspeler die aanleg heeft om dik te worden; hij had een snor en zag er zelfverzekerd uit en zo hard als fiberglas. Op dit moment was hij weliswaar niet helemaal zichzelf, maar dat was niet verwonderlijk; zijn gezicht dat gewend was om in een charmante plooi de gasten te woord te staan, stond strak en zag bleek; de kwieke ogen die zowel goed als kwaad meteen in de gaten hadden, wachtten nu behoedzaam het kwade af. Hij zat met een probleem dat hem veel te dicht bij huis lag en was blijkbaar zo verstandig geweest zich van tevoren in te dekken door iemand met zich mee te nemen. Mensen die dagelijks met Armiger omgingen, leerden blijkbaar snel dat ze altijd op hun hoede moesten zijn.
'Hoe laat was dat?' Dat wisten ze tot op de minuut; ze hadden al meer dan een uur op de klok zitten kijken en geïrriteerd gewacht

tot hun baas eindelijk te voorschijn zou komen en zich naar huis zou laten brengen, zodat hun eigen dienst er eindelijk ook op zou zitten.
'Om even over twaalf,' zei Calverley. Hij likte aan zijn lippen. Het was nu bijna één uur. 'Dat weet ik zo precies, omdat we hadden besloten tot middernacht te wachten. We hadden al vanaf sluitingstijd op hem zitten wachten, maar hij had gezegd dat hij niet gestoord wenste te worden, dus konden we niets doen. Om half twaalf begonnen we ons een beetje zorgen te maken en besloten we dat we nog een half uur zouden wachten en dan maar eens een kijkje zouden gaan nemen. En dat hebben we gedaan. Toen we de klok hoorden slaan, zijn we regelrecht vanuit het café hierheen gekomen.'
'Waren alle lichten aan, net als nu? Heeft u niets aangeraakt? Was de deur open of dicht?'
'Dicht.'
Clayton viste een sigaret uit de zak van zijn nauwsluitende uniformjasje en streek een lucifer af. Het was een pezige, lenige man wiens leeftijd niet te schatten viel. Hij was waarschijnlijk een jaar of vijfendertig, maar zou er op zijn zestigste nog net zo uitzien; hij had steil zandkleurig haar dat hij recht achterover kamde en intelligente, harde ogen die George zonder knipperen aankeken en niet bang waren voor het felle licht. Zijn handen trilden niet. 'Ik heb de deur opengedaan en ben als eerste naar binnen gegaan. Alle lichten waren aan. Toen we hem zagen liggen, wisten we meteen dat we nergens aan moesten komen. We zijn alleen even zo dicht mogelijk naar hem toe gelopen om te zien of hij soms nog leefde. Daarna ben ik regelrecht naar het café teruggehold en heb ik tegen Bennie gezegd dat hij de politie moest bellen. Calverley is bij de deur op wacht blijven staan.'
'Heeft Armiger hier met iemand gesproken? Is iemand in de schuur geweest nadat hij hierheen was gekomen?' George keek nu naar Bennie, die bevend op de achtergrond was gebleven.
'Niet voor zover ik weet. Van het personeel is er niemand hier geweest. Nadat hij de champagne uit de ijskast had gehaald en ermee was weggelopen, hebben we hem niet meer teruggezien. Ik heb hem zelf de zijdeur uit zien lopen. Weet u nog, meneer Felse? U kwam toen net de hal in.'
'Ja,' zei George. 'Er was iemand aan wie hij de balzaal wilde laten

zien. Heb je enig idee wie dat geweest kan zijn? Heb je hem soms gezien?'
'Nee, die was nergens te bekennen toen ik meneer Armiger zag weglopen.'
'En hij had duidelijk gezegd dat hij niet gestoord wenste te worden?'
'Ja...' Bennie aarzelde. 'Meneer Armiger gaf altijd heel duidelijke instructies, als u begrijpt wat ik bedoel. Dit was dus niets bijzonders.'
'Kun je je soms nog herinneren wat hij precies heeft gezegd? Ik zou graag willen weten wie die bezoeker is geweest.'
'Ik zei tegen hem: "Clayton heeft de auto voorgereden." En toen zei hij: "Dan zal hij moeten wachten tot ik zover ben, ook al is het tot middernacht. Ik ga even aan iemand de balzaal laten zien. Het zal hem vast wel interesseren wat je met zo'n schuur allemaal kunt doen, als je maar genoeg geld en goede ideeën hebt. En ik wens niet gestoord te worden. Als ik zover ben, kom ik vanzelf wel terug." En toen verdween hij.'
'Was hij boos of geïrriteerd?' Dat zou bij een ander het geval geweest kunnen zijn, maar Armiger blafte zijn mensen altijd af.
'Nee, helemaal niet. Hij was juist opperbest gestemd. Dat was hij de hele avond al, zoals u zelf heeft kunnen zien.'
'Gek, dat hij niet heeft gezegd wie het was.'
'Als je zoveel geld hebt,' zei Clayton met zijn neutrale, toonloze stem, 'ben je aan niemand rekening of verantwoording schuldig.'
'Hij lachte zelfs hardop,' zei Bennie, 'toen hij dat zei over de balzaal. Hij leek bijzonder met zichzelf ingenomen.'
'Er moet toch wel iemand zijn die deze onbekende bezoeker heeft gezien,' zei George. 'We zullen al het personeel moeten ondervragen, maar ik neem aan dat degenen die in het dorp of de stad wonen al naar huis zijn.' Dat zou de eerste klus zijn, nadat het lijk aan de politiearts was overgedragen. 'Zijn er ook kelners die hier inwonen, afgezien van Ben?'
'Ja, twee,' zei Calverley, 'en twee serveersters. Ze zijn allemaal nog op, want ik had al zo'n vermoeden dat u hem wel zou willen spreken, al lijkt het me niet waarschijnlijk dat ze iets hebben gezien. Mijn vrouw is ook nog op.'
'Mooi zo, we zullen dit zo snel mogelijk afwerken.' Hij spitste zijn oren en hoorde het geronk van auto's die de oprit op zwenkten.

'Daar heb je ze. Zou jij het buitenlicht even willen aandoen, Bennie? Jullie mogen nu naar binnen en kunnen daar op ons wachten.'
Ze trokken zich dankbaar terug; George voelde een soort sidderende spanning aan hen ontsnappen, waardoor hun eerste stappen bijna nerveuze sprongetjes leken. De ambulance kwam achter de ongeduldige voorste auto van inspecteur Duckett aan het parkeerterrein op stuiven, gevolgd door de rest van de politiewagens en daarmee werd de zaak Armiger officieel overgenomen door de recherche. Hoeveel invloed de overledene had gehad, bleek wel uit het feit dat de inspecteur zelf zijn bed uit was gekomen om midden in de nacht de plaats van het misdrijf te bekijken. Alleen de moord op een van zijn eigen agenten zou hem een grotere ontsteltenis bezorgd kunnen hebben. Diep weggedoken in zijn overjas in die kille kleine uurtjes van de nacht waarin je de vorst kon voelen aankomen, bukte hij zich over het lijk. Fronsend bekeek hij het verminkte hoofd waarin nooit meer zakelijke of persoonlijke plannen gemaakt zouden worden.
'Een ellendige zaak, George. Toen je me daarstraks belde om me te vertellen wat er was gebeurd, dacht ik eerst dat een van ons tweeën gek was geworden.'
'Ik weet het,' zei George, 'maar er bestaat weinig twijfel over, zoals u kunt zien.'
De dood was, net als het slachtoffer, onmiskenbaar. Inspecteur Duckett bekeek de balzaal, het lijk en het moordwapen en zei niets tot de dokter naast het lijk was neergeknield en de verminkte schedel voorzichtig betastte. Toen vroeg hij kortaf en grommend vanuit zijn opgezette kraag: 'Hoeveel klappen?'
'Flink wat. Ik kan het nu nog niet precies zeggen, maar zeker zes of zeven. De moordenaar is waarschijnlijk blijven toeslaan toen het slachtoffer al dood was. Er zijn hier geen halve maatregelen genomen.' De dokter was nog vrij jong, een oorlogsveteraan. Een onverstoorbaar type die van zijn werk hield en Alfred Armiger nu met een gefascineerde genegenheid onderzocht; meer genegenheid dan de man ooit van iemand had gekregen toen hij nog leefde.
'Ik had altijd gedacht dat hij ooit nog eens aan een beroerte zou sterven,' zei Duckett. 'Hoe lang is hij al dood?'
'Zeker anderhalf uur, maar het kan ook langer zijn. Straks zal ik dat met meer zekerheid kunnen zeggen, maar voorlopig kunt u er wel van uitgaan dat het ergens tussen kwart over tien en half twaalf

moet zijn gebeurd. De meeste klappen heeft hij gekregen toen hij al op de grond lag en zo te zien lag hij zelfs volkomen stil.'
'Misschien is de eerste klap een daalder waard geweest en heeft de dader er daarna als een gek op los geslagen om er maar helemaal zeker van te zijn dat hij nooit meer wakker zou worden.'
'Niet als een gek. Daarvoor is hij veel te nauwkeurig en geconcentreerd te werk gegaan. Iedere klap is precies neergekomen waar hij hem hebben wilde. Het kunnen wel slagen van pure woede zijn geweest – de laatste waren in ieder geval allang niet meer nodig.'
'Misschien is hij gewoon net zo lang doorgegaan tot de fles is gebroken. 't Is trouwens een wonder dat die het zo lang heeft uitgehouden, al weet je het met glas maar nooit. Tussen haakjes,' vervolgde hij op gewichtige toon, 'deze details houden we voor onszelf. We zullen bekendmaken dat de man is gestorven aan verwondingen aan het hoofd, maar de rest blijft voorlopig geheim. Ik zal zelf een verklaring afgeven, verwijs de jongens van de pers maar naar mij. En zorg ervoor dat die lui die hem hebben gevonden, niets uit laten lekken voor we iets meer weten.'
'Dat zal geen probleem zijn,' zei George. 'Ik heb zo'n idee dat ze er zelf helemaal niet happig op zijn erover te praten, nu ze er zo nauw bij betrokken zijn geraakt. Wat vindt u van dat gebroken beeldje?'
Duckett liep ernaar toe en staarde er met een somber gezicht naar. Toen liep hij door naar de volgende nis en pakte het beeld dat daarin stond: een paartje dat een ingewikkelde tangomanoeuvre uitvoerde. Hij mompelde verbaasd iets toen hij merkte hoe licht het beeldje was en bekeek met een afkeurende blik de holle binnenkant. 'Nep, net als de rest van deze tent.' Hij zette het beeldje weer op zijn plaats en gaf onderzoekend een paar stompen tegen de muur eronder, maar hoe licht het beeldje ook was, het bleef netjes op zijn brede voetstuk staan en trilde zelfs niet. 'Die dingen vallen alleen als je ze oppakt en op de grond gooit. Anders blijft het gewoon staan, ook al beuk je nog zo hard op de muur. Verder is alles intact, zie ik, alles staat op zijn plaats. Nog geen krasje op al die nieuwe verf. Trouwens, als dat beeld zomaar was omgevallen, zou het een stukje bij de muur vandaan terecht moeten zijn gekomen, niet zo vlak ernaast. Misschien heeft dat iets te betekenen, misschien ook niet. Leg het even vast, Loder, nu je toch bezig bent. Weinig kans dat er vingerafdrukken op zullen zitten, want gips is daar veel te ruw voor, maar laat Johnson het toch maar even probe-

ren.' De fotograaf die bezig was Armiger van alle kanten te fotograferen, mompelde afwezig iets instemmends en ging door met zijn werk.
'En dan zitten we nog met de champagneglazen,' zei George.
'Ik heb ze gezien. We weten natuurlijk al wiens vingerafdrukken daarop zullen staan. Het mag een wonder heten als we de afdrukken van een ander zullen vinden, behalve misschien van de serveerster die ze heeft afgedroogd en weggezet, nadat ze zijn uitgepakt. Maar we zullen zien. Bekijk alle gebruikelijke dingen maar, Johnson, alle gladde oppervlakken, vergeet de trapleuning niet. En deze puinhoop, natuurlijk.' Hij wees met de punt van zijn voet naar de magnum. 'Hij is door drank rijk geworden en door drank verraden.'
'De dader moet die fles bij de hals hebben vastgehad en zal dus heel wat bloed op zijn handen hebben gekregen. De fles zit zelf helemaal onder, tot aan de kurk toe. Er is waarschijnlijk ook wat bloed op de broek en de schoenen van de dader gespat, maar dat zal minder opvallend zijn geweest. Volgens mij heeft hij aan deze kant gestaan en heeft hij er goed op gelet niet in het bloed te trappen. Tot aan de deur is geen enkel voetspoor te bekennen.'
'Goed,' zei Duckett, ongedurig om zich heen kijkend, 'vertel me het hele verhaal nu maar eens van het begin af aan.'
George deed dat en voegde er het korte gesprek aan toe dat hij eerder op de avond met Bennie had gevoerd.
'En die andere twee? Waar hebben die de hele avond gezeten?'
'Toen ik wegging, zat Clayton in de auto. Dat was om even over tienen. Hij zegt dat hij om ongeveer tien voor half elf de auto naar de parkeerplaats heeft gereden, toen Armiger nog steeds niet te voorschijn was gekomen. Hij is naar het café gegaan, heeft daar een biertje gedronken en is er tot sluitingstijd gebleven. Van half elf tot bij elven heeft hij bij de auto rondgehangen. Toen zijn baas nog steeds niet was komen opdagen, heeft Calverley hem uitgenodigd bij hem binnen op hem te wachten. Dat heeft hij gedaan; zowel Calverley als zijn vrouw heeft dat bevestigd. Bennie was inmiddels bezig samen met de andere kelners de bars op te ruimen, terwijl hij goed in de gaten hield of Armiger soms terugkwam, opdat hij Clayton bijtijds een seintje zou kunnen geven. Rond half twaalf begonnen Calverley en Clayton erover te denken om maar eens een kijkje te gaan nemen. Ze zijn er allemaal aan gewend pre-

cies te doen wat Armiger zegt zonder ooit vragen te stellen; maar ze kregen ook altijd de wind van voren als er iets misging en ze er niet via telepathie achter kwamen wat het was om er meteen iets aan te doen; ze zaten dus eigenlijk altijd fout, wát ze ook deden. De vraag was nu wat het ergste was: hem storen terwijl hij hun dat uitdrukkelijk had verboden, of niet komen opdagen terwijl hij hen nodig had. Ik geloof niet dat ze zich veel zorgen over zijn welzijn maakten, maar wel over hun baantjes. Toen het middernacht had geslagen, besloten ze het risico maar te nemen. Ze zijn samen naar de schuur gelopen en zagen hem hier toen liggen. De enige periode die ze niet voor elkaar kunnen dekken, is van ongeveer half elf tot elf uur. De kelners zullen wel bevestigen dat Calverley gedurende die tijd in het café was. Clayton was buiten en heeft kunnen doen wat hij wilde, zonder dat iemand hem heeft gezien. Ik heb nog geen tijd gehad om de anderen te ondervragen. Die zitten binnen op me te wachten.'

'Nóg meer mensen die we stil moeten zien te houden,' zei Duckett. 'Dit edele drietal heeft het hele verhaal natuurlijk al in geuren en kleuren rondgebazuind.'
'Eerlijk gezegd betwijfel ik dat. U moet niet vergeten dat dit café vanavond pas in gebruik is genomen. Afgezien van Bennie Blocksidge schijnt het personeel uit allerlei delen van het land hierheen gehaald te zijn. Ze kennen hier nog niemand. Wanneer zoiets een groep vreemdelingen overkomt, is de kans groot dat ze hun mond stijf dicht zullen houden. Het gaat uiteindelijk om een moord en voor hen kan iedereen de dader wel zijn.'
'Prent het ze evengoed maar goed in hun hoofd. Zodra we hier klaar zijn en ze hem hebben weggehaald, laat ik de boel hier aan jou over, George. Bel me morgenochtend vroeg maar even, dan zal ik een plaatsvervanger sturen.'
'Ik blijf er liever de hele dag bij,' zei George, 'als u het niet erg vindt.' Hij had liever later een goede nachtrust dan een onrustig hazeslaapje in zijn eentje midden op de dag. 'Zal ik de advocaten van Armiger waarschuwen, of doet u dat?'
'*Cui bono?*' vroeg Duckett afwezig. 'Ik bel ze wel even. Kijk jij maar wat je uit de mensen hier kunt loskrijgen. Ik zal je straks Grocott sturen om je te helpen met de dagploeg en met de lijst van bezoekers die hier gisteravond zijn geweest.'

De fotograaf was nog druk bezig toen George de schuur uitliep om de nerveuze serveersters en kelners te ondervragen en de mooie geblondeerde barjuffrouw die de vrouw van Calverley bleek te zijn. Zoals hij al had verwacht, wisten ze hem niet veel te vertellen, maar uit de bevroren stilte die om hen heen hing, kon hij opmaken dat zijn veronderstelling juist was en dat ze liever hun mond hielden dan hun angst te delen. Na veel vissen had hij een beeld gekregen van wat Armiger tijdens de laatste twee uur van zijn leven had gedaan. Mevrouw Calverley wist te vertellen dat een van de kelners, een jongeman genaamd Turner die in Comerford op kamers woonde, om even voor tienen de gelagkamer was binnengekomen met een boodschap voor Armiger. Armiger had zich verontschuldigd tegenover de kennissen bij wie hij aan een van de tafeltjes had gezeten en was met de kelner meegelopen. Even later was hij teruggekeerd naar zijn tafeltje. Hij had kort met het gezelschap gesproken en was toen weer weggegaan. Blijkbaar had hij toen bericht gekregen dat de anonieme jonge bezoeker was aangekomen, want hij was regelrecht naar het buffet van de eetzaal gelopen, had een magnum champagne gegrepen en was via de zijdeur verdwenen. Onderweg was hij Bennie tegengekomen en had hij hem zijn orders gegeven betreffende Clayton en de auto. Daarna had niemand hem meer in leven gezien.

Tegen de tijd dat George klaar was met de ondervragingen was het bijna licht geworden. De ambulance had het slachtoffer al meegenomen, maar Johnson was in de balzaal nog onvermoeibaar bezig naar vingerafdrukken te zoeken. George besloot naar huis te gaan om even onder de douche te gaan en iets te eten. Hij vertelde Bunty in het kort wat er was gebeurd en verdween snel weer voor Dominic beneden zou komen en vragen zou gaan stellen.

Hij ging eerst langs bij de kelner, die op zijn kamer de paardenraces voor die dag zat te bestuderen, half aangekleed en nog niet geschoren. Turner kwam uit Londen en had een bleke stadse huidskleur waar de zomer nooit vat op zou krijgen. Het was een magere man met scherpe ogen, die nu al zijn twijfels koesterde over Comerford. Hij zou hier waarschijnlijk niet lang blijven en gauw weer de stad opzoeken, maar hij zou in ieder geval een objectief oordeel kunnen geven over de mensen die bij de zaak betrokken waren, omdat hij geen van hen persoonlijk kende.

Hij schrok niet toen de politie op bezoek kwam, hij was alleen ver-

baasd en nieuwsgierig.
Ja, zei hij, om even voor tienen, pakweg vijf voor tien, maar dat kon hij natuurlijk niet op de minuut af zeggen, was hij net de hal in gelopen toen er een jongeman was binnengekomen die hem had aangesproken en naar de baas had gevraagd. Hij had niet gezegd wie hij was, maar alleen gevraagd of hij meneer Armiger soms even zou kunnen spreken. Hij zei dat het belangrijk was en dat hij hem niet lang zou ophouden. Turner had de boodschap doorgegeven en er verder niet meer aan gedacht. Meneer Armiger was de gelagkamer uitgekomen en naar de bezoeker gelopen die bij de voordeur was blijven wachten. Daarna had Turner hen niet meer gezien, omdat hij terug was gegaan naar de eetzaal. Of hij de jongeman kende? Nee, hij kende hier niemand, hij woonde hier nog maar net. Zou hij hem kunnen beschrijven? Tja, het was eigenlijk een doodgewoon type. Jong, hooguit vijf- of zesentwintig. Donkere jas en een grijs kostuum. Geen hoed. Vrij lang, gladgeschoren, bruin haar, geen bijzondere kentekenen. Ja, hij zou hem wel herkennen als hij hem weer zou zien. Ook van een foto? Waarschijnlijk wel, hoewel foto's soms een raar beeld konden geven. Hij wilde het wel proberen. Hoezo? Waar moesten ze die man voor hebben? Wat was er gebeurd?
George vertelde het hem, zo kort en schokkend mogelijk, terwijl hij naar de sigaret keek die aan de kleurloze lip hing te bungelen zonder dat de as eraf viel. De ogen van Turner kregen een nog scherpere blik. Hij staarde George aan met een nieuwsgierig, geïnteresseerd gezicht, waarop geen enkel spoor van angst of zelfs maar terughoudendheid te vinden was. Hij hield wel van een beetje sensatie. Jammer voor de baas, natuurlijk, maar ja, hij had nauwelijks een paar woorden met hem gewisseld en een moord maak je niet iedere dag mee.
'Meent u dat?' zei hij gnuivend. 'Krijg nou wat!' Ik heb er al wat van gekregen, dacht George. Een hoop ellende midden in de nacht. 'En u denkt dat die vent die ik heb gezien, het heeft gedaan?'
'We onderzoeken alle mogelijkheden,' zei George droogjes. 'Op dit moment probeer ik alleen de gebeurtenissen van gisteravond op een rijtje te zetten. Hoe laat bent u gisteren naar huis gegaan?'
'Om ongeveer tien over half elf.' Het feit dat hij zijn eigen doen en laten ook zou moeten verantwoorden, bracht hem allerminst van

zijn stuk. 'Ik was om even voor elven thuis, dat kan mijn hospita bevestigen. Bovendien is een van mijn collega's met me meegelopen. Stokes heet hij. Hij woont een eindje verderop, bij mevrouw Lewis.' Hij legde de krant opzij. Zelfs de paardenrennen waren nu niet interessant meer. ''t Is toch wat!' zei hij en hij floot langdurig en zachtjes. 'En ik maar denken dat er in een dorp als dit nooit iets gebeurt!'

George liep de krakende trap af terwijl hij nadacht over de ironie van die laatste opmerking. Hij wedde met zichzelf, al was het zonder veel plezier omdat de uitkomst zo goed als zeker was, dat Turner vandaag niet alleen op tijd maar zelfs te vroeg op zijn werk zou zijn.

Het nieuws was blijkbaar nog niet uitgelekt, althans het had zich nog niet door het dorp verspreid, want toen George terugreed naar Het Vrolijke Barmeisje bleek daar geen nieuwsgierige menigte hoopvol rond te hangen. George duwde de gloednieuwe deuren open en liep naar binnen. Hij belde Duckett, bracht hem op de hoogte van wat hij tot nu toe had gedaan en gaf de weinige informatie door die hij van de getuigen had losgekregen. Daarna begon hij samen met Bennie Blocksidge een lijst op te stellen van alle mensen die de avond daarvoor op de feestelijke opening waren geweest. Het café zou die dag gesloten blijven; dat kon niet anders, nu de keizer dood was. Zodra het echter half elf zou slaan en de eerste bezoeker voor een gesloten deur zou komen te staan en het laconieke bericht zou lezen, zou het nieuws niet lang meer geheim blijven.

Tegen de tijd dat ze de lijst zo volledig mogelijk hadden gemaakt als hun beider geheugen toeliet, waren Grocott en Price gearriveerd om hun orders in ontvangst te nemen. George droeg de veelbelovendste routineondervragingen aan hen over en belde weer naar Duckett. Zelfs advocaten moesten nu wel aan hun werkdag zijn begonnen en *'Cui bono?'* was nog steeds een van de grote vragen.

Zou Armiger zijn zoon echt onterfd hebben of zou hij hem alleen gedreigd hebben om hem een lesje te leren? Niet in de hoop hem weer in het gareel te krijgen, want een huwelijk is niet iets wat zomaar opzij gezet kan worden, zelfs niet om een man als Armiger tevreden te stellen; maar misschien gewoon uit kwaadaardigheid, om hem te straffen voor zijn opstandigheid door hem in armoe te

laten leven en hem vervolgens te dwingen gedwee en kneedbaar terug te komen.
Met een voormalige employée als echtgenote die hem voortdurend zou herinneren aan zijn nederlaag tegenover haar liefdeloze schoonvader? Nee, dat kon George zich toch niet zo goed voorstellen.
Hij maakte een gebaar met zijn duim naar beneden toen hij Ducketts nummer draaide. Honderd tegen een dat Leslie inderdaad uit het testament was geschrapt; als hij er nog in stond, zou dat hooguit om een pijnlijke, vernederende reden kunnen zijn. Armigers vrouw was een aantal jaren geleden gestorven en ze hadden maar één zoon gehad, dus moest er iemand anders zijn die plotsklaps een fortuin op zijn bord zou krijgen geschoven. Armiger zou zijn rijk nooit hebben laten verbrokkelen, niet toen hij nog leefde en niet na zijn dood, noch was de kans groot dat hij vergeten had een nieuw testament te maken of besloten had er nog even over na te denken. Hij had nooit ergens over nagedacht, maar was altijd meteen tot daden overgegaan en dat zou dit keer vast niet anders zijn geweest.
'Ik heb met Hartley gesproken,' zei Duckett. 'Op het eerste gezicht lijkt het me niet dat we veel aan de bepalingen van het testament zullen hebben, hoewel het een bijzonder interessant document is. Hij heeft op de dag dat hij zijn zoon het huis uit heeft gegooid, zijn oude testament laten vernietigen en een nieuw op laten maken. De jongen komt er niet eens meer in voor. Wat zijn vader betrof, had hij net zo goed dood kunnen zijn.'
'Ik ben met mezelf een weddenschap aangegaan,' antwoordde George, 'dat Armiger de poet niet zal laten verdelen.'
'Klopt. Hij hield er niet alleen van om rijkdom te vergaren, maar hij wilde ook dat de boel intact zou blijven als hij er niet meer zou zijn. Er zit een lange lijst bij van kleine legaten aan personeelsleden, maar dat is verder niet interessant. Wat hij een passende waardering van trouwe dienst vond, stelt geen moer voor, hoewel we natuurlijk niet mogen vergeten dat hij zijn mensen altijd goed heeft betaald. Ik geloof niet dat deze legaten een teken van vrekkigheid zijn, maar eerder een bewijs van zijn drang naar voortdurende uitbreiding. Na het uitbetalen van deze kleinigheden, gaat zijn hele fortuin naar – wil je er soms naar raden?'
'Nee,' zei George. 'Ik heb geen flauw idee. Heeft hij het soms na-

gelaten aan zijn eventuele kleinkinderen en een beheerder aangesteld?'
'Ook dat niet. De hele dynastie is van de kaart geveegd en hij is opnieuw begonnen. Hou je vast. De erfenis gaat naar Katherine Norris. Wat vind je daarvan?'

HOOFDSTUK VIER

Tja, wat vond George daarvan? Louter kwaadwilligheid? Een reactie tegenover Kitty Norris omdat Leslie haar had laten staan en met een ander was getrouwd? Een manier om Leslie zo hard mogelijk te treffen door alles waar hij op had gerekend, regelrecht in de schoot te werpen van het meisje met wie hij niet had willen trouwen? Het kon niet als troostrijke geste voor Kitty bedoeld zijn; zo tactloos was Armiger ondanks zijn bittere woede nu ook weer niet geweest. Wat zou erachter zitten? Het was duidelijk een zet om Armiger's Ales en Norris Bier te doen fuseren en de hele zaak na zijn dood aan Kitty over te doen; maar was dat niet een zet die gedaan had moeten worden toen Armiger nog leefde en zelf het commando voerde over zijn troepen? Kitty had blijkbaar na zijn dood de show van hem mogen overnemen, op voorwaarde dat hij de touwtjes in handen kon houden zolang hij nog leefde. Het feit dat hij haar tot zijn erfgename had benoemd zou een motie van vertrouwen kunnen zijn geweest, om een deal tot stand te brengen waar hij tot dan toe geen succes mee had weten te boeken, namelijk de overname van Norris Bier om zijn rijk met onmiddellijke ingang te verdubbelen. Toen Leslie eenmaal uit het spel was geschrapt, was het immers voor Armiger geen opoffering meer om zijn hele fortuin aan Kitty na te laten, aangezien hij geen andere kinderen had en zijn geld niet mee het graf in kon nemen. Hij moest het érgens laten; dan kon hij er beter meteen een winstgevende zaak mee opkopen en ervan genieten zolang het leven hem dat gunde.

Stel dat er inderdaad een voorstel voor een dergelijke fusie op tafel was gekomen, dacht George, en dat Kitty's manager daar niet op in was gegaan – hetgeen heel begrijpelijk zou zijn want zodra de twee maatschappijen eenmaal waren samengegaan, stond het bijna buiten kijf wie de baas zou zijn – zou zo'n op de toekomst gerich-

te regeling Armiger dan niet juist een troefkaart in handen hebben gespeeld? Wat had hij immers te verliezen? Als er niets uit zou komen, zou hij zijn nieuwe testament met evenveel gemak kunnen laten vernietigen als het vorige. Het was allicht te proberen. Armiger was eraan gewend zijn zin te krijgen. Daarom had hij de enige keer dat hem een spaak in het wiel was gestoken, ook zo venijnig en vernietigend gereageerd.
George liep naar zijn auto en ging achter het stuur zitten. Zonder zich te haasten dacht hij na over zijn volgende stap. Het was eigenlijk een vreemde regeling dat de oude Norris Armigers rechterhand en vertrouweling had aangesteld als gevolmachtigde van zijn dochter, hoewel de drie mannen altijd goed met elkaar bevriend waren geweest en niemand Shelley's integriteit ooit in twijfel had getrokken; in de praktijk leek het ook geen problemen op te leveren. George wist niet of die volmacht nog steeds gold, nu het meisje meerderjarig was geworden. Er waren in deze zaak een heleboel dingen die hij niet wist en voorlopig was hij bijzonder weinig gerechtigd die aan een onderzoek te onderwerpen. Hij had alleen het recht Kitty Norris aan de tand te voelen over de zaken en het privéleven van Kitty Norris zelf. Zij was de avond daarvoor in Het Vrolijke Barmeisje geweest, ze was met Armiger gezien en hij had onder anderen met haar gesproken voor hij was verdwenen om te gaan pronken met zijn allernieuwste stukje speelgoed. Vroeg of laat zou George haar moeten ondervragen. Beter vroeg dan laat, besloot hij en hij startte de motor.
Kitty bleek in Comerbourne een appartement te bewonen in een rustige straat achter de kerk, waar ze geen last had van het drukke verkeer dat de hele dag door het centrum van het stadje raasde, maar waar ze toch dicht bij het winkelcentrum zat. Toch was het zelfs in die buurt niet makkelijk een parkeerplaats te vinden en George zag pas een flink eind voorbij het huis een leeg plekje waar zijn Morris in paste. Hij bofte: de rode Karmann-Ghia stond voor de deur geparkeerd, dus moest Kitty thuis zijn. Het was bijna twaalf uur toen hij aanbelde en ze de deur voor hem opendeed; ze was gekleed in een eenvoudige rok en trui en nogal kinderlijke platte schoenen. Ze keek hem aan met ogen waarin alleen geduldige vraagtekens stonden en wachtte tot hij zou vertellen waar hij voor kwam.
'Mijn naam is Felse,' zei George. 'Ik ben van de politie.' De vraag-

tekens verdwenen prompt en ze deed zo snel een stapje achteruit dat George meteen wist dat ze het nieuws al had vernomen. 'Heeft u al gehoord wat er met meneer Armiger is gebeurd?'
'Ja, Ray Shelley heeft me gebeld,' zei ze. 'Komt u binnen.'
Hij zag dat ze hem aankeek met een serieuze belangstelling, die niet alleen zijn hoedanigheid als politieman gold, maar ook hem zelf en hij voelde zich als man onherroepelijk gevleid en ontwapend door haar aandachtige blik. Er zijn mensen die je nooit recht in de ogen kijken als je ze iets vraagt, ook al hebben ze niets te verbergen. Kitty, dacht hij, zou je altijd recht in de ogen kijken, ook al verborg ze een diep geheim, omdat ze nu eenmaal zo was en daar niets aan kon veranderen.
'Ik ben belast met het onderzoek naar de dood van meneer Armiger en er is een aantal dingen die ik graag met u zou willen bespreken, als u het niet erg vindt. Ik zal u niet lang ophouden.'
'Ik heb toch niets bijzonders te doen,' zei ze. Ze ging hem voor naar een grote, pastelkleurige woonkamer met een hoog plafond. Het was er verrassend zonnig, want ze woonde op de vierde verdieping en de gebouwen aan de overkant waren allemaal lager; ze keek zelfs over de daken heen.
'Gaat u zitten. Wilt u soms iets drinken?' Ze draaide zich om en keek hem met een wrang glimlachje aan. 'Dat klinkt net als in een detectiveroman, maar ik was net van plan om zelf een sherry'tje te nemen. U bent toch geen privé-detective?'
'Nee, meer een van het publieke soort,' zei George. Het ging niet helemaal zoals hij had verwacht, maar hij liet zich maar op de golven meedrijven; wie weet wat voor interessante dingen hij op die manier tegen zou komen.
'Ik heb alleen maar droge sherry in huis,' zei Kitty verontschuldigend. 'Ik hoop dat u daarvan houdt.' De hand die hem het glas aangaf, trilde een beetje, maar dat was haar te vergeven.
'Jazeker, dank u wel. De dood van meneer Armiger moet ook voor u wel een grote schok zijn.'
'Ja,' zei ze zachtjes. Ze ging tegenover hem zitten en keek hem recht in de ogen, zoals hij al had verwacht. 'Zowel Ray Shelley als Ruth Hamilton heeft me vanochtend al gebeld om het me te vertellen,' zei ze. 'Het is nauwelijks te geloven. Ik bedoel, hij zat zo vol energie. Of je hem nu mocht of niet, of je het nu eens was met wat hij deed of niet, hij was er gewoon altijd en je kon je gewoon niet

voorstellen dat hij er opeens niet meer zou zijn. Hij had ook bewonderenswaardige karaktertrekken. Hij was dapper. Hij is met niets begonnen en heeft zichzelf omhooggewerkt. Zelfs toen hij rijk was, was hij nooit bang. Veel mensen worden bang als ze veel te verliezen hebben, maar hij niet. Hij kon ook erg gul zijn, als hij dat wilde. En je kon veel plezier met hem hebben. Toen ik nog klein was, vond hij het nooit gek of vervelend om als een kind met me te spelen, al had hij zelf niets kinderlijks meer in zich. Ik denk dat hij kinderen beschouwde als een soort speeltjes, die het allang mooi vonden als ze flink konden dollen en die hem nooit voor allerlei problemen zetten, zoals volwassenen. Toen ik nog klein was, kon ik uitstekend met hem overweg. Later werd het des te moeilijker.' Ze staarde naar haar glas en nu zag George, net als Dominic, de diep verborgen droefenis op haar gezicht en net als Dominic werd hij er automatisch door aangetrokken, onherroepelijk gevangen in het mysterie van haar eenzaamheid en teruggetrokkenheid.
Ze gedroeg zich, dacht hij, alsof haar hele leven al voor haar was uitgestippeld en haar eigen wilskracht daar niets aan kon veranderen omdat die lang geleden al was versmolten met een andere invloed die haar langzaam ondermijnde. Niet de invloed van Armiger, anders zou ze niet zo over hem hebben gesproken. Misschien ook niet van een ander, maar alleen de stroom der gebeurtenissen waarin ze verzeild was geraakt en waar ze zich gewoon aan moest blijven vastklampen omdat ze geen alternatief had.
'Niemand is perfect,' zei George. Hij probeerde op net zo'n eenvoudige manier te spreken als zij en hoopte dat zij het niet zo prekerig vond klinken als hijzelf. 'Hij zou deze beschrijving wel gewaardeerd hebben.'
'Hij had ook een heleboel eigenschappen die me tegenstonden,' zei ze, haar woorden uiterst zorgvuldig kiezend. 'Daarom wil ik hem zo eerlijk mogelijk afschilderen. Als ik u ergens mee kan helpen, moet u het maar zeggen.'
'U heeft gisteren een deel van de avond in zijn gezelschap doorgebracht. Tegen tienen is er volgens een van de kelners iemand naar het café gekomen die heeft gevraagd of hij meneer Armiger even zou kunnen spreken. Meneer Armiger is toen naar deze bezoeker toe gegaan. Even later is hij teruggekomen en heeft iets tegen u en de anderen aan uw tafeltje gezegd, waarop hij voor de tweede keer

is verdwenen. Is dat juist?'
'Ik heb er niet op gelet hoe laat het was,' zei ze, 'maar zo is het inderdaad gegaan. Hij kwam terug naar ons tafeltje en vroeg of we hem wilden verontschuldigen. Er was iemand die hem even wilde spreken, maar het zou niet lang duren en hij hoopte dat we op hem zouden wachten.'
'Was dat alles? Heeft hij niet gezegd wie het was?'
'Nee, dat was alles. Toen hij weg was, zei Ruth dat ze weg moest, omdat ze om kwart voor elf een telefoontje verwachtte van haar zuster in Londen en daarom op tijd thuis wilde zijn. U kent Ruth zeker wel, Ruth Hamilton, de secretaresse van meneer Armiger. Aangezien ze met meneer Shelley was meegereden, moest hij haar wel thuisbrengen, zodat ik in mijn eentje achterbleef. Ik was eerst van plan om te wachten, maar daar zag ik toch maar van af. Ik was moe en had zin om maar eens vroeg naar bed te gaan. Ik denk dat ik om ongeveer kwart over tien naar huis ben gegaan, maar dat kan iemand anders misschien bevestigen. Ik heb een nogal opvallende auto,' voegde ze er zonder spoor van ironie in haar stem of op haar gezicht aan toe, 'en het is heel goed mogelijk dat iemand me heeft zien vertrekken.'
Dat was ook zo; Clayton had haar gezien, toen hij vlak bij de oprit van Het Vrolijke Barmeisje in de Bentley van zijn baas had zitten foeteren en vloeken, een minuut of vijf voor hij zich er maar bij had neergelegd dat het wel eens lang kon gaan duren en de auto op de parkeerplaats had gezet. Hij had haar van de parkeerplaats af zien komen en rechtsaf zien slaan, richting Comerbourne; en hoe gek hij ook op mooie auto's was, het viel zeer te betwijfelen of hij alleen maar naar de Karmann-Ghia had gekeken.
'Juist,' zei George. 'Dan moet u om ongeveer half elf thuis zijn gekomen?'
'Eerder, volgens mij. Ik doe er maar tien minuten over, met parkeren en al. O jeetje,' schrok ze, maar zoals gewoonlijk had ze niet op haar woorden gelet en nu was het te laat, 'dat zou ik u eigenlijk niet moeten vertellen!'
'Zonder papier en potlood kan ik dergelijke berekeningen niet maken,' antwoordde George geruststellend en hij glimlachte naar haar. Zelfs als dit meisje je aan het lachen maakte, had ze iets dat je tegelijkertijd tot tranen roerde, zonder dat je wist waarom. Ze treurde niet om Armiger; ze had haar gevoelens voor hem duide-

lijk omschreven; ze was van zijn dood geschrokken, maar dat was niet aan haar glimlach te merken en had geen invloed op het vrolijke karakter dat diep binnen in haar sluimerde.
'Zou ik u een aantal persoonlijke vragen mogen stellen over uw bedrijf? U zult het misschien niet relevant vinden, maar als u er antwoord op zou kunnen geven, zult u me waarschijnlijk toch een stuk op weg helpen.'
'Gaat uw gang,' zei Kitty, 'maar als het om zaken gaat, is de kans groot dat ik de meeste antwoorden helemaal niet zal weten.'
'Ik heb begrepen dat uw vader zijn bedrijf onder beheer aan u heeft nagelaten omdat hij is gestorven toen u nog erg jong was. Zou u mij kunnen vertellen of daar een einde aan is gekomen toen u meerderjarig bent geworden?'
'Ja, dat kan ik u wel vertellen,' zei ze, een beetje verbaasd. 'Het antwoord is ja. Ik heb in feite de vrije beschikking over mijn geld. De anderen kunnen me alleen maar advies geven. In de praktijk gaat alles gewoon net zo door als voorheen, maar zo liggen de zaken volgens de wet.'
'Als iemand dus een voorstel zou doen om Armiger's Ales en Norris Bier een fusie te laten aangaan, heeft u het recht te beslissen of u dat wilt of niet?'
'Ja,' zei ze, zo zachtjes dat hij begreep dat ze al wist wat de volgende vraag zou zijn. 'Dat wilde hij inderdaad,' zei ze. 'U heeft volkomen gelijk. Hij is er al een tijd mee bezig geweest. Mijn mensen waren er niet erg happig op, maar hij hield vol en zou misschien uiteindelijk zelfs zijn zin hebben doorgedreven. Er was echter nog steeds niets gebeurd en nu zal er ook wel niets gebeuren.'
'Was u van plan erop in te gaan?'
'Ik was helemaal niets van plan. Ik wilde er niets van weten. Ik was het liefst weggegaan, ver weg, zodat ik er niets meer over zou hoeven horen. Hij kon de hele handel wat mij betrof zelfs cadeau krijgen, zodat ik er van af zou zijn, maar we hebben een hoop werknemers en de maatschappij is voor hen veel belangrijker dan voor mij. Het is helemaal niet leuk als je de eigenaresse bent van iets wat voor andere mensen heel belangrijk is. Als ik had geweten hoe je zulke dingen moest aanpakken of Ray Shelley duidelijk had kunnen maken wat ik eigenlijk wilde, had ik de fabriek het liefst aan de arbeiders gegeven.'
George had het gevoel dat hij door een stroom werd meegesleurd

die hem helemaal van zijn koers had afgeslagen, maar die hem toch via allerlei omwegen naar de zee der waarheid zou brengen. De macht over het roer was hij allang kwijt. Dat gold misschien ook voor Kitty, maar zij zwom gewoon met de woeste stroom mee en leek de pure eenvoud en ondubbelzinnigheid als haar natuurlijke element te beschouwen. Ze meende ieder woord dat ze zei, daar bestond geen enkele twijfel over, en ze verwachtte van hem dat hij haar even onvoorwaardelijk zou geloven. En verdraaid, dat was ook zo.
In een poging weer vaste grond onder zijn voeten te krijgen, zei hij: 'Dat plan om de twee bedrijven samen te voegen was niet nieuw, hè? Neemt u me niet kwalijk als ik me op een veel persoonlijker vlak begeef, maar men had de indruk gekregen dat meneer Armiger het al veel eerder van plan is geweest en wel via een rechtstreekse verbintenis tussen de twee families.'
'Ja, hij had graag gezien dat Leslie met mij was getrouwd,' zei ze, zo eenvoudig dat hij zich schaamde dat hij het zelf zo omslachtig had uitgedrukt. Ze keek hem aan over de rand van haar lege glas, zodat hij diep in de wijd uit elkaar staande ogen kon kijken, die eruitzagen als het koperachtig paarse fluweel van de vleugels van een vlinder. Je kon er heel diep in kijken en haar in haar kristallen toren zien zitten, maar ze was zo ver weg dat je geen enkele hoop kon koesteren haar ooit te bereiken. 'Dat wilde hij graag, maar wij niet. Zulke dingen kun je niet voor een ander besluiten. Leslie en ik hebben nooit trouwplannen gehad.'
Het bleef even stil. Ze bleef hem aankijken en haar wangen werden iets bleker. Hij had nog één vraag voor haar, maar daar wachtte hij mee, tot hij al was opgestaan en aanstalten maakte om te vertrekken. Bij de deur draaide hij zich om alsof hem nog iets támelijk onbelangrijks te binnen was geschoten en vroeg kalmpjes: 'Weet u toevallig wat er in het testament van meneer Armiger staat?'
'Nee,' zei ze snel en ze keek met een schokkerige beweging op. De fluwelen ogen waren levensgroot en zochten haastig zijn gezicht af. Hij zag de hoop oplichten alsof iemand binnen in haar een lamp had aangestoken; één woord zou voldoende zijn om iets van vreugde te laten opvlammen in die kristallen toren van haar eenzaamheid. Wat zou ze van hem willen horen? Afgezien van de relatief bescheiden uitgaven aan haar auto, haar kleding en dit bijna Spar-

taanse appartement, scheen ze niet veel om geld te geven. Hij moest nu wel doorgaan, omdat hij moest weten of dat wat hij haar ging vertellen, ook dát was wat ze had willen horen.
'Hij heeft alles aan u nagelaten,' zei George.
Het licht doofde onmiddellijk, maar dat was nog het minste. Ze staarde hem met open mond aan en langzaam trok alle kleur uit haar gezicht weg. Haar knieën knikten en ze tastte snel naar de leuning van de stoel en ging verdwaasd zitten, met haar handen stijf gevouwen op haar schoot.
'O, *nee*!' zei ze met een sidderende zucht die zowel teleurstelling, ontsteltenis en woede scheen te bevatten, onverbrekelijk met elkaar verbonden en met iets anders, een soort wanhoop waar hij met de beste wil van de wereld geen reden voor kon bedenken. 'O *God*! Nee! Ik had gehoopt dat hij het niet zou doen. Hij had ermee gedreigd, maar ik had gehoopt dat hij het niet had gedaan of het anders zou terugnemen. Arme Leslie! Hij heeft me gezworen dat hij het niet had gedaan en het ook niet zou doen, maar ook al had hij het wel gedaan, dan zou hij dat nog niet hebben toegegeven, dat zou hij niet hebben gekund. En nu – ach, *verdomme*!' zei ze machteloos. 'Waarom heeft hij dat nu gedaan? Hij had er helemaal geen reden toe, het is nooit ter sprake gekomen. Hij wist dat ik het niet nodig had, hij wist dat ik het helemaal niet wilde. *Waarom dan*?'
'Hij moest het aan íemand nalaten,' wees George haar op de praktische kant van de zaak, 'en hij kon zelf uitmaken wat hij met zijn bezit wilde doen, net als ieder ander. U hoeft zich echt niet bezwaard te voelen omdat een ander te kort is gedaan. Daar draagt u geen verantwoording voor.'
'Nee,' zei ze dof en dat ene woordje bleef in de lucht hangen alsof ze er nog iets aan had willen toevoegen, maar de juiste woorden niet kon vinden. Ze stond lusteloos op om hem uit te laten en liep beleefd met hem mee naar de deur, maar de verloren blik bleef in haar ogen hangen. Toen de deur tussen hen dichtviel, liep hij doelbewust in de richting van de trap, maar met twee grote, geruisloze stappen was hij terug bij haar deur. Ze had zich niet verroerd. Ze stond aan de andere kant van de deur tegen de muur geleund en probeerde haar gedachten te ordenen, zichzelf weer onder controle te krijgen. Hij hoorde haar machteloos hardop kreunen: 'O God, o God, o God!' Het klonk kinderlijk, alsof ze een onredelijke godheid smeekte haar kant van de zaak te begrijpen.

Wat had hij haar aangedaan? Wat zou er aan de hand zijn? Het was allemaal goed en wel dat ze het geld niet wilde hebben en dat ze vond dat het Leslie rechtmatig toekwam, maar dat was nog geen reden om het nieuws op te vatten alsof er een geniepige aanval op haar persoonlijk was gedaan. Hij had heel wat interessante reacties losgekregen; het punt was alleen dat hij geen idee had wat hij ermee aan moest.
Met een ontevreden en bijna beschaamd gevoel liep hij de met een traploper bedekte trappen af. Hij deed niet eens een poging om de stukjes van de puzzel die hij had vergaard in elkaar te passen, omdat hij er nog veel te weinig had en er geen twee bij elkaar schenen te horen. Opeens zag hij Dominic nonchalant tegen de Morris geleund staan.
Dominic was een beetje buiten adem, omdat hij als een razende naar de auto was gehold terwijl George de laatste trap aan het aflopen was; maar George was zo diep in gedachten verzonken dat hij er helemaal geen erg in had. De brede, nieuwsgierige grijns zag er vertrouwd uit en het 'Hoi, pa!' klonk heel normaal, zodat George hem verder niet erg nauwkeurig bekeek.
'Hallo, jongen,' zei hij. 'Wat doe jij hier?'
Het was de derde keer dat Dominic de lunch op school had overgeslagen en in de stad een broodje had gekocht om langzaam de Church Lane door te kunnen slenteren in de hoop een glimp van Kitty op te kunnen vangen. Nadat ze hem had verteld hoe ze heette, had hij haar adres in het telefoonboek opgezocht en nu had hij zich met moeite weten te herstellen van de schok die hij had gekregen toen hij langs de open deur van haar flatgebouw was geslenterd en opeens onmiskenbaar de gedaante van zijn vader langzaam de laatste trap af had zien komen; als hij de Morris niet had zien staan en niet een plotselinge ingeving had gekregen, zou hij nu nog steeds aan het hollen zijn geweest.
'Ik moest even een boodschap doen voor Chuck,' zei hij terwijl hij onopvallend zijn ademhaling onder controle probeerde te krijgen. Chuck was een van de bijnamen van zijn klasseleraar op school.
'Hier?' vroeg George, die dat nogal onwaarschijnlijk vond, ook al had hij geen reden om verdenkingen te koesteren.
'Op de pastorie,' zei Dominic met overtuiging en hij knikte kort naar de hoek van de muur die rond de tuin van de kerk stond. Gelukkig voor hem was de dominee lid van het schoolbestuur. 'Toen

ik de auto zag staan, dacht ik: misschien bof ik wel en kom je zo. Het is bijna half een; heb je soms tijd om me op een broodje te trakteren?'
Dat vond George nog niet zo'n slecht idee. Ook al was er een bierbaron vermoord, de rest van de wereld moest toch eten. 'Kom maar mee,' zei hij gelaten en reed met zijn zoon naar een café niet ver van de school, zodat hij niet het risico zou lopen te laat terug te zijn. 'Maar hoe zit het met Chuck? Kun je die wel op het antwoord laten wachten?'
'Ik hoefde alleen maar een boodschap af te geven,' zei Dominic. Het gekke was dat hij helemaal niet het gevoel had dat hij zat te liegen; het was eenvoudigweg ondenkbaar de waarheid te bekennen of bekend te laten worden of zijn vader er zelfs maar naar te laten raden, ook al was er niets beschamends aan en niets wat hem verboden was. Dat hij zo'n enorme behoefte aan privacy had, was iets heel nieuws voor hem. Sinds hij voor het eerst naar school was gegaan, had hij, net als de meeste kinderen, af en toe gelogen om iets helemaal voor zichzelf te kunnen houden, zonder bewust te beseffen dat hij het deed. Het was trouwens slechts zelden voorgekomen, want zijn ouders, vooral zijn moeder, hadden hem altijd ruimschoots de gelegenheid gegeven zijn hart bij hen uit te storten, zonder ooit veel ophef te maken over wat er was gebeurd. Dit keer was het echter iets anders, iets zo ingrijpends en diepgaands dat hij liever zou zijn gestorven dan het te bekennen. Hij moest nu echter wel dingen doen waarbij hij het risico kon lopen ontdekt te worden; wat deed zijn vader bijvoorbeeld opeens in het flatgebouw waar Kitty woonde? Wat had hij daar te maken op de ochtend na de moord op meneer Armiger, de dag nadat hij en Kitty allebei in Het Vrolijke Barmeisje waren geweest? 'Je meisje was er ook...' En nu dit bezoek.
De politie zou natuurlijk iedereen moeten ondervragen die gisteren in het café was geweest, maar waarom was zijn vader met Kitty begonnen?
'Je bent zeker bezig met die moord, hè?' vroeg hij, op een toon die naar hij hoopte het juiste midden hield tussen opwinding en nieuwsgierigheid. 'Mamma heeft me vanochtend verteld wat er met meneer Armiger is gebeurd. Wat een sensatie! Ik heb op school natuurlijk niets gezegd, maar het hele verhaal is toch in de pauze al uitgelekt. De hele stad weet er al van en de lijst van ver-

dachten groeit met het uur; men heeft zelfs al een paar arrestaties verricht.'
'Dat zal best,' zei George droogjes. 'Als iedereen het beter weet dan ik, mag het een wonder heten dat ik nog niet ben ontslagen. Wie is de favoriet?'
Wie een spiering uitwierp, maakte goede kans een kabeljauw te vangen. Dominic liet zijn aas zakken en hoopte dat de vis zou bijten. 'Clayton. Wist jij dat Armiger hem had ontslagen?'
'Wie zegt dat?' zei George. Hij vroeg zich af of Grocott daar al achter was. Hij vroeg zich ook af welke slimmerik dat nieuws op school had rondgebazuind.
'Zie je wel! Dat wist jij niet! De zoon van de tuinman van Armiger zit bij mij in de klas. Drie dagen geleden kregen Clayton en Armiger opeens hooglopende ruzie over het werkschema van Clayton. Hij zei dat hij geen zin had om op alle uren van de dag en de nacht te moeten opdraven. Toen heeft Armiger hem eraan herinnerd dat hij al een keer had gezeten wegens diefstal en een keer voor het verkopen van een gestolen auto en dat hij verdomd blij mocht zijn dat hij hem een baan had gegeven –'
'Niet vloeken!' zei George automatisch terwijl hij de auto langs de stoeprand tot stilstand bracht.
'Sorry; ik citeerde gewoon. En toen heeft hij hem ontslagen. Wist jij dat Clayton in de gevangenis heeft gezeten?'
'Ja, tien jaar geleden. En dat is niet genoeg om hem op te knopen.'
'Het is ook geen halsmisdaad,' haakte Dominic erop in.
'Ik hoop niet dat jij in je vrije tijd voor advocaat gaat spelen,' antwoordde George. 'Het was figuurlijk bedoeld.'
Hij deed de auto op slot en liep met zijn zoon de eetzaal van Het Vliegende Paard binnen. In de hoek was een tafeltje vrij. Ze verdiepten zich meteen in het menu. Geen goede timing, dacht Dominic wrevelig. Ik zal hem er ronduit naar moeten vragen.
'Heb je al iets ontdekt?' Het gretige gezicht en de eerlijke ogen waren voor George niets vreemds; Dominic was zelf degene die leed onder zijn gedwongen vermomming van iets wat voor hem zo reëel en zo belangrijk was. Zijn vader was een kei van een vent en hij leefde écht altijd mee met de zaken die hij moest behandelen, maar nu moest hij uit eigenbelang een show opvoeren en zijn eigen bewondering bijna veinzen, zodat het hem bijna lichamelijk pijn deed toen George naar hem grijnsde en hem een speelse tik met de

menukaart gaf. 'Het is allemaal routinewerk, Dom. We zijn nog maar net begonnen en hebben nog een lange weg voor ons.'
'Heb je in de Church Lane ook een verdachte zitten of moest je daar voor iets anders zijn?'
George dacht even over die vraag na en zei toen rustig: 'Ik ben daar even op bezoek geweest bij Kitty Norris. Zoals ik al zei, een routinebezoek. We gaan bij alle mensen langs die gisteravond in het café zijn geweest.'
'En je hebt nog geen echte aanwijzingen gevonden? Ik neem aan dat *zij* je niet veel heeft kunnen vertellen.'
'Bijna niets wat ik nog niet wist. En eet jij nu maar eens, in plaats van mij uit te horen.'
Meer zou hij niet van hem loskrijgen. Hij bleef wel voorzichtig hengelen, maar hij wist dat het niet veel zou uithalen. Misschien viel er echt niets meer te vertellen, misschien was dit inderdaad alles, maar Dominic was er niet gelukkig mee. Hoe kon hij er gelukkig mee zijn, nu Kitty zo nauw bij een moordzaak betrokken was geraakt dat de schaduw ervan tussen haar en de zon was gekomen?

HOOFDSTUK VIJF

'Ja,' zei Jean Armiger, 'ik heb het gehoord. Het staat al in de krant trouwens en ik had u al verwacht.'
Het was een slank, donker meisje met kortgeknipt zwart haar dat om haar welgevormde hoofd krulde. Haar gezicht was klein, breed en intens en zag er opgewekt uit. George schatte haar op hooguit drie- of vierentwintig. Ze stond midden in haar lelijke, ongerieflijk ingerichte zitslaapkamer op de bovenverdieping van de aftandse woning van mevrouw Harkness in een achterafstraatje aan de rand van de stad, keek George recht in de ogen en was niet bang voor hem en ook niet voor het licht van het raam dat op haar gezicht viel. De lichte zwelling van haar lichaam onder de wijde blauwe jurk had haar van haar kwikzilverachtige lichtvoetigheid en precieze manier van bewegen beroofd, maar die eigenschappen waren nog duidelijk te herkennen in iedere beweging die ze maakte met haar hoofd en haar handen. Om de een of andere reden, misschien omdat Kitty ieder ander in de schaduw stelde, had George niet zo'n aantrekkelijke en levenslustige jonge vrouw verwacht. Jean was, zoals Wilson al had gezegd, een prima meid. Het was nu ook niet moeilijk meer te begrijpen dat ze Leslie Armiger was opgevallen, zelfs met Kitty in de buurt. Met Kitty was hij opgegroeid als broer en zus.
'U begrijpt natuurlijk wel dat we u een aantal vragen moeten stellen. De procedure vereist dat. Bent u gisteren de hele avond thuis geweest?'
Ze trok haar bovenlip een beetje op bij zijn woordgebruik en liet even een snelle blik glijden door de kamer die hij haar thuis had genoemd. Ze hadden weliswaar op de overloop een kleine kookruimte mogen inrichten en Leslie had in de schuur een hoekje mogen vrijmaken voor zijn schildersezel, doeken en verf, maar ze zou het geen thuis kunnen noemen.

'Ja,' zei ze zonder iets toe te voegen aan de blik die op zich duidelijk genoeg was geweest, 'de hele avond.'
'En uw man?'
'Ja, hij ook. Hij is alleen een half uurtje weggeweest om wat brieven te posten en een luchtje te scheppen. Dat was om half tien ongeveer. Hij had gisteren de hele dag op het magazijn van de winkel gewerkt en had behoefte aan wat frisse lucht, maar hij was binnen een half uur weer thuis.'
'Om ongeveer tien uur, zeg maar?'
'Nog iets eerder, geloof ik.'
'En hij is daarna niet meer uitgegaan?'
'Nee. Dat zal hij zelf kunnen bevestigen,' zei ze hooghartig. Als alles volgens de plannen was verlopen, was Grocott op dat moment bezig Leslie Armiger precies dezelfde vragen te stellen; hij zou er een discreet gesprek van maken op het kantoor van de manager van Malden, zodat de rest van het personeel, dat ongetwijfeld toch al reuze nieuwsgierig was, niet zou denken dat Leslie ter plekke gearresteerd zou worden. Jean was daar uiteraard niet van op de hoogte. George wist zelf niet waarom hij met opzet de twee ondervragingen had laten samenvallen. Hij had voorlopig geen reden om dit jonge echtpaar of enige andere verdachte te wantrouwen, maar hij had geleerd op zijn intuïtie te vertrouwen en als ze hem geen leugens zouden vertellen, zou het hun ook niet kunnen schaden.
'We zullen het controleren,' zei hij, niet helemaal oprecht. 'Heeft u sinds u getrouwd bent nog contact gehad met uw schoonvader? Heeft u hem ooit nog gezien of gesproken?'
'Nee,' zei ze kortaf, op een toon die duidelijk maakte dat ze daar ook helemaal geen behoefte aan had.
'En uw man?'
'Nee, ook niet. Hij heeft hem alleen een keer een brief geschreven, een paar maanden geleden.'
'Om te proberen tot een hereniging te komen?'
'Nee, om hem om hulp te vragen,' zei Jean. Ze gooide het er op een verbeten, afgemeten toon uit en klemde haar kiezen op elkaar.
'Met uw instemming?'
'*Nee*!'
Ze deed geen pogingen haar gevoelens te verbergen, hoewel het waarschijnlijk niet haar bedoeling was geweest die ontkenning er

zo bitter uit te gooien. Ze wendde even haar hoofd af en beet op haar lip, maar ze weigerde haar woorden terug te nemen of te verzachten, nu ze eenmaal uitgesproken waren.
'En wat is daar het resultaat van geweest?'
'Helemaal niets. Hij heeft een minachtend briefje teruggestuurd, dat hij niet van plan was ons te helpen.' Daar was ze dankbaar voor geweest. Het had de felle trots die Leslie onwillekeurig had geschonden door om hulp te vragen, weer wat hersteld.
'Hebben ze daarna nog contact gehad?'
'Niet voor zover mij bekend is. Dat zou ik wel hebben geweten.'
Na even nagedacht te hebben, besloot George haar te vertellen wat er in Armigers testament stond; het leek hem gerechtvaardigd de ondervraging op die manier te vervolgen. 'Verbaast u dat, mevrouw Armiger?'
'Nee,' zei ze op kalme toon. 'Waarom zou dat me verbazen? Hij moest zijn geld toch aan íemand nalaten en hij had geen familieleden meer over met wie hij niet gebrouilleerd was.'
'U wist niet dat hij had besloten al zijn bezittingen aan juffrouw Norris na te laten?'
'Wij wisten alleen dat hij Leslie uit zijn testament had geschrapt en daarmee was de zaak voor ons afgelopen. Zijn vader had dat heel duidelijk gemaakt.'
Ze draaide de smalle trouwring om en om en George zag dat hij een beetje te ruim zat. Haar wangen waar het donkere haar zo weelderig langs krulde, waren magerder dan goed voor haar was. Misschien kwam het door de vermoeidheid en zorgen, zeker nu ze in verwachting was, en omdat ze op zo'n mistroostige kamer moest wonen en part-time werkte om het magere budget aan te vullen; of zou het aan iets anders liggen, iets dat aan haar knaagde? Diep binnen in haar was iets vernietigd; het feit dat Leslie had gecapituleerd en zijn vader die brief had geschreven, had haar grote angst aangejaagd. Het was iets wat hij waarschijnlijk nooit meer ongedaan zou kunnen maken. Dankzij die onvermurwbare ouwe duivel van een vader had hij voldoende gelegenheden gehad om zich voldoende mans te tonen om aan haar verwachtingen te voldoen; maar na dat ene foutje zou hij het steeds moeten bewíjzen terwijl ze hem voorheen blindelings had vertrouwd. Toch kon George Leslies standpunt ook wel begrijpen. Hij moest wel erg veel van zijn vrouw houden, anders zou hij de schepen niet achter zich hebben verbrand;

hij zou het er ook niet makkelijk mee hebben dat zijn vrouw zich nu maar moest zien te behelpen en dat zijn kind in dit ongezellige hok geboren zou worden. Voor hem waren dat redenen genoeg geweest om overstag te gaan, al was het ook met de grootste tegenzin. In feite had hij zich met meer verantwoordelijkheidsgevoel gedragen dan zij. Eén ding was echter zeker: met die goedbedoelde vergissing had hij zijn huwelijk aardig aan het wankelen gebracht.
'Ik zal u verder niet lastigvallen. Welbedankt voor uw hulp.'
Hij stond op. Ze liep zwijgend met hem mee naar de deur, zonder zich te verwaardigen verder nog iets te zeggen of te vragen. Of zou ze iets verbergen? Als het moest, zou ze dat zeker doen, maar daar zou hij dan gauw genoeg achter komen.
De trap was donker en smal. In het hele huis hing een bedompte geur van linoleum en boenwas. De kleinburgerlijke mevrouw Harkness zou niet veel bezoek van de politie dulden, zelfs niet van agenten in burger. George had al gezien dat er geen telefoonkabel naar het huis liep en dat de dichtstbijzijnde telefooncel vijftig meter verderop stond, op de hoek van de straat. Hij reed in tegenovergestelde richting weg, maar sloeg bij de eerste de beste zijstraat linksaf, reed rond het blok en bracht de auto onder een groepje bomen niet ver van de vuurrode telefooncel tot stilstand. Hij bleef een kwartier, twintig minuten, vijfentwintig minuten zitten wachten, maar Jean Armiger kwam niet opdagen.
Dat deed hem plezier; hij mocht haar wel en hij had gehoopt dat ze de waarheid had verteld en alhoewel hij in het verleden al een paar keer zijn neus had gestoten, had hij nog steeds niet geleerd op zijn hoede te zijn voor het optimisme waarmee hij de motieven en daden bekeek van mensen die een goede indruk op hem hadden gemaakt. Hij was echter voldoende sceptisch ingesteld om haar niet onvoorwaardelijk op haar woord te geloven tot hij met Grocott had gesproken, die op het bureau op zijn telefoontje wachtte.
Grocotts bevindingen leken te bevestigen dat Jean de waarheid had gesproken en een eerlijke getuigenis had gegeven. Leslie, die discreet uit het stoffige magazijn achter de grote winkel in de Duke Street naar het kantoor van de manager was geroepen, had een verklaring afgelegd die precies overeenkwam met die van zijn vrouw. Hij had zijn brieven op de bus gedaan en een ommetje door het park gemaakt. Hij was minder dan een half uur weggebleven, want toen hij weer thuis was gekomen, had hij de kerkklok nog niet

horen slaan. Een eenvoudige, volkomen geloofwaardige getuigenis; bovendien hadden man en vrouw geen contact met elkaar gehad. Toch was dát juist de reden dat George de zaken nog eens goed op een rijtje zette en zag dat er toch wel wat zwakke plekken in zaten. Jean was zo onverstandig geweest zich te laten ontvallen dat ze wist dat het nieuws over de moord al in de krant stond. Duckett had in zijn korte verklaring tegenover de pers meegedeeld dat Armiger de avond daarvoor dood was aangetroffen in het café Het Vrolijke Barmeisje. Hij had bekendgemaakt dat Armiger zware hoofdwonden had opgelopen en had laten doorschemeren dat de politie vermoedde dat er sprake was van een misdrijf, al had hij vermeden dat met zoveel woorden te zeggen. Zulk nieuws kon echter voldoende zijn geweest om de onterfde zoon en zijn trouwe jonge echtgenote de schrik op het lijf te jagen; schuldig of niet, ze wisten dat ze binnen niet al te lange tijd rekening en verantwoording zouden moeten afleggen over wat ze de avond daarvoor hadden gedaan; schuldig of niet, ze zouden beseffen dat ze alleen voor elkaar borg konden staan zodat ze de details van hun verhaal goed op elkaar zouden moeten afstemmen voor er vragen zouden worden gesteld. Tussen de verschijning van de eerste edities van de krant en Georges bezoek om half drie hadden ze tijd genoeg gehad voor een telefoongesprek. Met een onbevredigd gevoel zocht George naar het doorslaggevende detail dat al zijn twijfels opzij zou schuiven, maar hij kon het niet vinden. Gezien de intelligentie waar het Jean beslist niet aan ontbrak, zou er wel eens sprake kunnen zijn van een samenzwering.

'Hoe zag hij eruit?'

'Niet slecht. Een beetje geschrokken natuurlijk, maar hij probeerde niet net te doen alsof alles tussen hem en zijn vader dik in orde was geweest of dat hij helemaal kapot was van zijn dood. Dat zou je trouwens waarschijnlijk toch niet aan hem hebben kunnen merken, want het is een nogal gereserveerd type en hij voelde zich blijkbaar een beetje in de verdediging gedrukt.'

'Bang?'

'Dat zou ik niet willen zeggen. Hij beseft echter heel goed dat hij zich in een positie bevindt waar hij, zeg maar, niet alleen ónze aandacht trekt maar ook de ongewenste nieuwsgierigheid van het grote publiek. Zijn troefkaart is dat hij financieel gezien geen belang had bij de dood van zijn vader.'

'Heeft hij je daar speciaal op gewezen?'
'Nee, onderschat hem niet,' zei Grocott en hij lachte kort. 'Hij had allang door dat we dat zelf al hadden begrepen. Hij leek het alleen steeds als steuntje in de rug te willen gebruiken als de vragen een beetje moeilijk werden.'
'Kan hij goed overweg met de vrachtwagenchauffeurs en zijn collega's op het magazijn?' vroeg George nieuwsgierig. In kleine stadjes kwam het vaak voor dat kinderen van rijke ouders niet door de gewone burgers in hun midden werden geaccepteerd, zeker niet als de vreemde eend in de bijt een teruggetrokken karakter had.
'Ja, heel goed, zelfs. Ze mogen hem allemaal graag, noemen hem Les en laten hem zijn eigen gang gaan. Eén ding is heel belangrijk: hij is gewoon zichzelf gebleven. Hij probeert niet net te doen alsof hij een van hen is of plat te gaan praten. Als hij dat zou doen, zou hij meteen doodgezwegen worden, maar hij is wel zo verstandig niet aan dergelijke stunts te beginnen. Te verstandig, of te trots. Hoe dan ook, het werkt in ieder geval.'
Het zag er allemaal rooskleurig uit, dacht George toen hij terugliep naar zijn auto, maar hij mocht zich niet in de verleiding laten brengen Leslie Armiger daardoor meteen als onschuldig te beschouwen. Geld is niet het enige motief voor een moord. Aan de ene kant had je de erfgename, die van zichzelf al zo rijk was dat geld geen motief kon zijn, en aan de andere kant had je dit jonge stel, dat straatarm was maar er niets beter op zou worden als ze Armiger zouden vermoorden. Integendeel, zolang de ouwe nog had geleefd, hadden ze meer aan hem gehad, want de mogelijkheid zou altijd hebben bestaan dat hij zich op een gegeven moment zou hebben laten vermurwen en zich met hen zou hebben verzoend, zeker nu er een kleinzoon of kleindochter onderweg was. Aan de andere kant beweerden de mensen die hem het beste hadden gekend, dat het bijzonder onwaarschijnlijk was dat hij ooit nog zou zijn bijgedraaid; en een mens kon in een vlaag van woede soms gekke dingen doen, zelfs als hij er niet beter van zou worden, maar om een overweldigende impuls van haat en een brandend gevoel van onrechtvaardigheid te bevredigen.
Er waren trouwens nog meer mensen, die hem niet mochten, afgezien van zijn eigen zoon. De stoere Clayton bleek zijn ontslag te hebben gekregen en Armiger had blijkbaar zijn strafregister erbij gesleept toen ze ruzie hadden gekregen en gezegd 'dat hij verdomd

blij mocht zijn dat hij een baan had'. Had Armiger hem daarmee alleen maar op zijn plaats willen zetten, of zou hij hem te verstaan hebben willen geven dat hij ervoor kon zorgen dat hij in de wijde omgeving nergens anders meer een baan zou kunnen krijgen? Er werden wel mensen om heel wat minder ernstige redenen vermoord. Verder had je Barney Wilson, die het huis waar hij zijn zinnen op had gezet, voor zijn neus had zien wegkapen, enkel en alleen omdat Armiger het zijn zoon door de neus had willen boren. Die klap was waarschijnlijk extra hard aangekomen omdat hij niet voor Wilson zelf bedoeld was geweest. En zo waren er nog wel meer, concurrenten die het tegen Armiger hadden moeten afleggen, mensen die voor hem hadden gewerkt.
Hij had er echter niets aan om in zijn auto over al die mogelijkheden te gaan zitten piekeren. Hij maakte zich uit zijn overpeinzingen los en reed naar het kantoor van Armiger's Ales, dat was gevestigd in een modern, uit beton en chroom opgetrokken gebouw op een heuvel in de bocht van de rivier. De brouwerij zelf stond nog steeds vlak achter de spoorlijn, op het industrieterrein van het oude Comerbourne, maar het kantoorpersoneel kon genieten van grote gazons, tennisvelden en een prachtig nieuw parkeerterrein voor hun auto's die in het algemeen al even prachtig en nieuw waren. De Riley van Ruth Hamilton was de enige auto die niet nieuw was, maar die was zo gedistingeerd en zo buitensporig lang dat de hele verzameling er juist een speciaal karakter door kreeg.
Ze reed ook goed. George had haar vaak zien langskomen en haar onveranderlijke kalmte en bekwaamheid steeds bewonderd. 's Zomers had ze in het weekend vaak twee of drie opgeschoten jongens bij zich, leden van de jeugdclub in de stad, die onder beheer stond van een reclasseringsambtenaar en waar ze een groot deel van haar tijd aan besteedde. Het zou best eens kunnen dat liefde voor die prachtig onderhouden oude Riley zelfs een paar potentiële jonge misdadigers uit de gevangenis had gehouden.
Raymond Shelley liep net de hal door toen George binnenkwam. Hij bleef staan, meteen bereid om zich voor hem vrij te maken.
'Heeft u mij nodig? Ik moet eigenlijk weg, maar als u me wilt spreken...' Hij had een aktentas bij zich en zijn zilvergrijze hoed in zijn hand; zijn lange, scherp getekende gezicht had een vermoeide, gejaagde blik en hij had een nerveuze tic in zijn wang, maar gedroeg zich even welgemanierd als altijd en zou zijn gezicht onder alle om-

standigheden in de minzame aristocratische plooi houden. 'Een van uw mensen is hier vanochtend al geweest, dus dacht ik eigenlijk dat we het voor vandaag wel gehad hadden. Ik ben op weg naar juffrouw Norris, maar ik kan haar best even bellen en zeggen dat ik iets later kom.'
'Nee, dat is helemaal niet nodig,' zei George. 'Ik zou juffrouw Hamilton graag even willen spreken, als het kan. Gaat u rustig uw eigen gang.'
'Weet u het zeker? Als ik iets voor u kan doen, moet u het maar zeggen. Laat ik u in ieder geval even de weg wijzen naar het kantoor van Ruth.' Hij legde zijn lange, magere hand op de glanzende leuning van de brede trap en ging hem voor naar boven. 'Wij hebben allebei ons alibi al gegeven,' zei hij met een wrang glimlachje.
'Ik heb u toevallig gisteravond samen met juffrouw Hamilton zien vertrekken,' zei George en hij glimlachte terug. 'Ik stond net in de hal toen u naar buiten liep.'
'Mooi zo, een betere getuige kunnen we ons nauwelijks wensen. Ik wou dat alle andere problemen net zo makkelijk konden worden opgelost,' zei Shelley mismoedig. 'Een bijzonder onaangename zaak, moet ik zeggen.'
'Dat is moord meestal.'
Het woord gaf hem een klein schokje. Hij hield zijn pas iets in. 'Is dat al helemaal zeker, dat het om een moord gaat? De officiële verklaring heeft dat opengelaten en de rechercheur die vanochtend hier was, was erg discreet. Hoewel...' Hij was weer doorgelopen en sloeg op de eerste verdieping rechtsaf, een brede gang met houten wanden in. '...ik zal niet beweren dat het me erg verbaast, gezien alle aanwijzingen. Het wil alleen nog niet echt tot me doordringen. Ik weet en begrijp wat er is gebeurd, maar ik kan het niet bevatten. Het zal nog een hele tijd duren voor we eraan gewend zullen zijn dat hij er niet meer is.'
'Dat is begrijpelijk,' zei George. 'U heeft ook zoveel jaar met hem gewerkt. U en juffrouw Hamilton kenden hem waarschijnlijk beter dan wie ook en u zult hem missen.'
'Ja.' Hij liet dat ene woordje in de lucht hangen zonder blijk te geven of hij dat op positieve of negatieve manier had bedoeld; hij leek eerder een beetje verbaasd dat Alfred Armiger zo'n lege plek in zijn leven had achtergelaten. Hij klopte op de deur van het kantoor van Ruth Hamilton en stak zijn hoofd naar binnen. 'Bezoek

voor je, Ruth,' zei hij, waarop hij wegliep en hen alleen liet.
Ze zat achter haar bureau maar stond meteen op. Ze was lang en maakte een bedaarde indruk. Het zwarte zakelijke mantelpakje had opeens een rouwtintje gekregen en haar gladde donkere haar was in het midden gescheiden en in haar nek samengebonden tot een knotje. Twintig jaar had ze voor Armiger gewerkt. Ze wist alles van hem en zijn familie af, en wie veel begrijpt, kan misschien ook meer vergeven. Haar bedaarde houding was even bewonderenswaardig als altijd, maar op haar gezicht waren sporen te zien van de schok en spanning die ze te verduren had gekregen. Hij zag haar dunne zwarte wenkbrauwen even samentrekken toen hij binnenkwam, als een automatische reactie van ongemak en tegenzin, maar ze maakte niettemin een uitnodigend gebaar en ging in de tweede bezoekersstoel voor haar bureau zitten, in plaats van zich achter haar vesting terug te trekken, alsof ze daarmee afstand deed van haar officiële status.
'Volgens mij bent u de aangewezen persoon om wat licht te werpen op het privé-leven van meneer Armiger,' zei George ronduit. 'U begrijpt natuurlijk wel dat alles wat met zijn persoonlijke en zakenleven te maken heeft, nu van groot belang kan zijn. Ik zou graag precies willen weten hoe het nu eigenlijk zit met de ruzie tussen meneer Armiger en zijn zoon en het lijkt mij dat u mij daarover onpartijdig uitsluitsel zult kunnen geven.'
Ze zette een geopende doos sigaretten en een zware glazen asbak halverwege tussen hen in op de rand van haar bureau en dacht even na voor ze antwoord gaf. George had daardoor de gelegenheid de sfeer van het kantoor in zich op te nemen en zag dat het vertrek veel van haar sterke, onbuigzame karakter had meegekregen. De kleine zwarte klok aan de muur met de duidelijke, zakelijke cijfers had ze vast zelf gekozen, evenals de elegante accessoires op haar bureau. Aan de muur hingen twee grote ingelijste foto's en op haar bureau stond een kleinere foto, allemaal van groepen jongens van de reclasseringsclub. Twee van de foto's had ze blijkbaar genomen op een zomerkamp; op de derde stond ze zelf ook, omringd door een zestal jongens, blijkbaar op een feestavond van de club. Ze leek zich tussen de jongens volkomen op haar gemak te voelen, nog steeds sterk en leidinggevend, maar ook erg knap en vrouwelijk. Er zouden niet veel zestienjarige tieners zijn die zich niet een paar centimeter voelden groeien als ze hun toestond haar een vuur-

tje te geven of een foxtrot met haar te dansen. Jammer van zo'n bekwame vrouw, dacht George, dat ze zich twintig jaar lang alleen over zoiets onpersoonlijks had ontfermd als dit kantoor; ze had zelf een paar veelbelovende zoons moeten hebben om zich druk over te maken, in plaats van de kneusjes op te vangen van onverantwoordelijke mensen die een hele reeks kinderen produceerden en ze verder verwaarloosden.

'Ze hebben allebei fouten gemaakt,' zei ze uiteindelijk, nogal afgezaagd na zo'n lange denkpauze. Ze scheen dat zelf ook te merken en glimlachte. 'Hoewel het in principe natuurlijk allemaal de schuld van meneer Armiger was. Ik hoef u waarschijnlijk niet te vertellen dat hij een bijzonder moeilijk mens was, zowel als werkgever en als vader. Dat was hij niet opzettelijk. Hij was gewoon niet in staat meningen van anderen te accepteren of te proberen daar begrip voor op te brengen. Hij was er volkomen van overtuigd dat alles en iedereen om hém alleen draaide en dat iedereen precies behoorde te doen wat hij van hen verwachtte. Als kind is Leslie vreselijk verwend. Hij kreeg alles wat hij maar hebben wilde, op voorwaarde dat het niet tegen de principes van zijn vader indruiste. Zolang hij nog klein was, veroorzaakte dat natuurlijk geen echte problemen. Zijn vader was altijd zeer trots op de dingen waarin hij uitblonk, zoals zijn tekentalent. Hij werd nooit ergens voor gestraft, tenzij hij iets had gedaan wat zijn vader irriteerde. Toen mevrouw Armiger bedlegerig werd, is mij gevraagd of ik soms bij hen in huis wilde komen. Meneer Armiger werkte toen veel thuis, vóór dit nieuwe gebouw klaar was. Ik kan niet zeggen dat ik tijdens die paar jaar dat ik bij hen heb gewoond, niet mijn best heb gedaan de zaken nog wat recht te trekken, maar het was voor Leslie eigenlijk al te laat. De schade was onherroepelijk. Toen Leslie volwassen begon te worden en zijn leven op zijn eigen manier wilde gaan indelen, ging het mis. Vier of vijf jaar lang lagen ze voortdurend met elkaar overhoop en uiteindelijk is het tot een uitbarsting gekomen. U begrijpt natuurlijk wel dat meneer Armiger alle voorgaande meningsverschillen had gewonnen. Hij had immers alle wapens aan zijn kant. Maar naarmate er belangrijker dingen op het spel kwamen te staan, werd dat steeds moeilijker voor hem. Leslie heeft echt talent en wilde van de schilderkunst zijn beroep maken, maar daar wilde zijn vader niets over horen. Hij wilde dat Leslie in de zaak zou komen. Hij was eraan gewend

dat iedereen deed wat *hij* wilde. Het was de bedoeling dat Leslie met Kitty Norris zou trouwen en directeur zou worden van een nog grotere maatschappij dan zijn vader. Nog voor de ruzie over zijn ambities als kunstschilder was bijgelegd, leerde hij Jean kennen en was er een nog veel zwaardere storm op komst.'
'Heeft hij haar hier op kantoor leren kennen?'
'Ja. Hij begon haar mee uit te vragen, openlijk, niet in het geheim. Meneer Armiger was woedend en op een gegeven moment kregen ze er een vreselijke ruzie over en verbood hij hem met haar uit te gaan. En als hij niet in het gareel wenste te lopen, zei hij, kon hij zijn biezen pakken. Ik geloof niet dat hij het echt meende en dat hij alleen probeerde Leslie murw te krijgen, maar het ging nu hard tegen hard. Hij dacht dat Leslie wel zou capituleren en zou beloven dat hij voortaan een brave jongen zou zijn. In plaats daarvan ging Leslie met Jean uit dansen en vroeg hij haar diezelfde avond nog ten huwelijk.'
'Niet bepaald de beste manier om aan een huwelijk te beginnen,' merkte George op, 'als het alleen een manier is om je vader dwars te zitten.'
'Nee, zo moet u dat niet zien,' zei ze en ze schudde haar hoofd. 'Zijn vader had hem eigenlijk alleen de ogen geopend voor wat er in feite op het spel stond, hoe belangrijk het was en hoezeer hij ernaar verlangde. Zodra hij dat door had, heeft hij het heel verstandig met beide handen vastgegrepen en niet meer losgelaten, ook al waren de gevolgen angstaanjagend. De dag daarop is hij regelrecht naar het kantoor van zijn vader gegaan; hij is vlak voor zijn bureau gaan staan en heeft hem zonder omwegen verteld dat hij zich had verloofd. Hij moest het er wel in één keer uitgooien, anders had hij waarschijnlijk geen woord kunnen uitbrengen. Zelfs toen dacht Armiger nog dat hij hem zou kunnen dwingen de verloving te verbreken. Toen hij in de gaten kreeg dat Leslie van plan was voet bij stuk te houden, dacht ik dat hij een beroerte zou krijgen. Leslie bleef er dwars tegenin gaan. Nee, nee, nee – dat was het enige dat hij zei. Armiger wist gewoon niet wat hem overkwam. Toen uiteindelijk volledig tot hem was doorgedrongen hoe de kaarten lagen, heeft hij ze allebei de deur gewezen en dit keer meende hij het echt. Goed, zei hij, als je haar per se wilt hebben, als ze je zoveel waard is, dan moet je het zelf maar weten. Neem haar dan meteen maar mee en waag het niet om ooit terug te ko-

men. Leslie zei dat hij dat prima vond. Hij is naar beneden gegaan, heeft Jean opgehaald en is met haar de deur uit gelopen. Jean is naar huis gegaan en Leslie naar een hotel en terwijl ze wachtten tot ze konden trouwen, zijn ze op zoek gegaan naar woonruimte. Leslie is nog maar één keer thuis geweest, om zijn spullen op te halen, maar voor zover ik weet heeft hij zijn vader nooit meer gezien. Een flat kon hij zich niet veroorloven, alleen een gemeubileerde kamer. Hij had ook moeite een baan te vinden, want hij had nooit een beroep geleerd en hij had nergens ervaring in. Het enige dat hij op Oxford had gedaan, was schilderen. Hij is toen begonnen te werken als gewoon arbeider. De arme jongen heeft alle regels der discipline in één klap moeten leren, alles wat hem in zijn jeugd niet is bijgebracht,' zei ze met een spijtig gezicht. 'Als hij hier heelhuids doorheen komt, zal hij geen enkele moeite hebben met alle andere problemen die het leven nog voor hem in petto mag hebben.'
'Denkt u dat hij ooit nog zou zijn bijgedraaid?' vroeg George.
'Wie? Armiger? Nee, nooit van zijn leven. Tegen zijn wensen in gaan was voor hem een onvergeeflijke godslastering. Misschien als hij tegen de honderd zou lopen en half seniel zou zijn en opeens sentimenteel zou worden en zich met zijn zoon zou willen verzoenen – maar niet zolang hij gezond was van lichaam en geest.'
'Heeft iemand geprobeerd met hem te praten, hem van gedachten te doen veranderen?' Ze glimlachte en had het onuitgesproken vervolg: U soms? meteen door.
'Ja, Ray Shelley heeft wekenlang achter hem aan gelopen en Kitty heeft ook haar best gedaan. Kitty vond het heel erg en voelde zich er bijna verantwoordelijk voor. Wat mij betreft, ik ben geen type om tegen de bierkaai te vechten. Ik heb mijn mond gehouden. Op de eerste plaats omdat ik wist dat het toch niets zou uithalen en op de tweede plaats omdat ik wist dat áls hij soms diep in zijn hart de zaak wilde bijleggen, hij juist nog veel koppiger zou worden als iedereen zou gaan proberen hem daartoe over te halen.'
'Heeft u toevallig de brief gelezen die Leslie twee maanden geleden aan zijn vader heeft geschreven?' vroeg George.
De kalme donkere ogen bekeken hem aandachtig. 'Heeft Leslie u dat verteld?'
'Nee, zijn vrouw. Ik heb Leslie nog niet gesproken.'
Op rustige toon zei ze: 'Ja, die brief heb ik gelezen. Het was trouwens helemaal geen onderdanige brief. Ik weet niet of u weet wat

erin stond, maar hij had juist een nogal koppige toon aangeslagen, hoewel het feit dat hij had geschreven natuurlijk op zich een capitulatie was. Ze waren er blijkbaar net achter gekomen dat Jean in verwachting was; die arme jongen ging zwaar gebukt onder zijn verantwoordelijkheidsgevoel en ik neem aan dat hij niet goed wist wat hij er allemaal mee aan moest. Hij deelde zijn vader mee dat er een kind op komst was en vroeg of hij hen zou willen helpen een eigen dak boven hun hoofd te krijgen, nadat hij hen van het huis waarop ze hadden gehoopt, had beroofd. Weet u daar iets van?'
'Ja,' zei George. 'Gaat u door.'
'Meneer Armiger stuurde hem een heel hatelijk antwoord. Hij bevestigde de ontvangst van het verzoek van zijn zoon als een zakenbrief en herhaalde dat hij niets meer met hem te maken wilde hebben en dat Leslie zelf maar de verantwoordelijkheid moest dragen voor zijn eigen gezin. Hij stelde de brief met opzet zo op dat er geen sprankje hoop meer zou kunnen bestaan dat het ooit nog goed zou kunnen komen. Hij deed net alsof hij er geen idee van had dat Leslie de schuur had willen kopen, maar als hij er inderdaad zoveel belangstelling voor had gehad, schreef hij, zou hij hem er een souveniertje van sturen. Dat zou het laatste zijn dat hij hem ooit cadeau zou doen. Als zogenaamd schilder, zei hij, zou Leslie het wel een passend geschenk vinden. Het was het oude uithangbord, uit de tijd dat het huis een herberg was geweest.'
'De Vreugdevolle Vrouw,' zei George.
'Heette het toen zo? Dat wist ik niet, maar dat verklaart veel. Ik heb het uithangbord gezien toen meneer Armiger het had meegebracht om op de postkamer te laten inpakken. Het was een nogal primitieve afbeelding van een lachende vrouw. Ze hadden het op de zolder gevonden toen de aannemer aan het werk was gegaan. Het was een dik, houten paneel, erg vies en beschadigd en nogal dik met verf beklodderd. Een van de bestelwagens heeft het meegenomen en bij de hospita van Leslie afgegeven, een dag nadat meneer Armiger de brief had geschreven.'
Jean had niets over het cadeau gezegd, alleen over de botte, laatste brief. Het zou echter kunnen dat ze dat niet met opzet had verzwegen, aangezien het cadeau alleen maar bedoeld was om hen te beledigen en te bevestigen wat er in de brief had gestaan. Dit is het enige dat je ooit nog van me zult krijgen, zolang ik leef en ook als ik eenmaal dood ben; en dit is het enige dat je ooit van De Vreugde-

volle Vrouw zult bezitten. Veel plezier ermee!
'Heeft Leslie hem daarna nog geschreven of opgebeld?'
'Voor zover ik weet niet. En dat zou ik wel geweten hebben.'
En ik heb de hele dag, dacht George, een bepaalde mogelijkheid af zitten schrijven, omdat ik er zo zeker van was dat, punt een, als Leslie zijn vader te spreken had willen krijgen, die hem waarschijnlijk niet te woord zou hebben gestaan, en punt twee, als hij hem toch zou hebben ontvangen, hij hem vast niet begroet zou hebben met een fikse klap op zijn schouder, een grote fles champagne en een exclusieve voorvertoning van zijn wanstaltige balzaal.
Misschien was dat juist wél precies wat hij zou hebben gedaan, om nog wat zout op de wonden te gooien, om hem met zijn neus op de wonderen te drukken die je met geld kon verrichten. Op een avond dat triomf en succes in de lucht hingen, had hij misschien zijn tactiek veranderd en zijn woedeuitbarstingen omgezet in dit soort achterbakse, barbaarse wreedheid. 'Het zal hem vast wel interesseren wat je met zo'n schuur allemaal kunt doen, als je maar genoeg geld en goede ideeën hebt.' 'Hij leek bijzonder met zichzelf ingenomen.'
'Juffrouw Hamilton, heeft u toevallig een recente foto van Leslie?'
Ze keek hem lange tijd bedachtzaam aan, alsof ze er niet helemaal zeker van was of hij die wel echt nodig had en of ze er iets mee zou bereiken als ze zou zeggen dat ze er geen had, afgezien van het opschorten van iets dat onvermijdelijk was. Toen stond ze zonder een woord te zeggen op en liep om haar bureau heen. Uit een van de laden haalde ze een foto die ze hem toestak met een flauwe, grimmige glimlach rond haar mondhoeken. De foto was ooit ingelijst geweest, dat was te zien aan het feit dat ze, op een halve centimeter langs de randen na, een beetje was verbleekt. Ze was in twee ongelijke stukken gescheurd en daarna zorgvuldig weer aan elkaar geplakt met plakband. De rafelige randjes waren zo netjes mogelijk met lijm vastgeplakt, maar de lelijke scheur lag toch als een litteken op het jonge, intelligente, kritische gezicht.
George keek van de foto naar de vrouw achter het bureau.
'Ja,' zei ze. 'Ik heb de twee stukken uit zijn prullenmand gevist, aan elkaar geplakt en bewaard. Ik weet zelf eigenlijk niet waarom. Leslie en ik hebben elkaar nooit zo na gestaan, maar ik heb hem toch zien opgroeien en ik vond het gewoon niet juist dat de laatste

sporen van hem zomaar uitgewist zouden worden. Dit zal u misschien nóg duidelijker maken hoe de zaken tussen hen stonden. Deze foto is twee jaar geleden genomen,' voegde ze eraan toe. 'Het is de enige die hij hier op kantoor had. Ik denk niet dat het veel zin heeft bij hem thuis naar andere te zoeken.'
Dat had George ook al gedacht. De jongen was vast vaak op de foto gezet, maar George zag nu een hele reeks mollige baby's, kleuters met grote ogen, ernstig kijkende schooljongens, ingespannen atleten en ongeduldig poserende jongemannen in de open haard van Armiger door de vlammen verzwolgen worden, als een soort offer aan Moloch.
'Dank u wel. Ik zal ervoor zorgen dat u de foto terugkrijgt,' zei hij alleen.
Hij bestudeerde het onbeweeglijke gezicht terwijl hij naar zijn auto liep. Leslie Armiger leek niet op zijn vader. Hij was langer en slanker gebouwd. Zijn haar was lichter dan dat van zijn vader en krulde boven zijn brede voorhoofd. Zijn ogen stonden helder en openhartig en bezaten de enigszins behoedzame onstuimigheid van de temperamentvolle jeugd. Dezelfde verbazing en onzekerheid waren terug te vinden in de brede lijnen van zijn mond, die niet besluiteloos was maar overgevoelig. Op het eerste gezicht zou je denken dat hij geen partij voor zijn vader was toen het een zaak van buigen of barsten was geworden, maar ondanks de ceremoniële vernietiging van de foto's leefde Leslie nog steeds; de stier had in de grond geklauwd en zijn allerlaatste aanval uitgevoerd.
Het had net vier uur geslagen toen Dominic de Hill Street door liep naar de bushalte. Als hij niet op de fiets was, liep hij onderweg altijd even het politiebureau binnen in de hoop dat zijn vader er was en dat hij zijn dienst erop had zitten. Soms bofte hij. Vandaag pikte George hem op de hoek op en nam hij hem mee naar het bureau waar hij zijn laatste rapport uitwerkte; daarna gingen ze samen op weg naar huis.
'Ik moet onderweg nog even iets doen,' zei George, 'en dan kunnen we naar huis. Je vindt het toch niet erg om even te wachten, hè? Het zal niet lang duren.'
'En zit het er dan op voor vandaag?' Dominics bezorgde ogen wierpen steelse blikken op zijn vaders gezicht en probeerden te ontdekken wat er in zijn hoofd allemaal omging. Hij had het liefst ronduit gevraagd of hij al vorderingen had gemaakt en of Kitty definitief

van de verdachtenlijst was geschrapt, maar dat kon hij natuurlijk niet doen. Al jarenlang hielden ze thuis zich aan bepaalde regels inzake Georges werk, regels die nooit officieel waren vastgelegd, maar daarom niet minder bindend waren; en hij had vandaag al een waarschuwing gehad die regels niet te schenden. Je mocht geen vragen stellen. Je mocht luisteren als je iets werd verteld en iets te berde brengen als je dat werd gevraagd, maar je mocht nooit iets vragen; alles wat met een zaak te maken had, werd net zo strikt geheim gehouden als een biecht door een priester. Dominic hield zijn hartzeer dus voor zich en wachtte trouw, maar het deed wel pijn.

'Dat weet ik nog niet, Dom. Het hangt ervan af wat ik hier te weten kan komen.' Hij reed de lege parkeerplaats van Het Vrolijke Barmeisje op. 'Als mijn mannetje er is, zal het nog geen vijf minuten in beslag nemen, hoe de uitslag ook mag zijn.'

Het duurde niet eens vijf minuten, want Turner zat achter het gordijntje van de open bar met een sigaret tussen zijn lippen de uitslagen van de paardenrennen te bestuderen. Eén aandachtige blik op de foto van Leslie Armiger was voldoende.

'Ja, dat is hem. Dat is de vent die Armiger wilde spreken. Hij is buiten op de stoep blijven wachten, maar ik heb hem goed in het licht gezien toen hij binnenkwam. Hij was anders gekleed, maar ik weet zeker dat hij het is. Ik zou hem overal herkennen.'

'Zou u daarop kunnen zweren?'

'Jazeker. Hij is om ongeveer vijf voor tien de hal in gekomen. Even later is meneer Armiger naar hem toe gegaan en daarna heb ik ze niet meer gezien.'

'Dank u,' zei George, 'dat wilde ik alleen maar even weten.'

Hij liet de foto in zijn zak glijden en toen hij terugliep naar de auto, dacht hij grimmig: Jij was dus voor tienen alweer thuis, hè? Dan heb jij blijkbaar het vraagstuk opgelost hoe een mens op twee plaatsen tegelijk kan zijn. Ik vraag me af of je mij dat ook kunt leren...

HOOFDSTUK ZES

Leslie Armiger was geen goede leugenaar. Er stond bijna evenveel opluchting als angst in zijn ogen te lezen toen hij van de foto naar George keek en toen weer naar de foto. Jean kwam naast hem staan. Hij liet zijn arm even rond haar middel glijden, met een eigenaardig aarzelend en toch beschermend gebaar, alsof hij haar liever dicht tegen zich aan had gedrukt, maar dat niet kon doen omdat George erbij was, of omdat hij wist dat hij zich in de nesten had gewerkt, of omdat Jean zelf zo gereserveerd deed.
'U kunt me beter alles gewoon vertellen,' zei George op strenge toon. 'U heeft nu zelf ondervonden wat er gebeurt als u dingen achterhoudt. Dat geldt ook voor u, mevrouw Armiger. Gelooft u zelf ook niet dat het veel beter zou zijn geweest als u me meteen de waarheid had verteld, in plaats van op heterdaad op een leugen betrapt te worden?'
'Wacht eens even!' Leslies gevoelige neusgaten trilden van nervositeit. 'Jean heeft hier niets mee te maken. Zij weet nooit hoe laat ze leeft, ze kijkt gewoon nooit op de klok. Toen u haar ernaar vroeg, heeft ze er maar een slag naar geslagen en gezegd dat ik rond tien uur thuis ben gekomen.'
'Uw verhaal en het hare kwamen bijna woord voor woord overeen, op de minuut af. Dat heeft u van tevoren gerepeteerd, meneer Armiger.'
'Nee, dat is niet waar. Jean heeft zich gewoon vergist –'
'Wilt u soms beweren dat u haar verklaring heeft bevestigd om haar niet in verlegenheid te brengen? Schei toch uit, zeg. U weet dat we u allebei op hetzelfde tijdstip ondervraagd hebben, op twee verschillende plaatsen, meer dan een kilometer bij elkaar vandaan. Als u zo doorgaat, kan ik u meteen wel in hechtenis nemen!'
'Verdomme!' zei Leslie hulpeloos terwijl hij zich op een stoel liet zakken. 'Ik ben hier helemaal niet goed in.'

‘Inderdaad en ik ben blij dat u daar nu zelf ook achter bent. Laten we er maar eens even rustig bij gaan zitten, dan kunt u me precies vertellen wat er nu eigenlijk is gebeurd.’
Jean was op de achtergrond gebleven, een beetje aarzelend. Nu zei ze zachtjes: ‘Ik zal even koffie zetten.’ Ze liep naar het kleine keukentje op de overloop, maar George zag dat ze de deur op een kier liet staan. Ook al was ze het niet eens met sommige van de dingen die haar man had gedaan, ze zou zich altijd aan zijn zijde scharen als het erop zou beginnen te lijken dat de politie hem het vuur na aan de schenen ging leggen.
‘Goed, laten we alles eens even op een rijtje zetten. Hoe laat bent u dan wel thuisgekomen?’
‘Om ongeveer tien voor elf,’ zei Leslie met een somber gezicht. ‘Ik ben inderdaad naar dat café van hem gegaan en heb naar hem gevraagd, maar ik zweer dat Jean daar niets van af wist. Ze was erg nerveus vanwege de ontbrekende drie kwartier, maar ik heb haar niet verteld waar ik ben geweest.’
Dat wilde George best geloven; het was duidelijk te zien geweest aan de blikken die ze elkaar toewierpen, aan ieder aarzelend gebaar dat ze in elkaars richting maakten, zo pijnlijk zacht en terughoudend. Het was duidelijk dat ze allebei beseften dat ze uit elkaar gedreven waren en dat ze doodsbang waren voor de afgrond die tussen hen in gaapte. Dat pittige meisje dat nu zo zwijgzaam achter de half openstaande deur stond, werd gekweld door haar eigen twijfels over hun dilemma. Zou hij genoeg lef hebben om op zijn eigen benen te staan of niet? Was dat rampzalige verzoek aan zijn vader alleen maar een tijdelijke instorting geweest of een teken van erfelijke zwakte? George vermoedde dat ze bitter met elkaar gestreden moesten hebben en dat ze elkaar diep gekwetst hadden, maar op dit moment was híj de vijand en vormden ze weer samen één front. Misschien was het voor hen juist wel goed dat hij vandaag was gekomen.
‘Dan is het de hoogste tijd,’ zei hij op besliste toon. ‘Het is beter dat ze het van u hoort dan van een ander en ik geloof dat ze liever de waarheid weet dan in het duister te moeten blijven tasten.’
‘Ja, dat zal wel.’ Leslie klonk echter nog niet helemaal overtuigd. Hij was volkomen in de war en voelde zich zo beroerd dat hij helemaal niet meer wist wat hij moest doen. Hij slikte de vernedering dat hem zo de les werd gelezen, en begon aan zijn verhaal.

'Goed, ik ben inderdaad mijn brieven gaan posten en toen ben ik gewoon doorgelopen, regelrecht naar het café, waar ik gevraagd heb of ik meneer Armiger even zou kunnen spreken. Ik wilde niet naar binnen gaan, maar ben bij de voordeur blijven wachten tot hij naar buiten zou komen. Toevallig heb ik helemaal geen bekenden gezien toen ik stond te wachten – ook de kelner kende ik niet – en daarom dacht ik vanochtend, toen het nieuws bekend werd, dat ik er gewoon mijn mond over zou kunnen houden, maar u moet het Jean niet kwalijk nemen dat ze me wilde helpen.'

'We zullen uw vrouw er voorlopig buiten laten. Waarom bent u naar hem toe gegaan? Wilde u hem nogmaals om hulp vragen?'

'Nee,' zei Leslie met een grimmig gezicht, 'dat zeker niet. Ik was niet van plan hem ooit nog ergens om te vragen. Nee, ik ben naar hem toe gegaan omdat hij iets van me had gestolen en als ik dat niet terug kon krijgen, zou ik hem in ieder geval vertellen wat ik van hem vond.' Hij was eindelijk los gekomen. Nu zou het hele verhaal er vanzelf uit komen. George leunde achterover en luisterde zwijgend naar de toedracht van het eerste verzoek om hulp en het antwoord dat hij daarop had gekregen: de wrede, zelfingenomen manier waarop zijn vader hem het oude uithangbord had gestuurd als herinnering aan Leslies nederlaag en zijn eigen triomf. George liet niet merken dat hij dat verhaal die dag voor de tweede keer hoorde.

'Twee weken geleden gebeurde er opeens iets vreemds. Mijn vader scheen plotseling van gedachten te zijn veranderd. Op een avond kwam Ray Shelley opeens bij ons op bezoek om ons het goede nieuws te vertellen. Ik wist dat Ray steeds voor me was opgekomen, nadat mijn vader en ik met elkaar overhoop waren komen te liggen. Ray is een goed mens en hij was blij dat hij ons goed nieuws kon komen brengen. Hij vertelde ons dat mijn vader gewetenswroeging had gekregen. Hij hield nog steeds hardnekkig vol dat hij me nooit meer wilde zien, maar hij had beseft dat het wel erg gemeen van hem was geweest om me dat uithangbord te sturen. Hij had nu ingezien dat het een lage zet was geweest en hij wilde het terugnemen. Hij was uiteraard niet in staat me dat zelf te komen vertellen en had daarom Shelley gestuurd. Shelley moest het uithangbord mee terugnemen en had vijfhonderd pond in contant geld bij zich ter compensatie, wroegingsgeld zeg maar. Hij zei er uitdrukkelijk bij dat dit beslist de allerlaatste keer was dat we geld van mijn vader mochten verwachten. Hij zei dat mijn vader niet wilde dat ik zou verhongeren of me in de schulden zou moeten steken omdat ik aan de grond zat, maar dat ik het van nu af aan verder zelf zou moeten zien te redden.'

Jean was binnengekomen met de koffie en deelde zwijgend de kopjes rond. Leslie ging zo in zijn verhaal op dat hij er geen erg in had tot ze achter hem ging staan en hem zachtjes aan zijn arm schudde om hem attent te maken op het kopje dat ze voor hem had neergezet. Het gebaar was echter heel aarzelend, alsof hij een volslagen vreemde was. Hij schrok op en er trok een rilling door hem heen toen hij haar hand voelde. Toen zijn bruine ogen opkeken naar haar gezicht lag er zowel hoop als wanhoop in verborgen en de schokjes die tussen hen heen en weer vlogen deden de hele volgepropte, slecht verlichte kamer trillen als een vioolsnaar.

'Ga door,' zei George gebiedend. 'Wat heeft u toen gedaan?'

'Ik heb het aanbod geweigerd.' Hij putte nu weer moed uit de kracht van zijn gevoelens. De herinnering aan zijn kwetsuren deed zijn woede weer opvlammen. De terughoudende stem werd voller; er was zelfs een ondertoon in te bespeuren van Armigers zuiver gestemde trompetgeschal, wanneer die zich kwaad had gemaakt. 'Ik had er mijn buik van vol, ik wilde niets meer met hem te maken hebben en ik wilde ook niets meer van hem hebben. Het was alleen jammer dat die arme Shelley de wind van voren kreeg, na alles wat hij voor me had gedaan. Hij was nogal overstuur toen hij wegging. Hij wilde me zelfs een lening geven, uit zijn eigen zak, maar zelfs als ik van iemand geld had willen lenen, wat ik helemaal niet van plan was, zou ik beslist niet naar hem zijn gegaan. Ik ken hem immers. Hij verdient goed, maar iedere maand gaat alles schoon op en soms komt hij zelfs te kort. We hebben geprobeerd het nog een beetje goed te maken, want het was ook niet zíjn schuld. Hij zei dat hij hoopte dat we contact met hem zouden houden en vroeg of hij af en toe even langs mocht komen om te zien hoe we het maakten. Hij maakte zich nogal zorgen over ons en wij hebben hem natuurlijk verteld dat hij altijd welkom was, als hij het niet erg vond om naar onze armoedige kamer te komen. We hebben hem ook laten zien dat hij zó binnen kan lopen, want die ouwe heks beneden zit steeds zo te zeuren als ze de deur moet opendoen voor onze bezoekers, ook al maakt ze altijd mooi van de gelegenheid gebruik om goed te kijken wie er zoal komen, zodat ze weer iets te roddelen

heeft met de buurvrouwen. Als ze thuis is, doet ze de voordeur niet op slot, zodat onze bezoekers gewoon naar binnen kunnen gaan. We hebben Ray ook laten zien waar we de sleutel van onze kamer altijd neerleggen, voor het geval we niet thuis zouden zijn en hij op ons wilde wachten. Ik weet het,' zei Leslie toen hij zag dat George een beetje vragend en niet-begrijpend begon te kijken, 'u vraagt zich natuurlijk af wat dat er allemaal mee te maken heeft, maar dat zal ik u vertellen. Eergisteren, toen we 's middags geen van beiden thuis waren, is er iemand op onze kamer geweest. En die iemand heeft de brief van mijn vader gestolen.'
'De *brief*? De brief waarin stond dat hij u het uithangbord cadeau zou doen? Wie zou die nu willen stelen?'
'Als u er een andere verklaring voor kunt vinden dan ik, neem ik mijn petje voor u af. Voor mij is er maar één verklaring mogelijk: mijn vader wilde dat uithangbord per se terug hebben. Daarom heeft hij Shelley eropuit gestuurd. Het was hem zelfs vijfhonderd pond waard om het terug te krijgen. Toen dat plan mislukte, besloot hij het bewijs dat hij het me cadeau had gedaan, te vernietigen. Zonder die brief zou ik nooit kunnen bewijzen dat het mijn eigendom was. Als het zou uitdraaien op mijn "ja" tegen zijn "nee", kunt u wel raden wie er zou winnen.'
'Dat is niet helemaal waar,' zei George nadenkend. 'Juffrouw Hamilton heeft die brief immers getypt, ze wist precies wat erin stond en heeft me dit hele verhaal al precies zo verteld. Bovendien zijn er de mensen die het uithangbord hebben ingepakt en de man die het hier heeft afgegeven. Die zouden uw getuigenis allemaal ondersteunen.'
Leslie lachte, een beetje bitter maar toch geamuseerd. 'Dan kent u mijn vader blijkbaar toch niet goed genoeg. Het kan best zijn dat Ruth nu met u meewerkt, nu hij dood is, maar als hij nog had geleefd, zou ze precies gedaan en gezegd hebben wat hij wilde. Dat heeft ze altijd gedaan; daar was hun hele relatie op gebaseerd. Als het iets was waar hij problemen door zou kunnen krijgen, zou ze zich gewoon niets herinneren en hetzelfde geldt voor de mensen op de pakafdeling en de postkamer. Nee, van die kant had hij niets te vrezen. Alleen de brief zelf was een gevaarlijk bewijsstuk. Mijn vader wilde dat uithangbord terug hebben en was bereid er vijfhonderd pond voor te betalen. Toen zijn eerste plan mislukte, besloot hij gewoon alle obstakels uit de weg te ruimen tot hij onbe-

vreesd aanspraak op het ding zou kunnen maken, ook al was ik niet van plan het hem terug te geven.'
'Denkt u dat meneer Shelley heeft geweten wat erachter stak?'
'Nee. In ieder geval niet bewust. Ach, ik weet het ook niet. Ik heb nooit geweten in hoeverre hij zich ervan bewust was dat mijn vader gewoon misbruik van hem maakte. Het was iedere keer hetzelfde liedje, iedere keer dat hij een welwillend front nodig had om de oppositie te paaien, zette hij Shelley in. Heeft u hen nooit in actie gezien? Het lijkt me sterk dat hij niet heeft beseft dat hij al die jaren gewoon als dekmantel werd gebruikt. Misschien wilde hij het gewoon niet weten en hoopte hij maar op het beste, misschien had hij het echt niet door. Hij is ook niet teruggegaan met de mededeling: geen probleem. Je kunt gewoon naar binnen lopen, de deur zit niet op slot en de sleutel van hun kamer ligt boven op de kast op de overloop. Dat heeft hij niet gedaan. Maar hij heeft het hem toch verteld, bewust of onbewust, omdat mijn vader het anders nooit kon hebben geweten. En hij is hier geweest, hij of een van zijn lakeien. Er is hier iemand geweest die de brief heeft gestolen.'
'Heeft u mevrouw Harkness niet gevraagd of ze soms iemand heeft gezien? Ze moet op dat moment thuis zijn geweest, anders had ze de voordeur op slot gedaan.'
'Ze was ook thuis en ik durf er iets om te verwedden dat ze ook heel goed weet wie het is geweest, maar het heeft geen zin haar daarnaar te vragen. Het enige dat ze zal zeggen, is dat het niet haar gewoonte is te kijken wie er bij ons op bezoek komt en daarna zal ze met een hele reeks klachten aankomen omdat ze donders goed weet dat ik weet dat ze haar keukendeur altijd op een kier laat staan om vooral maar niets te hoeven missen. Nee, ik hoef dat echt niet te proberen.'
'Ja, ik geloof ook dat u dat beter aan ons kunt overlaten, hoewel wij er misschien net zo min iets mee zullen opschieten. Maar ik heb nog een vraag. U heeft helemaal niets over het cadeau zelf gezegd. Als hij het bewijs dat hij het aan u had gegeven, wilde vernietigen, waarom heeft hij het uithangbord zelf dan niet meegenomen?'
'Omdat het niet hier was. Ik vond het namelijk wel een interessant ding. Er zitten zoveel lagen verf op dat je helemaal niet meer kunt zien wat het oorspronkelijk is geweest en de vorm en afmetingen van de afbeelding zelf zijn beslist niet negentiende-eeuws. Het gaat er mij niet zozeer om of het veel waard is, maar ik ben gewoon

nieuwsgierig. Ik wil weten wat er onder al die lagen verf zit. Ik heb het er met Barney Wilson over gehad en die stelde voor het naar de kunsthandelaar te brengen die op Abbey Place aan de andere kant van de stad een antiekzaak heeft en hem om zijn mening te vragen. Barney heeft het toen inderdaad daarnaar toe gebracht en als het goed is, moet het daar nog steeds liggen.'
'Wanneer is dat geweest? Voordat de brief is ontvreemd, natuurlijk, maar ook vóór Shelley's bezoek?'
Leslies lippen bewogen toen hij de dagen telde; hij had weer wat kleur op zijn wangen gekregen en opwinding vlamde op in zijn ogen. 'Ja, u heeft gelijk! Shelley is hier afgelopen donderdag geweest. Barney had het bord die maandag daarvoor al meegenomen, in zijn bestelwagen. Dat was dus drie dagen eerder.'
'Denkt u dat dat iets te betekenen heeft?'
'U niet dan? Ik had dat ding al zes weken in huis en al die tijd heeft mijn vader er niet over gekikt. Drie dagen nadat ik het bij een kunsthandelaar had afgegeven, begint hij opeens te zeuren dat hij het terug wil hebben. Dat lijkt mij inderdaad erg veelbetekenend!'
'Denkt u soms dat hij een tip van die kunsthandelaar heeft gekregen dat het uithangbord veel waard is?'
'Ik weet niet of dát de reden is. Het feit dat ik het wil laten taxeren, is voor een man als mijn vader al voldoende. Als hij zou denken dat hij me per ongeluk iets had gegeven dat veel waard was en zichzelf daarmee voor schut had gezet, zou het zijn dood zijn.' Hij schrok van zijn eigen woordkeus en werd met een pijnlijke ruk teruggetrokken naar de huidige omstandigheden.
'Goed, dat zullen we even in het midden laten,' zei George effen. 'De brief was dus verdwenen. En toen?'
'Zoals ik al zei, besloot ik gisteravond opeens hem ernaar te gaan vragen, zonder er iets over tegen Jean te zeggen. Ik wilde niet naar mijn ouderlijk huis gaan en gisteravond wist ik met zekerheid waar hij zou zitten. Eerlijk gezegd had ik er ontzettend de pest over in en was ik echt strijdlustig gestemd. Nee, niet op die manier,' verbeterde hij met een wrange glimlach toen hij Georges onderzoekende blik opving. 'Ik heb hem met geen vinger aangeraakt. Ik ben om even voor tienen bij het café aangekomen en heb een van de kelners gevraagd of hij hem even zou willen roepen. Ik heb niet gezegd wie ik was omdat ik dacht dat hij dan niet zou komen, hoewel uiteindelijk bleek dat hij waarschijnlijk toch wel zou zijn geko-

men. Hij was in een reuze goede stemming en kwam lachend naar me toe. Hij gaf me zelfs een klap op mijn schouder alsof hij blij was me te zien. Hij zei dat hij even iets tegen zijn gasten moest gaan zeggen en dat hij zo terug zou komen. Hij duwde me de zijdeur uit en zei dat ik maar eens even naar de schuur moest gaan om te zien of ik die oude puinhoop nog zou herkennen. Ga maar vast naar binnen, zei hij, de deur is open, ik wilde er zelf ook net heen gaan. Ik ben toen inderdaad naar de schuur gegaan. Ik kon wel raden waarom hij me daar wilde hebben, maar aangezien ik hem toch onder vier ogen wilde spreken, kwam dat me wel goed uit. U heeft de schuur zelf gezien, u weet dus wat hij ermee heeft gedaan. Na een paar minuten kwam hij aanzetten, vrolijk lachend, met een magnum champagne onder zijn arm. "Zo, wat vind je nu van je ideale huisje?" zei hij. "Hier kijk je zeker wel van op, hè?" Maar ik was niet gekomen om hem in de kaart te spelen en reageerde daar niet op. Ik zei alleen wat ik te zeggen had, gaf hem goed te verstaan wat ik van zijn vuile trucjes vond en beschuldigde hem ervan de brief te hebben gestolen. Hij lachte me midden in mijn gezicht uit en ontkende alles. "Je bent gek," zei hij, "waarom zou ik mijn eigen brief willen stelen?" Ik had eigenlijk niet verwacht er een voldaan gevoel aan over te houden, afgezien van het feit dat ik mijn hart eens zou kunnen luchten en dat had ik dus gedaan. Ik heb gezegd dat hij een vuile leugenaar was en dat ik tot het uiterste tegen hem zou blijven vechten, of het nu om het uithangbord ging of om mijn carrière of wat dan ook.'

'En een half uur later was hij dood,' zei George met opzet.

'Ja, ik weet het, maar ik heb het niet gedaan.'

Jean schoof zachtjes haar hand over de tafel tot ze die van Leslie raakte; dat was alles, maar de vonk die tussen hen oversprong, scheen door de kamer heen en weer te flitsen.

'Ik heb het niet gedaan,' zei Leslie weer, op zachtere, rustiger toon. 'Hij was de trap op gelopen naar de galerij en had twee champagneglazen uit de bar gehaald. Ik zei dat de breuk tussen ons hiermee definitief was geworden en dat hij het zelf maar moest weten als hij vond dat hij dat moest vieren. Toen zei hij: "Dit is helemaal niet voor jou. Ik verwacht veel interessanter bezoek." En toen ben ik maar weggegaan. Hij was nog springlevend, toen ik de deur uitliep. Het kon toen nog geen half elf zijn geweest, want ik zag maar een of twee auto's wegrijden en maakte daaruit op dat het nog geen

sluitingstijd kon zijn. Ik ben regelrecht naar huis gegaan en ik heb er nogal flink de pas in gezet, want ik ziedde van woede. Om ongeveer tien voor elf was ik weer thuis.'
'Heeft niemand u bij het café gezien, of onderweg? Iemand die deze tijdstippen kan bevestigen?'
'Nee, niet dat me is opgevallen,' zei Leslie terwijl hij weer verbleekte. 'Ik had geen idee dat zoiets wel eens nodig zou kunnen zijn, anders had ik daar wel voor gezorgd. Ik was juist blij dat ik alleen was, om een beetje stoom af te kunnen blazen, want ik was in een uitgesproken rotbui.'
'Ik kan bevestigen hoe laat hij is thuisgekomen,' zei Jean met klem en de hand die tegen die van haar man had gelegen, gleed er nu overheen en kneep er hard in. 'Een stukje verderop staat een kerk. Twee of drie minuten voor Leslie thuiskwam, had ik de klok kwart vóór horen slaan.'
'Goed. Er zullen misschien nog wel meer mensen zijn die hem hebben zien langskomen. We zullen proberen die op te sporen.' Niettemin, Armiger kon net zo goed dood als levend zijn geweest, toen Leslie de balzaal had verlaten. Volgens de dokter kon hij om kwart over tien al dood zijn geweest. 'Ik neem aan dat mevrouw Harkness niet de deur voor u open hoefde te doen? Dat u uw eigen sleutel bij u had?'
'Klopt. Ze heeft me waarschijnlijk ook niet gehoord, want ze gaat altijd vroeg naar bed en haar slaapkamer ligt aan de achterkant van het huis.' Hij sloeg nu naar de andere kant door en begon op allerlei dingen te wijzen die tegen hem gebruikt konden worden, vóór de politie die feiten zelf opgegraven zou hebben.
'Niet overdrijven,' zei George met een korte glimlach. Hij stond op. 'Er zijn nog meer mensen die ons hun alibi zullen moeten verstrekken. Als u het niet heeft gedaan, heeft u ook niets te vrezen en hoeft u zich nergens zorgen over te maken. En als ik u een goede raad mag geven: houd niets achter.' Hij knoopte zijn jas dicht en onderdrukte een geeuw. De koffie had geholpen, maar nu was hij aan een goede nachtrust toe. 'U zult u zeker wel tot onze beschikking houden, hè?'
'U weet me te vinden,' zei Leslie, ietwat hees omdat zijn keel weer droog was geworden door de terugkerende angst.
Het laatste dat George van hen zag, toen hij beneden aan de trap nog even opkeek, waren hun bleke, vastberaden gezichten, naast

elkaar en bijna op dezelfde hoogte, met grote, bezorgde ogen die hem nastaarden. Tussen hen in hadden hun handen elkaar vastgegrepen. Ze hielden elkaar vast alsof ze de hele wereld uitdaagden te proberen hen uit elkaar te halen.

HOOFDSTUK ZEVEN

'Ik ben geneigd hem te geloven,' zei George met een fronsende blik op de stapel gekrabbelde aantekeningen onder de koffiemok op zijn bureau. 'Toen zijn vader zei dat hij maar eens even naar de schuur moest gaan, heeft hij volgens Leslie gezegd: "Ga maar vast naar binnen, de deur is open, ik wilde er zelf ook net naar toe gaan." En over de champagne, die me een beetje op een zijspoor had gezet, had hij gezegd: "Dit is helemaal niet voor jou, ik verwacht veel interessanter bezoek." Dat klinkt geloofwaardig en het past ook in het hele beeld. Als Armiger de champagne had bedoeld om Leslie nog eens extra te treiteren met zijn triomf, zou hij de fles wel hebben geopend. Maar dat heeft hij niet gedaan, de fles zat nog dicht. Het alternatief lijkt me heel aannemelijk. Hij verwachtte bezoek, hij had iets te vieren, iets waar Leslie niets mee te maken had. Leslie was een toegift die hem door puur toeval in de schoot was geworpen, iemand waar hij zijn duivelse trucjes op kon botvieren vóór degene die hij had uitgenodigd, zou arriveren. Het hoogtepunt van de avond moest nog komen en ik geloof nu dat hij vanwege die andere persoon niet gestoord wenste te worden en dat Leslie daar niets mee te maken had. Het kon Armiger immers niets schelen als iemand zou horen hoe hij zijn zoon treiterde? Hij zou er waarschijnlijk nog meer van genoten hebben als er toeschouwers bij waren geweest.'
'Heeft Kitty Norris je niet verteld dat hij had gezegd dat hij maar een kwartiertje weg zou blijven?' vroeg Bunty. 'Kom je dan niet een beetje krap in je tijd te zitten?'
'Op het eerste gezicht wel. Tussen haakjes, zij is de enige die het over een kwartier heeft gehad. Ruth Hamilton en Raymond Shelley hebben allebei verklaard dat hij alleen had gezegd dat hij even weg moest en dat hij hoopte dat ze er nog zouden zijn als hij terug zou komen. Het is heel goed mogelijk dat Kitty zijn woorden al-

léén zo heeft opgevat, maar dat hij zelf niet heeft gezegd hoe lang hij dacht weg te blijven. Trouwens, zelfs voor een belangrijk gesprek kan een kwartier genoeg zijn.'
'Als Leslie inderdaad om tien voor elf weer thuis was, zou hij dan tijd hebben gehad om de moord te plegen? Hij heeft geen auto en op dat uur rijdt er daar geen bus. Hij moet dus inderdaad te voet naar huis zijn gegaan en zelfs als hij heel snel heeft gelopen, moet hij er toch minstens twintig minuten over gedaan hebben. Hij moet daar dus op zijn laatst om half elf weg zijn gegaan.'
Wanneer George een zaak met haar besprak, sprak ze altijd op een rustige, neutrale toon om de gedachtengang van haar man niet te onderbreken. Soms deed ze hem nieuwe ideeën aan de hand, soms gaf ze een andere versie van bestaande feiten.
'Ja, hij had er tijd voor, al was het niet veel. Volgens de dokter is Armiger tussen tien uur en half twaalf gedood.'
'En het kost natuurlijk niet veel tijd,' moest Bunty toegeven, 'om iemand met een fles een klap op zijn kop te geven en ervandoor te gaan.'
'Nee, maar zo eenvoudig is het niet gegaan. Hij is niet met één klap gedood, maar schijnt minstens negen klappen gekregen te hebben, allemaal op de achterkant en linker zijkant van zijn hoofd. Zijn schedel is op diverse plaatsen gebroken en een deel van het bot is helemaal versplinterd. Verder heeft hij een grote schaafwond op zijn rechterslaap en rechterwang, die hij waarschijnlijk heeft opgelopen toen hij na de eerste klap op de grond viel. Die eerste klap heeft hem trouwens niet gedood. Hij kan hooguit bewusteloos zijn geweest, maar meer niet. Minstens vier van de daaropvolgende klappen zijn echter stuk voor stuk fataal geweest. Het duurt waarschijnlijk ook niet erg lang om iemands hoofd op zo'n manier tot pulp te slaan, maar het kost toch meer tijd dan één klap en wegwezen. Als Leslie het heeft gedaan, moet hij wel razendsnel zijn geweest.'
'Bovendien is het een nogal smerig karweitje,' zei Bunty.
'Ja, laten we dat niet vergeten. Uit Johnsons rapport is niet veel naar voren gekomen, afgezien van het feit dat de dader na de moord een paar bloederige handschoenen heeft moeten zien kwijt te raken. Op de champagnefles staan alleen de vingerafdrukken van Armiger; het gebroken beeldje heeft helemaal niets uitgewezen en alle afdrukken die ze verder hebben gevonden zijn van Ar-

miger zelf en van de werklui die aan de verbouwing gewerkt hebben. We hebben er slechts twee waarvan we nog niet weten van wie ze zijn. Die van Clayton staan alleen op de deurknop en nergens anders en op de deur staan er nog een paar die we nog moeten vergelijken met die van Leslie.' Hij schoof de paperassen op zijn bureau bij elkaar en pakte een stukje toost van zijn bord. 'Als de baas het goedvindt, zal ik eens gaan informeren wat er precies met het uithangbord aan de hand is. Het zal mij benieuwen wat daar nu weer achter steekt.'
Dominic was in de deuropening verschenen met zijn schooltas onder zijn arm. Hij had al een tijdje staan wachten, om zijn vader niet te storen tot die uit zichzelf op zou kijken. Het was mooi weer en alles zag er weer zo normaal uit. Ze hadden niets gezegd dat ook maar een schaduw op Kitty zou kunnen werpen. Niet dat hij graag een ander in moeilijkheden zag komen, maar hij was blij dat Kitty helemaal niet ter sprake was gekomen.
'Zal ik met de fiets gaan, pa, of kan ik met je meerijden?' Hij besloot nog een kansje te wagen.
'Je kunt wel meerijden, ik ben zo klaar.'
Dominic had gehoopt dat zijn vader in een mededeelzame bui zou zijn, maar dat was niet zo. Hij reed zwijgend en volkomen in gedachten verzonken. Ze wisselden geen enkel woord tot Dominic op de hoek van het politiebureau uitstapte. Het was nog steeds niet makkelijk om geen vragen te stellen, maar nu het onderzoek niet meer in Kitty's richting scheen te lopen, was het iets minder pijnlijk geworden om zijn nieuwsgierigheid in bedwang te houden.
'Kan ik vanmiddag ook met je mee terugrijden? Ik ben laat uit, om ongeveer kwart voor vijf, want ik heb na school nog rugbytraining.'
'Laten we hopen dat ik tegen die tijd ook naar huis kan,' antwoordde George. 'Kom maar op het bureau langs, dan zullen we zien hoe de zaken staan.'
Hij keek zijn zoon na toen die zijn schooltas over zijn schouder gooide en met grote stappen de straat uit liep. Hij had nu bijna zijn volle lengte bereikt, maar hij was nog steeds erg mager. Hij begon zijn lengte echter de baas te worden en leerde zijn handen en voeten en alle andere ongecoördineerde ledematen al aardig te beheersen. Nog een jaar en hij zou er verdraaid goed uitzien. Gek, dat kinderen zo met sprongetjes tegelijk opgroeien. Ook al zag je

ze iedere dag en hield je ze steeds liefdevol in de gaten, je hoefde maar éven niet op te letten, of ze waren alweer veranderd. Om de drie maanden stond er weer een onvervaarde vreemdeling voor je neus, waar je dan maar weer aan moest wennen. Dominic was met zijn sproeten en zijn rode haar misschien geen schoonheid, al had hij verdraaid mooie ogen, maar net als zijn moeder, op wie hij zoveel leek, had hij geen schoonheid nodig. George vond hen zo al indrukwekkend genoeg.

Voor hij bij inspecteur Duckett binnenstapte, zette hij in gedachten de details van zijn gesprek met Jean en Leslie Armiger nog even op een rijtje. Duckett bleek het hele verhaal al even interessant te vinden als George en was het met hem eens dat hij maar eens een onderzoek moest instellen naar de vreemde gebeurtenissen rond het uithangbord. De eentonige, hardnekkige speurtocht naar met bloed besmeurde kleding en het ondervragen van iedereen die tijdens de openingsavond in Het Vrolijke Barmeisje was geweest, kon nog dagen in beslag nemen en als een veelbelovend zijspoor hun werk zou kunnen vereenvoudigen, was dat natuurlijk mooi meegenomen.

Voor George op pad ging, belde hij nog even naar County Buildings om de feiten met Wilson te vergelijken.

'Dat klopt,' zei Wilson meteen. 'Ik heb Leslie aangeboden het uithangbord naar Cranmer te brengen. Ja, volgens mij kent die Cranmer zijn zaakjes wel. Ik weet dat hij af en toe goede dingen te pakken weet te krijgen, hoewel ik eerlijk gezegd geen zinnig woord kan zeggen over dat uithangbord van Leslie. Zo op het eerste gezicht lijkt het niets bijzonders, afgezien van de kwaliteit van het stuk hout waar het op is geschilderd. Ik moet de houtworm nog zien die daar een stukje af zal weten te knagen! Nee, over Cranmer kan ik u verder niet veel vertellen. Ik loop af en toe bij hem binnen en ik heb wel eens iets bij hem gekocht. Hij zit hier nu alweer een paar jaar. Een typische antiquair, vind ik: oud, uitgedroogd en bikkelhard.'

Geen slechte beschrijving, dacht George toen hij de kleine antiekwinkel op Abbey Place binnenliep en de man zag die zich discreet op de achtergrond hield tot hij had kunnen vaststellen of de klant alleen maar wilde rondkijken of van plan was iets te kopen. Abbey Place lag in het oude gedeelte van de stad dat de vroege tudorstijl had weten te behouden. De gevel van de winkel met zijn lage zwar-

te balken was in één woord prachtig. Het typisch Engelse wit met zwart is, in tegenstelling tot de Europese stijl, prachtig van verhoudingen en geeft een hele straat een harmonieus aanzien, wat je bij de gotische stijl vaak mist. Ook van binnen bleek de winkel helemaal wit geschilderd te zijn onder de dikke balken van het plafond, en hij stond niet volgepropt. De eigenaar was een kleine man met afhangende schouders, grijs haar, een grijs gezicht en grijze kleding. Hij was mager, maar op een pezige manier, als een onverwoestbaar taaie liaan. Hij droeg een bril met dikke glazen die zijn ogen erg groot en onvoorstelbaar blauw maakten. Wie hem van opzij benaderde en dan opeens werd bekeken door die grote blauwe glazen, kreeg onwillekeurig een schok.
De stem die bij de grijze gedaante hoorde, was oud, prozaïsch en discreet; zo discreet dat de man, zonder de indruk te wekken iets achter te houden, geen greintje informatie verstrekte tot George had verklaard dat hij van de politie was; toen werd hij, schijnbaar zonder te hoeven omschakelen, opeens zeer spraakzaam. Ja, hij had het betreffende schilderij hier op zijn atelier. Hij had begrepen dat het ooit het uithangbord was geweest van een herberg die De Vreugdevolle Vrouw had geheten. Ja, het zou kunnen dat het enige waarde had, hoewel het te betwijfelen viel of het echt veel geld zou opleveren.
'Het is diverse malen overgeschilderd, ziet u. Als uithangbord heeft het natuurlijk aan weer en wind blootgestaan en het is daarom vele malen bijgewerkt en gelakt. Ik heb echter een vermoeden – hoewel ik eerlijk moet zeggen dat het alleen nog maar een vaag vermoeden is – dat het wel eens oorspronkelijk een achttiende-eeuws portret zou kunnen zijn geweest van een plaatselijke schilder, genaamd Cotsworth. Ik neem niet aan dat u van hem heeft gehoord? Hij heeft ook niet veel naam gemaakt. Het zou wel interessant zijn als dit inderdaad een van zijn portretten zou blijken te zijn. Voor een plaatselijke verzamelaar kan het dan toch gauw een paar honderd pond waard zijn.' Hij drentelde naar de ruimte achter de winkel en kwam terug met een ingelijst schilderij van ongeveer dertig bij dertig centimeter dat het portret van een reeds lang overleden vooraanstaande figuur uitbeeldde. 'Dit is een Cotsworth,' zei hij triomfantelijk. George vond het portret deprimerend burgerlijk, amateuristisch en lelijk, maar hij was zo verstandig zijn mening voor zich te houden.

'Ik heb begrepen dat u het uithangbord nu ongeveer twee weken in uw bezit heeft. Heeft u er al iets mee gedaan? Heeft meneer Armiger u toestemming gegeven het te onderzoeken of wilde hij alleen uw mening erover hebben?'
'Hij heeft me alleen om mijn mening gevraagd, maar als hij het goedvindt, zou ik graag een klein hoekje van de verf wegschrapen om te zien of ik gelijk heb. Als dat zo is, zal ik bereid zijn meneer Armiger er tweehonderdvijftig pond voor te bieden.'
'Dat is een flinke som geld, meneer Cranmer. Heeft u de vader van meneer Armiger of een van zijn werknemers soms verteld dat u het schilderij hier heeft en dat het wel eens zoveel waard zou kunnen zijn?'
De tweehonderdvijftig pond had een eerste valse snaar geraakt; als de antiquair bereid was een dergelijk bedrag te bieden, had hij voor zichzelf vast een bedrag van duizend pond of meer in gedachten gehad. Nu George die onoprechtheid eenmaal had doorzien, begon de hele winkel er net zo onwerkelijk uit te zien als het vergrote blauw van zijn ogen.
'Natuurlijk niet,' antwoordde de oude man stijfjes. 'Het schilderij is het eigendom van de jonge meneer Armiger, die het door meneer Wilson naar me toe heeft laten brengen en het is niet mijn gewoonte zaken tussen een klant en mijzelf met een derde persoon te bespreken. Behalve natuurlijk met politie, als mij om mijn medewerking wordt verzocht.' Dat laatste voegde hij eraan toe als een zoetsappige, hooghartige terechtwijzing, waar George niet op inging; het feit dat hij de antiquair helemaal niet had gevraagd hoeveel het schilderij waard was en dat de man hem dat niet had hoeven vertellen, vond hij bijzonder interessant. Tenzij hij op deze volkomen respectabele manier, met een nietsvermoedende vertegenwoordiger van de politie als tussenpersoon, dat aanbod ter ore van zijn klant wilde laten komen. Ook als er niets uit zou komen, was dat altijd de moeite van het proberen waard.
Allemaal heel correct, dacht George, toen hij buiten even naar de drie moderne schilderijen achter de lage ramen van de etalage bleef staan staren; maar het was natuurlijk logisch dat hij zich volkomen correct zou gedragen én dat hij op zijn hoede zou zijn, nu Armiger dood was. Hij wilde natuurlijk onder geen voorwaarde rechtstreeks bij de zaak betrokken raken. Toch vermoedde George dat meneer Cranmer wel degelijk een dringende boodschap

naar Armiger had gestuurd: pas op, je hebt iets weggegeven wat veel geld waard is. Hij wist waarschijnlijk niet dat Armiger al vijfhonderd pond had geboden in een poging het uithangbord terug te krijgen, anders zou hij het zelf niet op tweehonderdvijftig hebben gehouden, want die tegenstrijdigheid was gewoon te opvallend. Hij had ook nog geen echt bod gedaan, maar alleen gezegd dat hij eventueel bereid zou zijn dat ervoor te bieden, maar dat zei al genoeg. Hij zou zonder enige twijfel een flinke commissie hebben kunnen opstrijken, als hij Armiger had kunnen helpen Leslie een loer te draaien. Bovendien zou hij meteen bij de grote Armiger in de gunst zijn gekomen en dat was het op zich al waard. Nu Armiger dood was, had hij besloten het zelf op te kopen. Op voorwaarde natuurlijk, dacht George terwijl hij naar zijn auto slenterde, dat meneer Cranmer wist wat er allemaal achter zat; maar aangezien het afkomstig was van de jonge Armiger en hij wist dat het het uithangbord was van De Vreugdevolle Vrouw, kon je gerust aannemen dat hij wel had geraden dat Armiger het als iets waardeloos van de hand had gedaan. Het was ook nog mogelijk dat Wilson dat hele verhaal had verklapt, want Wilson praatte graag en scheen er geen moeite mee te hebben tegenover Jan en alleman zijn hart uit te storten.
Leslie kan maar beter zorgen die schildering zo snel mogelijk terug te halen, dacht hij toen hij de auto in zijn versnelling zette, en het aan niemand verkopen voor hij het door een onpartijdige deskundige heeft laten onderzoeken. En dat zal ik hem ook vertellen, als hij tenminste naar me zal willen luisteren en als hij niet door onvoorziene omstandigheden onverhoopt in de gevangenis terechtkomt.
De rest van die ochtend besteedde hij aan het bijwerken van zijn achterstallige rapporten over de zaak en na de lunch bracht hij samen met Duckett een bezoek aan de hoofdinspecteur, die graag snelle resultaten wilde hebben, gedeeltelijk omdat het ging om een man die in de Midlands erg bekend was geweest, maar voornamelijk omdat hij geen zin had zijn visweekend door deze zaak in het honderd te laten sturen. De bijeenkomst bracht geen van allen een stap verder, omdat de hoofdinspecteur zijn personeel nog steeds beschouwde als onderling inwisselbare onderdelen van een militaire hiërarchie en hen als zodanig behandelde en omdat Duckett bij een belangrijke zaak altijd hoe langer hoe laconieker werd, tot zijn

meesmuilende opmerkingen gevaarlijk dicht de grens van brutaliteit naderden.
'Zonde van de tijd!' gromde Duckett toen ze naar Comerbourne terugreden. Hij was zelf achter het stuur gekropen en hield zich voorbeeldig aan de maximumsnelheid, een duidelijk symptoom van zijn niet bepaald meegaande stemming. 'Laat die zoon van jou alsjeblieft nooit bij de politie gaan, George.'
'Dat is hij ook niet van plan,' antwoordde George. 'Hij schijnt juist graag de kant van de misdadigers te kiezen.'
'Op zijn leeftijd zijn ze allemaal asociaal,' zei Duckett minachtend.
'Nee, het is meer dat hij gewoon meevoelt met de underdog die de klappen krijgt. Misschien vindt hij dat onze maatschappij haar eigen misdadigers creëert en ze daarom ook verdient.' Hij vroeg zich af of hij soms bezig was zijn eigen sporadisch voorkomende twijfels op Dominics schouders te laden en hij besloot er maar niet al te diep over na te denken. De depressie die vaak op een geslaagde veroordeling volgde, was al erg genoeg, zonder verergerd te hoeven worden door twijfels tijdens de jacht zelf. 'Wie weet,' zei hij sussend, 'is er wel iets interessants gebeurd terwijl wij met onze theorieën aan het goochelen waren.'
Dat scheen inderdaad zo te zijn. Toen ze de hoek van Hill Street omsloegen, zagen ze dat zich op de stoep voor het politiebureau een druk pratende mensenmenigte had verzameld. Het politiebureau stond in een langgerekte bocht van de weg en was een klein pleintje rijk met wat groen en bankjes voor beide ramen. Bovendien was er parkeerruimte uitgespaard voor vier auto's. Een van die vier parkeerplaatsen werd nu in beslag genomen door een platte aanhangwagen. Op de wagen lag een stapel oud ijzer, een soort tinnen krat en een grote hoop oude kleding en vodden met daarbovenop drie kleine, zwijgend starende kinderen. Een iets groter kind, gekleed in een afgedankte broek van zijn vader en een rafelende grijze trui, stond naast de ruigbehaarde, dikke bruine pony die voor de wagen was gespannen. Een politieagent slenterde met de bewonderenswaardig onverschillige, onverstoorbare houding die men slechts na ontelbare onaangename incidenten onder de knie kreeg, tussen de deur en het wachtende gezin heen en weer. Voorbijgangers die wat al te lang bleven hangen, maande hij geduldig door te lopen terwijl hij probeerde de toekijkende menigte met een hypnotiserende blik zover te krijgen de zaak even onver-

schillig te bekijken als hij.
'Wat zullen we nu krijgen?' zei Duckett toen hij de auto een van de lege parkeerplaatsen op draaide. De agent grijnsde even, maar slechts met de helft van zijn gezicht, de helft die voor het publiek niet te zien was. 'Heeft Grocott die zigeuner de stad in gesleept? Hij lijkt wel gek!'
'Nee, hij is uit zichzelf gekomen. Hij zegt dat hij belangrijke informatie heeft.'
'Blijkbaar heeft hij zich onderweg flink bezopen en de halve stad meegesleept,' stelde Duckett met afkeer vast, terwijl hij de bedaarde, waardige kinderen bekeek die kalmpjes terugkeken, alsof er voor hen geen enkele twijfel over bestond wie hier de barbaarse vreemde eend in de bijt was. Het waren geen rasechte zigeuners; ze hadden niet de zachte, mysterieuze Indische gelaatstrekken met de smeltende ogen en delicate beenderstructuur, maar waren iets grover uitgevallen, met een olijfkleurige huidskleur en sterke, pezige armen en benen, die er altijd smoezelig uitzagen. 'Wie is het?' vroeg Duckett met een nors gezicht. 'Lay?'
'Nee, Creavey.'
'Komt op hetzelfde neer. Niemand weet wie er met wie getrouwd is en welke kinderen bij welke ouders horen. Creavey, Lay, het is allemaal hetzelfde.'
Hij beende het politiebureau binnen en stoof met George op zijn hielen bonkend de drie trappen op naar zijn kantoor. Grocott kwam al aangesneld voor hij was geroepen.
'Wat moet dit voorstellen?' vroeg Duckett. 'Ik heb begrepen dat de pony van Joe Creavey daar op de parkeerplaats is.'
Joe was de Creavey (of Lay) die bijna nooit moeilijkheden veroorzaakte; zo nu en dan had hij een dronken bui als de zaken in lompen en oud ijzer goed liepen en één keer was hij, na langdurige provocatie, zijn vrouw met een wandelstok te lijf gegaan, maar hij had geen ernstige overtredingen op zijn kerfstok. Hij gaf zijn kinderen voldoende te eten, ging rustig zijn eigen gang zonder andere mensen lastig te vallen en was ontegenzeglijk een gelukkig en tevreden mens.
'Inderdaad. Joe zit beneden met Lockyer. Hij is ongeveer een uur geleden aangekomen met de mededeling dat hij een belangrijk bewijsstuk had gevonden inzake de moord op Armiger.'
Joe was een bekende figuur in de buitenwijken van Comerbourne,

waar hij met zijn ponywagen regelmatig de ronde deed om vodden en oud ijzer op te halen. Veel van de bewoners legden automatisch hun oude kleding voor hem opzij. Het loonde de moeite om regelmatig van zijn diensten gebruik te maken, want hij nam ook allerlei onhandige en onverkoopbare dingen mee die de vuilniswagen liet staan; naar wat hij met al die dingen deed, informeerde echter nooit iemand. Die ochtend had hij de ronde gedaan door de eens deftige, maar nu sjofele buurt waar mevrouw Harkness woonde; hij had haar voddenzak op zijn wagen gegooid en daarna bedachtzaam het deksel van haar vuilnisemmer opgetild om te zien of daar toevallig nog iets in zat wat de moeite waard kon zijn. De mensen wilden nog wel eens oude schoenen in de vuilnisemmer gooien, die Joe vaak als slechts half versleten beschouwde. Dit keer ontdekte hij geen schoenen, maar handschoenen. Het waren oude maar dure leren kaphandschoenen met een geweven bandje met de letters L.A. erin. Hij stopte ze automatisch in zijn zak en bekeek ze pas goed toen hij zijn kar voor een van de buurtcafeetjes had geparkeerd en zijn eerste biertje binnen had. Hij merkte dat de palm en de vingers van de rechterhandschoen helemaal stijf waren en vol zaten met donkere, gebarsten vlekken. Ook het versleten leer van de linkerhandschoen vertoonde vlekken. Joe wist wie er bij mevrouw Harkness inwoonde, want ze was een van zijn vaste klanten; hij wist meteen van wie de initialen L.A. waren; en hij wist, of dacht dat hij wist, waar dat mooie leer door bedorven was en waarom de handschoenen in de vuilnisbak waren gegooid. Hij wist ook wat zijn plicht was: het aan de politie vertellen. Op zijn triomfantelijke weg naar het politiebureau was hij echter nog vier cafés binnengelopen en wie nu nog niet wist dat Leslie Armiger zijn vader had vermoord en dat Joe Creavey daar de bewijsstukken van had, moest wel doof zijn.
'Hij heeft het overal rondgebazuind, vandaar die hele sleep mensen achter hem aan. Hij is niet dronken – niet naar zijn maatstaven tenminste – maar wel aardig aangeschoten. Wilt u hem spreken?'
'Nee,' zei Duckett, 'laat hem maar een poosje sudderen. Ik wil de handschoenen zien en ik wil Leslie Armiger hier hebben. Als dit niets te betekenen heeft, is nu de tijd rijp om een babbeltje met hem te maken, voordat we zeker weten dat het niets te betekenen heeft. Laat me eerst die handschoenen maar eens zien.'
De handschoenen werden binnengebracht en kwamen met de pal-

men omhoog op het bureau te liggen, zodat de donkerbruine, gebarsten vlekken die inderdaad erg veel van bloed weg hadden, goed te zien waren.
'Wat denk jij, George?'
'Volgens mij zit er creosoot aan,' zei George nadat hij aan de stijve vingers had geroken, 'maar dat houdt natuurlijk niet in dat er niets anders bij kan zitten.'
'Er zit in ieder geval ook verf aan. We zullen ze eerst maar eens even door Johnson laten analyseren. Daarna zien we wel weer.'
'Het is toch niet de bedoeling dat we Joe vannacht hier houden, hè?' vroeg Grocott.
'De hele nacht? Ben je mal! Dan moeten we die hele reut kinderen meteen in het weeshuis onderbrengen. Ze zullen me daar zien aankomen! George, ga jij die jongeman eens even halen.'
George maakte het beste van een baantje waar hij nooit veel mee had opgehad; hij liep zo discreet mogelijk naar het kantoor van de bedrijfsleider, zonder zich te laten aankondigen en deed zijn best zijn bevel zoveel mogelijk als een verzoek te laten klinken; toch trok Leslie wit weg toen hij haastig uit het magazijn kwam aangelopen en bleef hij als bevroren staan. Toen hij eenmaal over de eerste schok heen was, trok hij echter weer wat bij; hij kreeg wat kleur op zijn gezicht en er verscheen een uitdagend harde blik in zijn ogen toen hij met een bedaard gezicht en op nonchalante manier met George meeliep, alsof een oude vriend hem was komen opzoeken. Ze moesten óf door de winkel óf door het depot en George hoopte maar dat hij er goed aan deed toen hij het depot koos, waar ze Leslie beter kenden en begrepen.
Ze hielden natuurlijk niemand voor de gek; zijn collega's zouden de rest van de dag een hoop te fluisteren hebben en zich allemaal afvragen wat er zou gebeuren, maar een van de vrachtwagenchauffeurs ving Leslies blik op en stak grijnzend zijn duim op, terwijl een van de inpakkers met opzet voor hen langsliep om hem een verkreukeld pakje sigaretten in zijn hand te drukken. Leslie zag er eerder opgelaten dan getroost uit maar hij glimlachte toch en nam het gebodene aan; en na een eerste lange haal verdwenen de nerveuze lijnen rond zijn mond. Naast George in de auto haalde hij diep en langzaam adem en deed hij veel te veel moeite zich op de ondervraging voor te bereiden.
'Mijnheer Felse,' zei hij met een geforceerde stem toen George

afremde voor een stoplicht, 'zou u me een plezier willen doen? Ik zou u erg dankbaar zijn als u even bij mijn vrouw langs zou kunnen gaan.'
'Ik denk anders dat u over een klein uurtje zelf naar haar toe zult kunnen gaan,' zei George effen.
'Denkt u dat?'
'Het hangt ervan af wat u heeft gedaan. Het antwoord is dus aan uzelf.'
'Ik hoop maar dat u gelijk heeft,' zei Leslie hartgrondig. 'Ik neem aan dat u me niet mag vertellen wat er precies aan de hand is?'
'Klopt. U zult het zo dadelijk allemaal te horen krijgen, maar ik kan niet op de zaken vooruitlopen. Ik zou u alleen een vraag willen stellen, waar ik om de een of andere reden nog steeds niet aan toe ben gekomen. Heeft u uw vader gedood?'
'Nee,' zei Leslie zonder extra nadruk, bijna meegaand.
'In dat geval zult u zo dadelijk inderdaad zelf naar uw vrouw kunnen gaan. U zult hooguit een beetje laat thuis zijn maar dat zal ze u wel vergeven, lang voordat ze ons zal vergeven dat we u zo'n angst hebben aangejaagd.'
Leslie voelde zich zo gerustgesteld en gekalmeerd door die woorden dat hij vergat zich eraan te ergeren dat George gewoon maar had aangenomen dat hij wel bang moest zijn. Hij liep met fikse pas het bureau binnen, vastberaden zo snel mogelijk het obstakel te bereiken en daar langs te zeilen of overheen te springen. Opeens merkte hij dat George niet meer naast hem liep. Hij keek om en zag hem in de hal staan praten met een jongen die de blazer van het plaatselijke gymnasium droeg.
'Mijn zoon,' legde George uit toen hij snel weer naar zijn verdachte liep. 'Hij hoopt nog steeds – en ik ook, trouwens – dat hij met me mee naar huis kan rijden. Mijn dienst zit er eigenlijk al op.'
'O, wat vervelend,' zei Leslie terwijl er opeens weer glans in zijn ogen kwam. 'Ik wil u echt niet ophouden. Zal ik misschien een andere keer terugkomen?'
'Zo mag ik het horen!' George klopte hem goedkeurend op zijn schouder. 'Positief denken, dan komt u er best doorheen! Aangenomen, natuurlijk, dat u ons de waarheid vertelt. Kom maar mee naar boven, ik zit op de derde verdieping en de belastingbetalers gunnen ons nog steeds geen lift.'
Dominic keek hen na tot ze bij de eerste bocht in de trap uit het

gezicht verdwenen. Zijn vader had zijn hand op de schouder van Leslie gelegd. Zou het echt al voorbij zijn? Leslie Armiger zag er niet uit als een moordenaar. Maar wie zag er nu wel uit als een moordenaar? En toch, *hij* zeker niet!
Dominic voelde zich danig in de war gebracht door dat verborgen, onzekere deel van zijn karakter dat zich ondanks alles steeds identificeerde met degenen die in moeilijkheden verkeerden, degenen die door bepaalde omstandigheden in de knel waren gekomen en die door de ordelijke rangen van de gezagsgetrouwen in een hoek waren gedreven, ook al hadden ze dat verdiend. Hij voelde dat duiveltje steeds in zijn eigen binnenste de kop opsteken en kromp ineen bij de wetenschap dat diens kracht geen grenzen kende. Toch moest hij een deel van zijn sympathie wel laten uitgaan naar het slachtoffer, omdat hij net zo makkelijk ooit zélf in de val zou kunnen lopen. Of, wat nog veel erger was, het zou ook iemand kunnen zijn die zo vreselijk belangrijk voor hem was dat hij zichzelf er helemaal door wegcijferde. Het zou Kitty kunnen zijn! En toch wilde hij niet toegeven aan de opluchting dat het wel eens de jongeman zou kunnen zijn in de dure, maar nu afgedragen kleding, de jongeman met de geforceerde glimlach en de angstige ogen.
Boos om de golf van opluchting in zijn hart vluchtte hij weg voor de vriendelijke maar onderzoekende blik van de dienstdoende agent achter de balie. Hij gaf de voorkeur aan het onpersoonlijke schemerige licht van de herfstige namiddag en liet zich neerzakken op een van de bankjes in het kleine tuintje.
Zo kwam het dat hij de rode Karmann-Ghia met een zwierige bocht de parkeerplaats op zag rijden en naast de voddenkar tot stilstand komen. Het portier ging open en Kitty's lange, slanke benen gleden naar buiten. Dominics hart maakte weer die angstaanjagende manoeuvre die hij zo langzamerhand goed begon te kennen: eerst draaide hij een hele slag om in zijn borstkas en vervolgens zwol hij op tot hij dacht dat zijn ribben zouden breken.
Kitty duwde het portier erg langzaam en zachtjes dicht voor haar doen en liep onzeker over de stoep naar het politiebureau; ze ging steeds langzamer lopen en bleef een paar meter voor de ingang staan met haar handen stijf in elkaar gevouwen voor zich, alsof ze niet wist wat ze moest doen. Ze keek naar links en rechts alsof ze zocht naar iets waar ze de moed uit zou kunnen putten om door te lopen en opeens zag ze Dominic, die onbeweeglijk en zwijgend op

het puntje van de houten bank zat, met zijn schooltas stijf tegen zich aan gedrukt.
Hij had nooit gedacht, zelfs niet toen haar ogen zich op hem vestigden, dat er ooit iets uit zou kunnen komen. Hij was gewoon iemand die ze ooit terloops had ontmoet; ze had vast niet gedacht dat ze hem ooit zou weerzien. Ze kon hem zich waarschijnlijk niet eens herinneren. Maar haar ogen lichtten wondermooi op en een bleke glimlach gleed vluchtig over haar gezicht, alsof hij alleen diende om de wanhopige angst te belichten die hem meteen weer verdreef. Ze draaide zich om en liep naar hem toe. Hij sprong overeind, zo overdonderd door het bonken van zijn hart dat hij nauwelijks hoorde wat ze tegen hem zei.
'Dominic! Wat ben ik blij jou hier te zien!' Toen hij uit de wolk van voldoening en extase was neergedaald, merkte hij dat ze naast elkaar op het bankje zaten, dat zijn handen de hare vasthielden en dat haar grote ogen een kolkende violette duisternis vormden en hem van vlakbij aankeken. Op intense, wanhopige toon herhaalde ze: 'Zit Leslie op het bureau? Ik heb in de stad gehoord dat de politie hem van zijn werk is komen halen. Is dat waar? Weet jij toevallig of hij binnen zit?'
'Ja,' stamelde hij. 'Mijn vader is hem gaan halen. Een paar minuten geleden.' Hij was teruggekeerd op de aarde en zijn val had een klein beetje pijn gedaan, maar niet erg, want ze wist nog hoe hij heette en ze was zo blij hem te zien. Zelfs dat had hij niet verwacht, maar hij had geen tijd of geduld voor zulke kleinigheden als zijn eigen teleurstellingen, nu ze met zo'n diep bezorgd gezicht naast hem zat.
'O nee!' riep ze uit. 'Hebben ze hem gearresteerd?'
'Dat weet ik niet. Ik geloof het niet – nog niet...'
'Is je vader bij hem? Ik heb liever hem dan een van de anderen. Ik moet hem spreken, zie je. Nu moet ik wel.'
Ze liet met een diepe zucht zijn handen los en streek met een moedeloos gebaar de blonde lok naar achteren die over haar voorhoofd was gevallen.
'Ik moet het hem nu wel vertellen,' zei ze met een vermoeide, doffe stem, 'want als ik dat niet doe, zullen ze die arme Leslie de schuld geven en hij heeft al genoeg te verduren gehad. Dat mogen ze hem niet aandoen.' Ze hief haar hoofd op en keek Dominic recht in de ogen met de praktische eenvoud van een kind dat zijn zonden op-

biecht en opgelucht is dat het de last die te zwaar was geworden om nog te kunnen dragen, kan omruilen voor de verdiende straf. '*Ik* heb namelijk zijn vader vermoord.'

HOOFDSTUK ACHT

Dominic probeerde iets te zeggen, maar kon geen geluid uitbrengen en toen hij eindelijk zijn stem had teruggevonden, dreigde die steeds onverwacht over te slaan, op die alarmerende en vernederende manier waar hij inmiddels wel van af dacht te zijn, maar Kitty scheen er helemaal geen erg in te hebben.
'Zulke dingen mag je niet zeggen. Zelfs als – als er iets is gebeurd waarvan je denkt dat het jouw schuld is, kan het dit niet zijn en dat moet je ook niet zeggen.'
'Maar ik heb het echt gedaan. Het was niet de bedoeling, natuurlijk, maar het is toch gebeurd. Hij kwam naar me toe en zei: "Leslie is er, maar ik zal hem er wel even uitgooien en zorgen dat hij nooit meer terugkomt. En daarna heb ik je iets te vertellen, maar niet hier. Kom zo dadelijk maar even naar de schuur, daar zullen we niet gestoord worden. Geef me alleen even een kwartiertje de tijd om die druiloor weg te werken. Ik zal in de balzaal op je wachten." Ik had er helemaal geen zin in om naar hem toe te gaan en wilde gewoon naar huis. Ik ben ook weggegaan, maar toen ben ik toch het laantje ingeslagen dat naar de weg achter de schuur loopt. Ik heb de wagen daar ergens onder de bomen gezet en ben teruggelopen naar de schuur. Ik wilde nog één keer proberen hem over te halen het goed te maken met Leslie en weer gewoon tegen hem te doen. Leslie was toch zijn eigen zoon! Het wilde er bij mij gewoon niet in dat hij echt voorgoed met hem had gekapt. Zoiets doe je toch niet? Leslie was nergens te bekennen, alleen zijn vader was in de balzaal en hij begon me meteen allerlei grootse toekomstplannen te vertellen. Hij was erg opgewonden en scheen reuze met zichzelf ingenomen en hij had een grote fles champagne met twee glazen op een van de tafeltjes gezet. Ach, Dominic, als je toch eens had kunnen zien hoe obsceen belachelijk het allemaal was...'
Zijn keel deed pijn van alle dingen die hij tegen haar wilde zeggen,

maar die hij voor zich moest houden; zijn hart was zo gezwollen dat hij nauwelijks adem kon krijgen. 'Kitty, ik wou dat ik je kon helpen,' zei hij hees.
'Dat doe je al, je helpt me nu al door zo aardig tegen me te zijn. Blijf alsjeblieft zo naar me kijken, alsof we goede vrienden waren. Je bent niet eens ineengekrompen en voor me teruggedeinsd, maar dat komt nog wel!'
'Nee!' stootte hij eruit. 'Nooit!'
'Nee, misschien ook niet, zo ben je niet. Laat me doorgaan met mijn verhaal, dat maakt het wat makkelijker. Het is wel goed dat ik het even kan repeteren, want het zal zo dadelijk nog moeilijk genoeg worden.'
Hij had haar handen weer vast; dit keer had hij het initiatief genomen. Haar warme, sterke vingers klemden zich dankbaar en licht trillend aan hem vast.
'Hij was op een schitterend idee gekomen,' zei Kitty met een half verstikte stem, lachend en boos tegelijk. 'Nu Leslie me had afgewezen en de twee maatschappijen niet op die manier samengesmolten konden worden, *wilde hij me wel hebben*! Hij had besloten dat hijzelf met me zou trouwen! Daarom had hij champagne meegebracht en daarom was hij zo opgewonden. Hij vroeg me niet eens ten huwelijk, hij kondigde zijn besluit gewoon aan. Hij deed niet eens alsof hij echt iets voor me voelde. Toen hij zijn armen om me heen sloeg en me wilde kussen, was het niet eens seksueel afstotelijk. Het leek eerder op het ondertekenen van een contract. Ik probeerde nog over Leslie te praten, maar hij luisterde helemaal niet. Ik was woedend, het was allemaal zo laag-bij-de-gronds, zo belachelijk en weerzinwekkend, dat ik dacht ik dat gek zou worden. Ik wilde nog maar één ding: daar zo snel mogelijk weg zien te komen en heb hem als een bezetene van me af geduwd. We stonden bij het tafeltje boven aan de trap, waar hij de champagne en de glazen had klaargezet. Ik weet niet wat er precies is gebeurd. Toen ik hem van me af duwde, is hij van de bovenste tree gegleden en toen rolde hij hals over kop de trap af en kwam met een klap op de grond terecht. Ik ben de trap af gevlogen en snel langs hem heen naar de deur gevlucht. Ik was als de dood dat hij overeind zou komen en me zou grijpen. Ik was niet bang voor hem, maar het was allemaal zo weerzinwekkend dat ik het gewoon niet had kunnen verdragen ook nog maar één woord van hem te moeten horen. Hij

lag onder aan de trap, op zijn buik, en hij bewoog zich niet, maar dat besefte ik nauwelijks. Ik heb niet eens gekeken of hij soms gewond was, ik ben regelrecht naar mijn auto teruggehold zonder verder nog naar hem om te kijken. Dat houdt dus in dat ik hem heb vermoord. En dat zal ik de politie moeten gaan vertellen. Ik heb het niet met opzet gedaan. Pas toen ik in de auto zat, drong het tot me door dat hij misschien wel gewond zou kunnen zijn. Hoe dan ook, ik heb het dus gedaan en ik mag de politie niet in de waan laten dat die arme Leslie er iets mee te maken heeft.'

Toen ze was uitgesproken, hief ze haar ogen op en keek ze hem aan. Op slag schaamde ze zich over haar eigen zwakte en had ze er spijt van dat ze op zo'n wrede manier haar minderwaardige vertrouwen op de schouders van deze jongen had gewenteld, van dit kind dat oud genoeg was om erdoor geschonden te worden, maar nog niet oud genoeg om het op de juiste manier te kunnen doorgronden. Het was echter geen kind dat haar in de ogen keek, maar een man, een heel jonge man weliswaar, maar op dat moment ontegenzeglijk haar meerdere. Hij hield haar handen stevig vast toen ze probeerde ze terug te trekken en zijn ogen weigerden de hare los te laten.

'O God!' zei ze zwakjes. 'Wat gemeen van me om jou hierbij te betrekken.'

'Nee, dat is juist goed. Je hebt er goed aan gedaan. Rustig aan nu maar. Is er verder niets gebeurd? Weet je zeker dat het zo is gegaan? Jij hebt hem van je af geduwd en toen is hij van de trap gevallen en bewusteloos blijven liggen. Is dat alles?'

'Is dat dan niet genoeg? Toen ze hem hebben gevonden, was hij dood.'

'Ja, hij was dood, maar jij hebt hem niet vermoord.' Hij wist wat hij ging doen en die wetenschap was zo afgrijselijk dat ze bijna sterker was dan zijn opluchting en voldoening over het feit dat hij nu zeker wist dat ze onschuldig was en dat hij haar spiegelbeeld in beide handen kon vasthouden om haar te laten zien hoe smetteloos het was. Nog nooit van zijn leven, zelfs niet toen hij nog een klein, nieuwsgierig jongetje was, had hij inlichtingen waar hij alleen maar de beschikking over had omdat hij toevallig de zoon van George was, aan iemand overgebriefd. Als hij dat zou doen, zou hij iets vernietigen dat altijd een leidraad in zijn leven was geweest; de toekomst die hem dan wachtte, was eenzaam en angstaanja-

gend. Het zou een enorm aanpassingsvermogen van hem vereisen wat zijn intiemste relaties betrof en hij zou zich moeten onderwerpen aan een zelfonderzoek waar hij instinctief voor ineenkromp, maar hij moest het wel doen, hij kon gewoon niet anders.
'In het officiële communiqué over de dood van meneer Armiger staat alleen dat hij is gestorven aan hoofdwonden, maar dat zijn niet de wonden die hij heeft opgelopen omdat hij van de trap is gevallen. Ik weet dit alleen omdat mijn vader bij de politie zit en je mag aan niemand vertellen dat je dit van mij hebt. Toen hij bewusteloos op de grond lag, heeft iemand de champagnefles gepakt en hem daarmee zijn schedel ingeslagen. Hij heeft hem negen keer geslagen en is pas opgehouden toen de fles is gebroken. En dat ben *jij* niet geweest! Of wel?'
Ze staarde hem als verdwaasd van afschuw, ongeloof en opluchting aan en fluisterde met sidderende lippen: 'Nee – nee, natuurlijk niet, dat zou ik nooit –'
'Dat weet ik. Jij hebt het dus niet gedaan. Het is iemand anders geweest. Snap je het nu? Jij hebt hem alleen maar van je af geduwd en toen is hij bewusteloos geraakt. Daarna is er iemand anders de balzaal binnengekomen en die heeft hem vermoord. Je hoeft de politie dus niets te vertellen. Je hoeft niet eens naar binnen te gaan. Die handschoenen hebben niets te betekenen. Ze kunnen Leslie niets maken. Als je nog even blijft wachten, zullen we het zo wel weten.'
Ze had nu echter maar met een half oor naar hem geluisterd, want ze klampte zich uit alle macht vast aan de opluchting en vrijheid die hij haar had teruggegeven. De warme blos die over haar gezicht kroop en de hoop die oplichtte in haar ogen vulden hem met een soort trotse nederigheid die hij nooit eerder had ervaren.
'Meen je dat echt? Zeg je dat niet alleen om me te troosten? Heb je het niet verzonnen? Nee, dat zou je nooit doen! O, Dominic, heb ik echt geen moord gepleegd? Als je eens wist hoe ellendig ik me heb gevoeld sinds gisteren, sinds ze me verteld hadden dat hij dood was.'
'Je hebt het niet gedaan. Alles wat ik je heb verteld, is waar. En je hoeft de politie dus ook helemaal niets te vertellen, snap je wel?'
'Jawel, dat moet ik wel,' zei ze, 'ach, Dominic, ik weet niet wat ik zonder jou had moeten beginnen. Ik vind het nu helemaal niet erg meer, zie je, nu ik weet dat ik geen – dat ik niet ben wat ik dacht. Nu

maakt het allemaal niets meer uit. Maar ik moet het ze toch vertellen, vanwege Leslie. Ik kan namelijk bewijzen dat zijn vader nog leefde nadat Leslie was vertrokken. Ik kan bewijzen dat hij het niet heeft gedaan.' Ze schrok een beetje van de consternatie op zijn gezicht, maar ze wist wat haar plicht was. 'Nu ik eenmaal zover ben gekomen, zal ik ook doorzetten. Ik vond het al zo erg dat ik inlichtingen had achtergehouden, maar nu kan ik er in ieder geval voor zorgen dat ze Leslie vrij zullen laten.'
'Nee, dat mag je niet doen,' waarschuwde Dominic. Hij greep haar pols en trok haar weer naast zich op het bankje. 'Je kunt alleen bewijzen dat hij hem niet heeft gedood vóórdat jij naar de schuur bent gegaan, maar ze kunnen best denken dat hij daarna is teruggekomen. Er is immers iemand naar die schuur gegaan. Als je de politie vertelt wat je mij hebt verteld, zullen ze denken dat je alsnog iets verzwijgt, dat je het toch hebt gedaan.'
'Waarom zouden ze?' vroeg Kitty met grote ogen. 'Dat denk jij toch ook niet? Jij gelooft me toch? Waarom zou de politie me dan niet geloven?'
'Omdat de politie nooit iets gelooft zonder bewijs – en jij kunt dit niet bewijzen.'
'Nee,' gaf ze toe en ze verbleekte een beetje, 'maar ik kan nu niet meer terug, dat *kan* ik gewoon niet. Maak je nu maar geen zorgen. Het fijnste dat iemand had kunnen doen, heb *jij* al voor me gedaan.'
Als ze dat niet had gezegd en als ze niet zomaar opeens zo licht en vluchtig met haar vingertoppen zijn hete wang had gestreeld, zou hij misschien nog een poging hebben kunnen doen om haar tegen te houden en om haar van gedachten te doen veranderen. Maar haar streling deed de adem in zijn keel stokken en verlamde zijn tong. Hij kon geen woord uitbrengen en bleef verstikt, verstomd en verlamd staan kijken toen ze wegliep; en toen ze nog even over haar schouder keek en snel zei: 'Maak je geen zorgen, ik zal je niet verraden,' barstte hij bijna in tranen uit van frustratie en woede, omdat hij niet bij machte was haar na te roepen dat hij zich helemaal geen zorgen over zichzelf maakte, dat hem dat allemaal niets kon schelen, dat hij alleen maar bang was voor haar, dat alleen zij iets voor hem betekende, dat ze een afschuwelijke vergissing maakte, dat hij het niet kon verdragen, dat hij van haar hield.
Ze was verdwenen. De donkere deuropening had haar opgeslokt

en nu was het te laat. Hij ging weer zitten, weggedoken op het puntje van de bank en leverde een pijnlijke strijd met zichzelf tot hij weer helder kon denken. En toen besefte hij pas wat een afgrijselijke gevolgen de hele zaak zou hebben; langzaam werd de situatie zichtbaar, als een speelkaart die door een goochelaar uit het pak omhoog wordt geduwd. Hij had haar zelfs de verdediging der onschuld ontnomen! Hij en niemand anders. Als ze meteen naar binnen was gegaan en haar verhaal had verteld, zoals ze het aan hém had uitgelegd, zouden ze meteen gemerkt hebben dat er een groot gat in zat, net zoals híj dat meteen had beseft. Ze zouden haar ondervraagd hebben over het moordwapen en over de wonden en ze zou niet geweten hebben waar ze het over hadden. Haar hele houding en verbijsterende onbegrip zouden volkomen oprecht hebben geklonken. Maar nu had hij het haar verteld. Ze zou geen onwetendheid kunnen veinzen, ze zou zichzelf onherroepelijk verraden. En wat nog erger was, ze zou hun niet vertellen dat híj zijn mond voorbij had gepraat en ook zou ze niet willen uitleggen hoe ze aan haar informatie was gekomen, omdat ze hém niet in moeilijkheden zou willen brengen. Eén verspreking en ze zouden ervan overtuigd zijn dat zij het had gedaan. De ware toedracht was niet gepubliceerd, slechts een handjevol mensen wist daar iets van af – plus de moordenaar. Hij had haar zo goed als veroordeeld.
Zijn mannelijkheid, die hij nog maar zo kort geleden en op zo'n bedwelmende manier had verkregen, verbrokkelde snel en dreigde hem helemaal te ontglippen. Nu moest hij opstaan en naar binnen lopen en hun eerlijk vertellen wat voor blunder hij had begaan, maar hij had er de moed niet toe; de gedachte alleen al maakte hem misselijk. Hij was niet alleen zo'n lafaard vanwege zijn eigen hachje, maar ook omdat het om zijn vaders baan ging, om zijn hele carrière. Rechercheurs mochten hun zaken thuis niet bespreken. Zijn vader was de uitzondering op de regel geweest; zijn ouders en hijzelf waren altijd trots geweest op hun solidariteit; ze hadden nooit enige twijfel gekoesterd over hun absolute wederzijdse vertrouwen en hadden de conventionele beperkingen alleen naast zich neer kunnen leggen omdat ze zo zeker van elkaar waren. En niemand had daar ooit iets van gemerkt, zolang die solidariteit intact was gebleven, maar die had hij nu aan stukken gegooid. Wat moest hij nu? Hij had zijn vader lelijk voor het blok gezet. Hij zou alles moeten bekennen, het was de enige manier waarop hij nog

zou kunnen proberen de schade te herstellen die hij Kitty had berokkend; maar hij moest dat onder vier ogen doen, alleen met zijn vader. Misschien zou de politie nog ergens een korreltje bewijsmateriaal ontdekken waardoor Kitty's onschuld zou worden bewezen, zodat ze haar zouden kunnen laten gaan. Stel dat zijn vader zich gedwongen zou voelen ontslag te nemen, stel...
Hij wou maar dat zijn vader naar buiten zou komen en hem mee naar huis zou nemen, zodat hij die eerste verschrikkelijke stap zou kunnen zetten, maar toen er eindelijk voetstappen in de hal klonken en hij hoopvol en angstig zijn hoofd ophief om te zien wie er naar buiten zou komen, was het alleen maar Leslie Armiger, die borrelend van opluchting met verende pas te voorschijn kwam. Hij liep alsof hij was herboren, want de oude handschoenen die hij had gebruikt voor het verven van het schuurtje waar hij zijn schilderspullen bewaarde, hadden vele interessante dingen opgeleverd, zoals creosoot, smeerolie, diverse soorten verf en lak, maar geen enkel spoortje bloed. Zodra hij ze had gezien, had hij opgelucht gelachen; en hij kon zichzelf wel voor de kop slaan voor de denkbeeldige angsten die hij had doorstaan, enkel en alleen vanwege die oude, onschuldige handschoenen. Weliswaar was zijn positie er niet beter noch slechter op geworden dan vóór dit vals alarm, maar het leed geen twijfel dat het incident hem aardig wat pluspunten had bezorgd. Zeker bij hemzelf; het bevrijdende gevoel was de angst dubbel en dwars waard.
Rechercheur Felse was tijdens de ondervraging weggeroepen naar iemand die naar zijn eigen kamer was gebracht, maar Leslie wist niet wie dat was; hij wist ook niet of die persoon iets met de zaak te maken had. Hij wist het niet en het kon hem ook niets schelen. Hij was op weg naar huis, naar Jean. Hij was nog steeds vrij en de politie had hem zo goed als onschuldig verklaard en hij zou zich nooit meer zo makkelijk bang laten maken.
Tien minuten later kwam George naar buiten. Hij liep naar zijn zoon toe, die nog steeds buiten zat te wachten, maar zei alleen kortaf dat hij voorlopig nog niet weg zou kunnen en dat Dom beter met de bus naar huis kon gaan. Het was duidelijk dat Dominic voorlopig geen gelegenheid zou krijgen zijn hart uit te storten; zijn vader was alweer verdwenen voor hij zijn verstijfde lippen kon bewegen om iets te zeggen.
Ziek van ellende ging hij naar huis; hij had geen keus. Hij beant-

woordde Bunty's vragen met eenlettergrepige woorden, speelde zonder eetlust met zijn avondeten en trok zich terug in zijn hoekje met schoolboeken waar hij geen woord in kon lezen vanwege de angst die als een dichte mist voor zijn ogen hing. Bunty dacht dat hij misschien iets onder de leden had, maar hij weerstond haar pogingen om bij hem de koorts op te nemen met zo'n nors gezicht dat ze haar diagnose wijzigde. Hij zat met een probleem, begreep ze, en als hij haar niet nodig had, moest het iets met zijn vader te maken hebben. Wat zouden die twee elkaar nu weer hebben aangedaan?
Om tien over half tien kwam George eindelijk thuis. Hij was moe en geprikkeld en niet bepaald in de stemming voor een moeilijk gesprek, maar er zou niets anders op zitten. Bunty bracht hem zijn avondeten en gunde hem zijn stilte, hoewel ze aan bekende symptomen kon zien dat ook hij met een probleem zat dat hij over niet al te lange tijd van zich af zou willen praten. Zonder dat ze hem ergens naar hoefde te vragen, leunde hij uiteindelijk vermoeid achterover en zei met een stem waar geen greintje plezier of voldoening in zat: 'Er zit schot in de zaak Armiger. We hebben een verdachte in hechtenis genomen: Kitty Norris.'
Bunty's uitroep werd overstemd door de kreet uit Dominics stoel. Hij sprong bevend overeind.
'*Nee!*' zei hij zwakjes en toen, met de doffe kalmte van de wanhoop: 'Pa, ik moet je iets vertellen. Het gaat over deze zaak en het is heel belangrijk.' Hij keek smekend naar zijn moeder en zijn lippen trilden. 'Mam, als je het niet erg vindt...'
'Helemaal niet, lieverd,' zei Bunty, terwijl ze methodisch de tafel afruimde en de vuile vaat op het dienblad stapelde, alsof er helemaal niets aan de hand was. 'Ik moet nog afwassen. Gaan jullie maar rustig je gang.'
Zoals altijd wist ze alles zo normaal en rustig te laten klinken, dat hij bijna had gevraagd of ze er toch maar niet bij wilde blijven, maar dat kon hij dit keer niet doen. Hij moest dit met zijn vader uitvechten. Ze pakte het blad op, gaf Dominics oor in het voorbijgaan een speels tikje met de punt van het opgevouwen tafellaken en verdween naar de keuken terwijl ze de deur achter zich dichttrok. George en Dominic keken elkaar nogal hulpeloos aan; ze wisten nu allebei dat dit een eerstegraads familiecrisis was. George zag er net zo tegenop als Dominic; hij was moe en prikkelbaar, en

hij wist het en deze onfortuinlijke jongen scheen moeilijkheden te hebben aangetrokken, waar ze zelfs samen misschien niet uit zouden kunnen komen.
Wat had het voor zin erover te gaan zitten piekeren hoe hij het het beste kon aanpakken? Het moest gewoon gebeuren en daarmee uit.
'Je weet dat ik vanmiddag buiten op het bankje voor het politiebureau zat te wachten toen Kitty Norris daar aankwam,' zei Dominic met een doffe stem van wanhoop. 'Voordat ze naar binnen is gegaan, heeft ze me verteld dat ze Armiger van de trap had geduwd omdat hij – omdat hij haar had beledigd. Ze dacht dat zíj hem had vermoord. Maar dat is niet waar! Dat weet ik zeker, pa. Toen hij bewusteloos bleef liggen, is ze in paniek weggevlucht. Ze zei–'
'Ik begrijp niet waarom we dit allemaal moeten bespreken,' zei George, die zijn best deed zijn geduld te bewaren hoewel hij absoluut geen zin had nog eens door te drammen over een zaak waar hij allang zijn buik vol van had, 'maar ik zal je je zin geven. Als ze hem daar bewusteloos heeft achtergelaten en is weggevlucht, hoe kon ze dan weten dat hij met die champagnefles op zijn hoofd is geslagen? Als zíj hem niet heeft gedood, als ze inderdaad is weggevlucht en er iemand anders is binnengekomen die hem zijn hersens heeft ingeslagen, hoe komt het dan dat ze daar alles van af weet? Het enige dat ooit bekend is gemaakt, is dat hij gestorven is aan een hoofdwond. Vertel jij me dan dus maar eens even hoe ze wist – hoe ze *kon* weten wat er precies is gebeurd, als ze inderdaad onschuldig is?'
Ze hadden het dus van haar losgekregen. Ze hadden haar aan een kruisverhoor onderworpen en strikvragen gesteld tot ze haar mond voorbij had gepraat. Dominic haatte hen allemaal, zelfs zijn vader, maar zichzelf nog meer omdat hij zo'n ongelooflijk foute berekening had gemaakt. Hij had moeten weten dat ze evengoed haar bekentenis zou willen afleggen, omdat ze Leslie zou willen beschermen, ongeacht wat er met haar zelf zou gebeuren. Leslie, die niet met haar had willen trouwen, godzijdank, die stommeling; Leslie op wie ze nog steeds zo waanzinnig, wanhopig verliefd was dat er niemand anders voor haar bestond. Dominic ging langzaam en behoedzaam zitten, legde zijn zwetende handpalmen op het glanzende tafelblad en zei hard en hees: 'Ze wist dat omdat ik haar dat heb verteld.'

Hij was blij dat hij was gaan zitten, hoezeer zijn waardigheid er ook onder te lijden had, want hij voelde zich zo een stuk veiliger; zijn knieën zouden het nooit hebben gehouden, als hij was blijven staan. George was naar voren geschoten op zijn stoel en kwam moeizaam overeind. Hij steunde met wijd uitgespreide handen op de tafel en leunde over zijn zoon heen. Ondanks alles kromp Dominic in elkaar. Hij had het liefst zijn ogen dichtgedaan, maar dat zou hij niet doen, want wat er nu ging komen, was zijn eigen schuld, hij had erom gevraagd en hij mocht niet klagen.
'*Wat zei je daar?*' zei George.
'Ik heb het haar verteld. Ik heb het haar verteld omdat ik dacht dat ze dan helemaal niet aan de politie zou hoeven te vertellen dat ze in de schuur was geweest. Ze wilde je gaan vertellen dat ze hem had vermoord, maar ze wist helemaal niet dat zijn schedel was ingeslagen. Ze dacht dat het kwam omdat hij van de trap was gevallen. Ik wist dus meteen dat ze het niet had gedaan en ik kon haar onmogelijk rond laten lopen met het idee dat ze het wel had gedaan. Ik moest het haar wel vertellen. Ik kon het niet achterhouden.' Resoluut in zijn wanhoop zei hij bijna uitdagend: 'Ik zou het zo weer doen.'
Na een lange, doordringende stilte zei George: 'Ik zou je eigenlijk een flink pak op je donder moeten geven.'
Ondanks al zijn hartzeer hoopte Dominic bijna dat hij dat zou doen ook, maar hij wist dat zijn vader het dreigement niet zou uitvoeren. Dat was allang geen oplossing voor problemen meer. Fysieke straffen waren er al twee jaar niet meer aan te pas gekomen. Het afbetalen van deze schuld zou echter heel wat ingewikkelder en pijnlijker zijn en zou ook veel langer duren. Het vereffenen van schulden waar je zelf verantwoordelijk voor werd gesteld, was iets, waar hij nog nooit mee te maken had gehad. 'Ik weet het,' zei hij somber, 'maar ik moest het wel doen. Ik kon niet anders. En nu heb ik het alleen maar erger gemaakt voor haar, in plaats van beter.'
'En dat niet alleen: je hebt het ons volkomen onmogelijk gemaakt te beoordelen in hoeverre ze de waarheid spreekt. En je weet zeker wel wat je nog meer hebt gedaan, hè?'
Ja, hij wist het. Hij had de funderingen van het huis ondermijnd en de palen die het dak steunden, doen trillen. Hij had niet gedacht dat hij ooit zoiets zou kunnen doen; de helft van zijn hart ging uit

naar George, die hem zo verbijsterd en verwijtend aankeek, en de andere helft naar Kitty, die onschuldig in de gevangenis zat. Hij wou dat hij dood was.
'Ik zal dit morgen natuurlijk aan de inspecteur moeten melden,' zei George. 'Ik heb er trouwens zelf meer schuld aan dan jij. Ik zal hem moeten bekennen dat ik even loslippig ben geweest als mijn zoon. Ik had je nooit zo makkelijk toegang tot vertrouwelijke informatie mogen verlenen; het is in strijd met de grondwet en ik had beter moeten weten. Het was onredelijk van me om van jou te verwachten dat je nooit je mond voorbij zou praten.' Maar dat had hij juist wel verwacht; hij was er zelfs zo zeker van geweest dat het nooit in zijn hoofd was opgekomen vraagtekens bij hun stilzwijgende overeenkomst te zetten. Pas nu Dominic zijn vaders blinde vertrouwen had verloren, wist hij hoeveel dat waard was geweest.
'Ik heb het niet zomaar in een opwelling gedaan,' zei hij gekwetst, 'en het is ook nog nooit eerder gebeurd.'
'Eén keer is genoeg. Ik zal me morgen bij inspecteur Duckett melden en de verantwoording voor deze hele affaire op me nemen. Dat is niet meer dan billijk.'
'Het spijt me,' zei Dominic, ziek van ellende. 'Moet dat echt?'
'Ja, dat moet echt, in alle eerlijkheid tegenover jou én Kitty. Als hij daarna besluit dat ik mijn ontslag moet nemen, zal dat zijn goed recht zijn.' Dat was wreed, omdat hij er bijna zeker van was dat Duckett onder deze omstandigheden, nu de zaak bijna rond was en dit stukje bewijs lang niet zo belangrijk meer was als Dominic had gedacht, nauwelijks naar hem zou luisteren. Meer dan een symbolische reprimande zou hij er waarschijnlijk niet aan over houden.
'Van nu af aan,' zei hij, 'zal ik er goed op moeten letten nooit over mijn werk te praten als jij in de buurt bent. Ik zal goed moeten oppassen dat dit niet weer gebeurt. En jij zult me moeten beloven dat je je verder niet meer met deze zaak zult bemoeien. Je hebt al genoeg schade aangericht.'
'Nee, dat kan je me niet aandoen! Kitty wist er niets van! Snap je dan niet dat er, afgezien hiervan, helemaal geen bewijs tegen haar valt aan te voeren? Je moet haar vrijlaten, pa, je hebt geen recht haar nog langer vast te houden, nu ik je dit heb verteld. Ze heeft het niet gedaan en als júllie dat niet kunnen bewijzen, zal ik het verdomme zelf wel doen!'
George had er meer dan genoeg van en hij deed zijn mond al open

om iets te zeggen waar hij ongetwijfeld meteen spijt van zou hebben en waardoor Bunty dagenlang geduldige, listige onderhandelingen zou moeten voeren om de zaken tussen hen weer recht te trekken, toen de wilde, jonge stem die tegen hem stond te schreeuwen, opeens oversloeg, en hij was gered. Hij keek wat oplettender naar het bleke, woedende gezicht en naar de gepijnigde ogen die zijn onderzoekende blik niet ontweken, omdat er opeens veel te veel op het spel stond om je nog druk te maken over gekwetste trots.
De waarheid dreunde op George neer, alsof hij een klap met een moker had gekregen. De jongen die je altijd als een kind had beschouwd, de jongen die nu bijna hysterisch stond te schreeuwen, die jongen keek je opeens aan met de diepgevoelde, echte, onthutsende pijn van een man en deed de adem in je keel stokken. Het zou nog niet zo blijven, het was nog geen voldongen feit, hij zou nog vele keren heen en weer slingeren tussen jeugd en volwassenheid voor hij het vermogen om over te kunnen springen zou verliezen, maar dit was een eerste teken van wat er ging komen en hij was er danig van geschrokken. O God, dacht George, volkomen van slag, en ik heb hem nog wel met haar geplaagd! Hoe heb ik zo blind kunnen zijn? Mijn eigen zoon notabene!
Uiterst voorzichtig, alsof een hard geluid al voldoende zou zijn om hen allebei te laten rinkelen als rammelende glazen, ging George tegenover zijn zoon aan tafel zitten. Op zachte, redelijke toon zei hij: 'Goed, dat heb ik verdiend. Ik ben niet fair tegenover jou geweest. Dit is de allereerste keer dat je me hebt teleurgesteld en dat is geen slecht gemiddelde. Ik geloof ook niet dat je het zomaar zonder erbij na te denken hebt gedaan en ik onderschat evenmin je redenen ervoor. Ik kan het je ook niet kwalijk nemen dat je het niet wilt opgeven. Ik zou waarschijnlijk net zo reageren. En aangezien ik er zelf voor verantwoordelijk ben dat ik al die jaren de reglementen opzij heb geschoven, kan ik dat net zo goed nog een keer doen en je vertellen hoe de zaken er op dit moment voor staan. Je zult er niet veel aan hebben,' zei hij wat droevig, 'maar dan blijf je tenminste niet met allerlei vraagtekens zitten. Vanaf het moment dat juffrouw Norris ons haar verhaal heeft verteld, hebben we heel hard gewerkt om alle details op hun plaats te krijgen. We hebben om te beginnen alle bewoners van het flatgebouw waar ze woont, ondervraagd; een echtpaar op de begane grond

heeft haar die avond thuis horen en zien komen, niet om half elf, zoals ze eerst beweerde en ook niet om tien over elf, zoals ze nu zegt, maar om even na middernacht. Juffrouw Norris weigert ons echter te vertellen waar ze in de tussenliggende tijd heeft gezeten.'
'Misschien hebben die mensen zich vergist...' begon Dominic moeizaam.
'Ik heb niet gezegd dat ze ontkent dat ze pas om over twaalven is thuisgekomen, ik zei dat ze ons niet wil vertellen waar ze al die tijd heeft gezeten.' Zijn stem klonk steeds zachter. 'En dat is nog niet alles. We hebben ook de kleren opgehaald die Kitty die avond droeg. Ik heb haar die avond zelf gezien. Ze had een zwarte zijden jurk aan met een wijde rok; ik herkende hem meteen. Verder droeg ze een Indische sjaal met door elkaar lopende rode en blauwe vlekken, zo'n transparante sjaal met goudborduursel. Er is slechts één ding waar we geen wijs uit kunnen. De rest van onze theorieën lijkt maar al te goed te kloppen. Wat we niet begrijpen, is waarom een van de punten van de sjaal is afgescheurd en we dat stukje stof nergens hebben kunnen vinden. Langs de zoom van de rok zaten een paar vlekken. Op de zwarte ondergrond waren ze bijna niet te zien, maar een onderzoek heeft uitgewezen dat het bloedvlekken zijn. Dezelfde bloedgroep als die van Armiger. Ik heb die avond niet op haar schoenen gelet, maar ook die hebben we achterhaald, vanwege een bruin vlekje op de neus van de linkerschoen. Ook dat bleek een bloedvlek te zijn. Dezelfde bloedgroep. Die van Armiger, niet van Kitty. We hebben het allemaal op het lab laten onderzoeken.'
Dominic deed zijn ogen dicht en zag de glanzende zilveren avondschoentjes weer voor zich, die aan haar vingers hadden gebungeld op het feest van de roeiclub. Het waren waarschijnlijk niet díe schoenen, maar toch bleef hij ze voor zich zien.
'Het spijt me, kerel,' zei George. Hij stond op en trok zich langzaam terug. Het werd hem te gevaarlijk om naar Dominics gezicht te blijven kijken en hij week uit naar een andere hoek van de kamer. De magere schouders waren stijf en roerloos. 'Het is niet het eind van de wereld, en ook niet van deze zaak,' zei George, 'maar het heeft nu ook weer geen zin net te doen alsof alles er rooskleurig uitziet. Ik heb je dit verteld, omdat ik vond dat je daar recht op had. Probeer het je alleen niet al te zeer aan te trekken.'
Hij legde even zijn hand op Dominics schouder en liet zijn knok-

kels langs de verstijfde wang schrapen.
Dominic schoot overeind, beende blindelings naar de deur en vluchtte langs Bunty heen naar de trap. Bunty keek hem na, keek toen naar George en scheen in tweestrijd te staan naar wie ze het beste toe kon gaan. Het was George die waarschuwend: 'Nee!' zei en zijn hoofd schudde. Op die manier zou het niet genezen kunnen worden.
'Laat hem maar een poosje met rust,' zei George. 'Het komt wel in orde. Laat hem maar een poosje met rust.'

HOOFDSTUK NEGEN

Tegen de tijd dat Dominic de volgende ochtend naar beneden kwam om te ontbijten, had hij de hele zaak van alle kanten bekeken en was hij tot een conclusie gekomen waar hij zich niet meer vanaf zou laten brengen; zijn opeengeklemde kaken en de vastberaden trek op zijn bleke gezicht, dat in één nacht een grote sprong naar volwassenheid leek te hebben gemaakt, waren daar getuige van. Aan zijn gezwollen oogleden en de blauwe kringen onder zijn ogen was te zien dat hij de hele lange nacht had zitten denken in plaats van te slapen. Hij was beheerst en rustig toen hij aan de ontbijttafel verscheen en wenste zijn ouders netjes goedemorgen om duidelijk te maken dat er geen oud zeer was. Tegenover Bunty gedroeg hij zich op een volwassen manier opeens veel attenter dan voorheen. Bunty haakte er meteen serieus op in; twee mannen in huis, dat kon interessant worden. Ze had over George niets te klagen, maar het zou helemaal geen kwaad kunnen om een rivaal in huis te hebben; zo te zien zou ze zich nog aardig kunnen amuseren. Ze had alleen liever gehad dat de oorzaak van die ommekeer door andere omstandigheden teweeg was gebracht. George en zij hadden tot diep in de nacht een ernstig en bezorgd gesprek over hem gevoerd en het viel niet mee om hem nu niet te laten merken dat ze hem nog steeds ongerust in de gaten hielden en zich scherp bewust waren van iedere uiterst beheerste beweging die hij maakte; ook de korte aarzeling die voorafging aan alles wat hij zei en zijn weloverwogen woordkeus gingen niet aan hen voorbij.

'Nog even over gisteravond,' zei Dominic uiteindelijk, de sprong maar wagend, terwijl hij probeerde niet te laten merken dat hij van binnen beefde. 'Ik heb me af zitten vragen wat ik moet doen. Ik heb goed nagedacht over alles wat je hebt gezegd, pa – en ik vind het fijn dat je me alles hebt verteld. Eén ding weet ik absoluut zeker; iets wat voor mij op zich een bewijs is, ook al kun jij dat niet als

zodanig aanvaarden, omdat jij het niet kunt *weten* zoals ik. Toen Kitty mij haar verhaal vertelde, wist ze niet op welke manier Armiger aan zijn eind was gekomen. Dat houdt in dat zij het onmogelijk gedaan kan hebben. Ik weet dat jij dat niet als feit kunt accepteren, omdat jij er niet bij was toen ze me dat vertelde. Ik weet het echter absoluut zeker. Alle andere dingen die in haar richting wijzen, kunnen dus onmogelijk bewijzen dat ze schuldig is. Voor ieder van die aanwijzingen moet een andere verklaring zijn.'
'De zaak is ook nog niet afgesloten,' zei George. 'We zijn nog bezig alle hiaten te vullen.'
'Dat weet ik, maar jullie hebben maar één doel voor ogen: haar te laten veroordelen.'
Deels gedreven door ware bitterheid en deels door een blind, geslepen instinct dat hij iets moest zeggen dat hen tot gelijken zou verklaren, vroeg George op ruwe toon: 'Verdomme nog aan toe, denk jij soms dat ik dit leuk vind?' Het kon hem niet eens schelen of Bunty de gekwelde ondertoon van zijn innerlijke strijd zou horen; het ging hem erom Dominics ontwikkelende ego een flinke zet vooruit te geven.
Zijn zoon keek met een snelle, geschrokken blik op naar zijn gezicht, maar sloeg zijn ogen even snel weer neer. George had aan die ene flits echter kunnen zien dat er van nu af aan steeds vaker van die onderzoekende blikken in zijn richting geworpen zouden worden.
'Nee, ik neem aan van niet,' zei Dominic behoedzaam. Aan zijn stem was te horen dat hij graag nog een poosje over die implicaties had willen nadenken, als er niet iets veel belangrijkers op zijn programma had gestaan. 'Het punt is, dat ík uitga van wat ík weet en dat ik alles daarom vanuit een heel ander standpunt bekijk. Daardoor volg ik ook een heel andere weg en zal ik misschien dingen kunnen ontdekken waar jullie nooit aan gedacht zouden hebben. Ik moet het in ieder geval proberen.'
'Ja, daar kan ik inkomen,' gaf George toe.
'En je hebt er niets op tegen?'
'Nee, zolang je ons niet in de weg zit en je niet vergeet dat het je plicht is alles wat je eventueel mocht ontdekken, meteen aan ons door te geven.'
'Terwijl jij natuurlijk níet verplicht bent míj iets te vertellen!'
Het klonk zo arrogant dat George zijn pogingen om het ontwikke-

lende ego van zijn zoon een zetje in de goede richting te geven, prompt liet varen; dat ego scheen helemaal geen hulp nodig te hebben en hij hoefde het nu ook weer niet uit de hand te laten lopen.
'Nee,' zei hij bedaard, ' en na wat er gisteren is gebeurd, zal dat je nauwelijks kunnen verbazen.'
'O ja,' zei Dominic, beschaamd en opeens weer een paar jaar jonger. 'Sorry!'
Hij stond met een doelbewust gezicht op en liep zonder te zeggen waar hij naar toe ging, de kamer uit. Het was zaterdag, zodat hij in ieder geval niet naar school hoefde. Van de lessen zou hij vandaag toch geen letter hebben begrepen en de leraren zouden in zijn oren alleen maar wartaal hebben gesproken. Bunty liep de tuin in, waar Dominic met een grimmig gezicht de banden van zijn fiets stond op te pompen. Ze vroeg niets maar zei alleen: 'Veel succes, jochie!' en gaf hem een zoen; ze vond dat ze zover nog wel kon gaan. Het was een soort ritueel tussen hen, iets wat ze altijd had gedaan als hem een zware beproeving te wachten stond, zoals zijn eerste dag op de lagere school of een moeilijk examen. Hij herkende het ritueel en hief plichtsgetrouw zijn hoofd op om haar een zoen terug te geven, zo braaf en gedachteloos als een jochie van vijf; maar in plaats van de kus meteen met de rug van zijn hand weg te vegen en door te gaan met pompen, rechtte hij zijn rug en keek hij haar aan met die gekwelde ogen die opeens niet meer wisten of ze van een jongen of een man waren. Het leek wel alsof hij als een badmintonveertje heen en weer werd geslagen tussen de eerste fasen van het volwassen worden.
'Dank je, mam!' zei hij kortaf, het ritueel volgend.
Ze stopte een briefje van tien shilling in zijn zak. 'Een voorschot op je zakgeld,' zei ze.
Even dacht hij dat ze hem niet serieus nam. 'Dat is geen grapje,' zei hij op strakke toon terwijl hij haar met een frons aankeek.
'Dat weet ik,' zei Bunty. 'Ik ken het meisje niet, maar als jij ervan overtuigd bent dat ze het niet heeft gedaan, wil dat voor mij heel wat zeggen. Als je verder nog iets nodig hebt, zeg je het maar. Goed?'
'Oké! Bedankt, mam!'
Zijn dank gold niet alleen de tien shilling, waarvan hij eerst had gedacht dat ze alleen maar bedoeld waren om hem op te fleuren en het ging er ook niet om dat ze aan zijn kant stond en bereid was hem

te helpen. Het ging om wat ze had laten doorschemeren over zijn relatie tot Kitty: dat ze die als volwassen, serieus, belangrijk en waardevol beschouwde en dat ze vond dat die daarom met respect behandeld diende te worden. Een gevoel van diepe genegenheid voor zijn moeder stroomde door hem heen, alsof hij haar plotseling opnieuw had ontdekt. Ook dat maakte deel uit van de onverwachte verwikkelingen van het opgroeien. Bunty wist wanneer het tijd was om te verdwijnen en liep snel naar binnen, maar ze voelde zich bijna net zo jong als haar zoon.

Deze flitsen van warme genegenheid brachten hem echter niet dichter bij de oplossing van Kitty's problemen. Hij voelde ze eens zo zwaar op hem neerdrukken toen hij op zijn fiets sprong en het dorp uit reed. Al snel zat hij op de provinciale weg die langs Het Vrolijke Barmeisje liep. Toen hij bij de oprit was aangekomen, reed hij de berm in en bleef met één voet op de grond diep in gedachten naar de herberg zitten staren. Er waren geen nieuwsgierigen meer die naar het café kwamen kijken, nu ieders aandacht uitging naar wat er met Kitty zou gebeuren. Het nieuws over haar arrestatie was al bekend geworden. Het stond in de kranten, was op het nieuws op de radio geweest en gonsde over de heggen en toonbanken tot in alle uithoeken van de stad en de naburige dorpen. *Kitty Norris!* Wie had dát nu kunnen denken!

Het lelijke nieuwe uithangbord met de gekrulde smeedijzeren omlijsting glansde aan het eind van de oprit. Tot na de begrafenis waarvoor gisteren na het gerechtelijk onderzoek toestemming was gegeven, zouden de deuren gesloten blijven. Wat zou Armiger zich eraan geërgerd hebben de inkomsten van een heel weekend te moeten mislopen, enkel en alleen omdat er iemand dood was. De begrafenis zou maandag plaatsvinden en Raymond Shelley was degene die alle regelingen zou treffen, niet Leslie Armiger. Er waren bekrompen, hypocriete geesten die Leslie er nu op aankeken dat hij geen goede zoon was en die ervan overtuigd waren dat hij niet eens naar de begrafenis zou komen. Waarom zou hij ook? dacht Dominic. Hij was zijn ouderlijk huis uitgezet en onterfd; hij had nooit een kans gekregen echt van zijn vader te houden; als hij betreurde wat er met zijn vader was gebeurd, zou dat nog verdraaid edelmoedig van hem zijn, want hij was hem dat allerminst verplicht. Dominic vroeg zich af hoe Leslie nu tegenover Kitty zou staan, die pardoes in het net was gevlogen omdat ze hém daaruit

had willen redden. Leslie zou inmiddels wel weten hoe de vork in de steel zat. De hele stad wist het. Toen Dominic langs de eerste boerderijen was gereden, had hij het gevoel gekregen dat de lucht letterlijk trilde van de schok over het nieuws. Hij had twee vrouwen over de heg heen met elkaar zien praten en had geweten dat ze het alleen maar konden hebben over de ongetwijfeld al aangedikte omstandigheden rond Kitty's arrestatie.
Dominic stapte weer op en begon de route te volgen die Kitty die avond had genomen. Hier was ze gestopt, voor ze rechtsaf was geslagen richting Comerbourne; dat was om ongeveer kwart over tien geweest. Ergens onderweg was ze van gedachten veranderd en had ze besloten dat ze toch beter had kunnen blijven; dat moest geweest zijn vóór de eerstvolgende weg rechts: de smalle, kronkelige weg naar Wood's End. Daar moest ze het hobbelige landweggetje zijn ingeslagen, dat langs de achterkant van Het Vrolijke Barmeisje liep, tussen het hoger gelegen bouwland en de vlakke, drassige weilanden langs de rivier. Kitty had op dit stuk waarschijnlijk langzaam en voorzichtig gereden; ze hield weliswaar van hardrijden, maar ze was niet roekeloos en 's avonds laat kon je zelfs de koplampen van tegenliggers niet zo makkelijk zien vanwege de vele bochten en hoge heggen langs de weg.
Het was logisch dat ze, toen ze eenmaal van gedachten was veranderd, deze weg had genomen in plaats van te keren en terug te rijden; zeker als ze haar besluit pas had genomen toen ze de zijweg al was genaderd, en het zat er dik in dat het zo was gegaan. Een kruispunt vormde als het ware een uitnodiging om even in te houden en te zien of je wel op de juiste weg zat. Hier was ze dus afgeslagen. Ze had tegen zichzelf gezegd: Vooruit, ik zal het nog één keer proberen. Wie weet, misschien zal hij nu eindelijk naar me luisteren.
Na ongeveer zeshonderd meter was ze bij de volgende zijweg gekomen, waar een wegwijzer stond. Wood's End was nauwelijks een dorp te noemen; het bestond uit een lange weg met aan weerskanten een paar boerderijen, een winkeltje en een telefooncel. Hier dus weer rechtsaf, de oude weg op. Het was ongeveer vierhonderd meter tot aan de hoge muur die om het terrein van Het Vrolijke Barmeisje stond. Daar had ze de auto 'ergens onder de bomen' neergezet. Toen hij de bewuste plek had bereikt, zag hij meteen waarom, want op dat punt waaierde de weg aan de linkerkant uit in een breed stuk platgereden gras, dat een natuurlijke

parkeerplaats vormde onder de overhangende takken. Het was de enige plek waar je een auto helemaal van de weg af neer kon zetten. Het moest toen bijna half elf zijn geweest, het uur waarop het café werd gesloten. Hoewel de meeste bezoekers via de provinciale weg zouden zijn vertrokken, moest ze rekening houden met de mogelijkheid dat er een paar mensen uit het dorp hierlangs zouden komen.
Dominic stapte af en liep met zijn fiets aan de hand langzaam de laatste vijftig meter vanaf de plek waar ze de auto had neergezet tot aan de achteruitgang van het caféterrein. Er was geen hek, alleen een brede opening in de hoge muur met twee ijzeren paaltjes die auto's de doorgang belemmerden. De tot balzaal verbouwde schuur stond vlak bij de achteruitgang. Ze had alleen maar het hoekje van het verlaten terrein over hoeven steken en ze was binnen geweest. En daar had Armiger op haar staan wachten, vervuld van zijn nieuwe plan, er geen moment aan twijfelend dat ze ermee zou instemmen.
Hoe lang zou het geduurd hebben? Wat was daarbinnen precies gebeurd? Er kon niet veel tijd overheen zijn gegaan. Ze had geprobeerd hem over te halen het goed te maken met Leslie, maar hij had niet geluisterd en alleen maar over zijn eigen grootse toekomstplannen kunnen praten, overtuigd dat ze aan zijn kant stond: het was een dovemansgesprek geweest, als van twee mensen die proberen elkaar iets te vertellen zonder elkaars taal te spreken. Ze moest hier om ongeveer half elf zijn aangekomen, hooguit een paar minuten over half elf, omdat ze de auto had moeten parkeren en afsluiten en misschien nog heel even had geaarzeld. Dominic schatte dat ze dus ruimschoots vóór elf uur moest zijn weggevlucht. Armiger zou voor het ontvouwen van zijn plannen niet langer dan een kwartier nodig hebben gehad; hij was een man geweest die altijd recht op zijn doel af ging. Dat kwam ook weer overeen met Kitty's verklaring dat ze om ongeveer tien over elf thuis was; weliswaar was die verklaring weerlegd door de getuigenis van een van haar buren, maar dat was het tijdstip dat zij had opgegeven. Zij wilde de politie laten geloven dat ze om tien over elf thuis was gekomen. Tussen tien en vijf voor elf was ze dus de balzaal uit gehold, terwijl Armiger bewusteloos aan de voet van de trap lag, berekende Dominic met overtuiging.
En toen? Ze wilde natuurlijk maar één ding, zoals ze zelf al had

gezegd: daar zo snel mogelijk weg zien te komen. Zou ze doorgereden zijn tot de volgende zijweg en om Het Vrolijke Barmeisje heen gereden zijn naar de hoofdweg? Of zou ze hier onder de bomen zijn gekeerd en dezelfde weg terug genomen hebben als ze was gekomen? Ze was gekeerd, concludeerde hij na kort nagedacht te hebben; deze weg was stiller en ook korter. Er was meer dan genoeg ruimte onder de bomen om de wagen te keren. Ze was dus zo goed als zeker teruggereden via Wood's End. Ze had binnen een kwartier thuis moeten zijn. Waarom ontbrak er dan een uur?
Hij bekeek het probleem van alle kanten. Hij was er volkomen zeker van dat dit het enige detail was waarover ze had gelogen. Maar waarom? Een heel uur was verdwenen. Wat ze in die tijd ook mocht hebben gedaan, hij wist zeker dat ze niet naar de schuur was teruggekeerd om Alfred Armiger te vermoorden. Waarom weigerde ze de politie dan te vertellen wat ze dan wél had gedaan? Omdat er iemand anders bij was betrokken? Iemand die even onschuldig was als zij en die ze niet in moeilijkheden wilde brengen? Ze had hier zo snel mogelijk willen wegkomen, maar had dat om de een of andere reden niet gekund.
Hij begon met zijn fiets aan de hand terug te lopen in de richting van Wood's End. Zijn voeten sleepten door de dode bladeren onder de bomen. Hij liep liever dan dat hij fietste omdat zijn verstand de schaarse feiten langzaam probeerde te verwerken en hij zijn voeten in hetzelfde tempo moest houden. Hier was ze gekeerd en teruggereden, en toch was ze pas na middernacht in Comerbourne aangekomen. Ze was over dit pad teruggereden, waarschijnlijk een stuk sneller dan ze gekomen was. Ze was op de vlucht, boos, gefrustreerd en beschaamd; ergens onderweg begon ze ook bang te worden en besefte ze dat ze eigenlijk even had moeten kijken of hij soms gewond was, maar ze was nu zo nerveus dat ze niet meer kon stoppen en teruggaan; ze zou juist alleen maar harder zijn gaan rijden. Waarom was ze dan niet om tien over elf thuis geweest?
Opeens wist hij het.
Het was zo eenvoudig en zo belachelijk dat het gewoon wel waar moest zijn. Hij hoorde het geronk van de motor sputteren en wegsterven, voelde de auto vaart verliezen en zag Kitty ongeduldig met de punt van haar schoen naar de hendel tasten en die omzetten op de reservetank. Hij zag haar de hendel woedend heen en weer schoppen omdat ze de reservetank al had gebruikt. Ze had weer

eens dezelfde fout gemaakt. Ze had waarschijnlijk de hele middag gedacht: 'Tijd genoeg, ik heb nog vier liter, ik ga straks op weg naar de herberg wel even bij Lowe tanken, of ik rij even bij het tankstation aan Leah Green langs...' Iedere keer dat ze eraan had gedacht, had ze zich voorgenomen straks even te gaan tanken, tot ze vergat er nog aan te denken.
'Ik zal het wel nooit leren. Soms sta ik midden in High Street of op weg naar de golfclub opeens stil.' Hij hoorde het haar nog zeggen en herinnerde zich woord voor woord wat ze had gezegd over haar twee zwakke punten. Wie Kitty niet zo goed kende als hij, wie niet haar vertrouwen had genoten zoals hij, zou nooit achter deze eenvoudige verklaring kunnen komen over dat ontbrekende uur. Ze was gewoon weer eens zonder benzine komen te staan!
De volgende vraag was: waar was het gebeurd? Hij dacht erover na en concludeerde dat het ergens in de buurt van Het Vrolijke Barmeisje moest zijn geweest, ver weg van Comerbourne. Als ze dicht bij de stad had gezeten, zou ze gewoon een langskomende auto hebben aangehouden en de bestuurder hebben gevraagd wat benzine naar haar over te hevelen of haar garage te bellen en een boodschap af te geven; niemand zou er iets achter hebben gezocht als ze rond elf uur op de hoofdweg naar Comerbourne met panne zou hebben gestaan; net zo min als iemand er iets achter zou hebben gezocht als ze inderdaad om tien over elf was thuisgekomen. Dan zou er geen ontbrekend uur zijn geweest en zou ze niet hebben hoeven liegen. Ze had echter wel gelogen, dat was een van de belangrijkste dingen die tegen haar gebruikt konden worden. Hier ergens in de buurt, ergens veel te dicht bij het café, was ze vast komen te zitten. Hier had ze geen auto durven aanhouden om om hulp te vragen; ze had niet iemand van de garage durven laten komen, want ze wilde onder geen voorwaarde de aandacht op zichzelf vestigen en ze wilde zeker niet dat iemand zou weten dat ze hier was geweest.
Dominic beeldde zich haar situatie zo levendig in dat zijn eigen hart sneller begon te kloppen en hij een pijnlijk bonken achter zijn slapen voelde. Met iedere minuut die voorbij ging, moest ze meer in paniek zijn geraakt. Stel dat Armiger zwaargewond was en dat ze hem voor dood had laten liggen? Stel dat hij dood zou gaan? Misschien had ze er nog wel aan gedacht dat ze eigenlijk terug moest gaan, maar dat had ze gewoon niet kunnen opbrengen. Ze

had helemaal niet zoiets vreselijks willen doen, maar het was nu eenmaal gebeurd en het was haar schuld. Ze was nu zo nerveus dat ze nog maar aan één ding kon denken: dat ze moest zien te verzwijgen dat ze hiernaar toe was gegaan nadat ze om kwart over tien via de hoofdweg was weggereden.
Laten we aannemen dat het hier ongeveer geweest moet zijn, dacht Dominic, terwijl hij langzaam langs de linkerberm van de oude weg liep. Ze moet dan meteen gezocht hebben naar een geschikte plek om de wagen in de berm te zetten, want het is een smalle, kronkelende weg. Als ik goed oplet, zal ik misschien kunnen ontdekken waar dat precies is geweest, want ze heeft de auto helemaal tegen de heg aan moeten zetten. Misschien zitten er zelfs wel wat krassen op de lak.
Toen hij de eerste boerderijen van Wood's End bijna weer kon zien, ontdekte hij eindelijk een plek waar duidelijk een auto zo ver mogelijk van de weg af de grasberm in was gereden. Sporen van de wielen liepen vlak langs de heg. Er was geen twijfel mogelijk; het onkruid in de berm was geplet en lange uitlopers van de heg waren afgebroken; het waren vage aanduidingen die al gedeeltelijk door regen en wind en het verstrijken van de tijd waren uitgewist, maar ze waren nog wel te zien als je wist waar je naar moest zoeken. Of het inderdaad Kitty was geweest of iemand anders zou Kitty hun zelf moeten vertellen.
Stel dus dat ze hier inderdaad zonder benzine was komen te staan. Wat zou ze toen hebben gedaan? Ze moest iemand om hulp hebben gevraagd en daarvoor moest ze naar de telefooncel in Wood's End lopen. Daar had ze iemand opgebeld, iemand die ze volkomen vertrouwde. En die iemand had gehoor gegeven aan haar noodkreet en haar een jerrycan benzine gebracht zodat ze naar huis kon. De reden waarom Kitty daarover had gezwegen, moest zijn dat haar redder in de nood door deze onschuldige hulpverlening nu was blootgesteld aan het gevaar beschouwd te worden als medeplichtige in een moordzaak. Als ze háár zouden veroordelen, zouden ze ook die persoon kunnen aanklagen. Dat zou Kitty nooit toestaan; zij zou haar mond stijf dicht houden opdat degene die haar was komen redden, niet in gevaar zou kunnen komen. Zo was ze nu eenmaal.
Aan het eind van deze lange overpeinzing was Dominic bij de telefooncel aangekomen. Hij bleef er even naar staan kijken en trok

toen, zonder precies te weten wat hij hoopte te zullen vinden, de deur open. Hij keek het stoffige interieur rond. Het was een doodgewone telefooncel, een onpersoonlijk stukje apparatuur van de moderne mens, compleet met de gebruikelijke leuzen. Hij liet net de deur dichtvallen, toen hij opeens een gouden glans zag die volkomen bij de rest uit de toon viel. Haastig trok hij de deur weer open. Tussen het scharnier van de deur hing een flintertje doorzichtige stof, als een verpletterde vlinder. Afgezien van de gebroken gouden draadjes, was het zo wazig als een spinneweb.
Hij stak zijn hand al uit om het los te trekken, toen hij zich snel bedacht en het tere stukje stof alleen voorzichtig met zijn vingertoppen gladstreek, tot hij de piepkleine met gouddraad geborduurde bloemen kon onderscheiden op de zijden stof, die hij tussen zijn vingers nauwelijks kon voelen. Het puntje van een Indiasjaal; een sjaal met een donkerblauw met rood gevlekt patroon, bewerkt met goudkleurig borduursel; de sjaal die Kitty op de avond van Armigers dood had gedragen. Het enige detail waarvoor de politie geen bevredigende oplossing had kunnen vinden; het enige dat ze niet thuis hadden kunnen brengen. Dominic wist precies hoe het in het hele verhaal paste.
Hij moest het zo laten zitten; hij moest het precies zoals het daar zat, aan zijn vader laten zien. Hij stapte de cel binnen, deed de deur dicht en draaide met van opwinding bevende vingers het nummer van het politiebureau.
'U spreekt met Dominic Felse. Zou ik mijn vader even kunnen spreken? Ja, dat weet ik, maar dit is belangrijk, het heeft met de zaak te maken.'
George zat tot aan zijn nek in achterstallige rapporten en had weinig geduld voor onderbrekingen, maar de fouten die hij de laatste tijd had gemaakt, schrijnden nog te zeer om nu een risico te kunnen nemen wat Dominic betrof. Hij pakte zonder veel te verwachten de telefoon op en hoorde tot zijn verbijstering: 'Ik sta in de telefooncel van Wood's End en ik heb het puntje van Kitty's sjaal gevonden.'
'*Wat?*'
Dominic herhaalde zijn mededeling geduldig. 'Het zit vast tussen het scharnier van de deur. Ze heeft de sjaal waarschijnlijk in haar haast losgerukt. Ja, ik weet het, ik kom er niet aan. Ik zal het wel in de gaten houden tot je komt.'

'Hoe heb jij dat in vredesnaam zomaar opeens gevonden?' vroeg George, in zijn trots gekwetst.
'Ik heb gewoon mijn hersens gebruikt. Ik zal het je allemaal nog wel vertellen.' Het klonk een beetje verwaand, maar zo voelde Dominic zich eigenlijk niet; daarvoor was de weg nog te lang en stond er te veel op het spel. Terwijl hij wachtte, overlegde hij bij zichzelf wat hij zijn vader wel en niet zou moeten vertellen, wat hij hem verschuldigd was. Het enige echte bewijsstuk was dat flinterige stukje zijde, maar daarmee kregen zijn theorieën wel meer vaste vorm. Misschien kon hij hem beter alles vertellen. Hoe hij bij toeval had ontdekt hoe slordig Kitty met haar auto omging, bijvoorbeeld; dat was ook een bewijs, evenals de geschaafde plek in de heg. Uiteindelijk vertelde hij George precies door welke gedachtengang hij bij de telefooncel was uitgekomen. Hij merkte dat zijn vader met flatterende aandacht naar hem luisterde. Hij zette zelfs zijn initialen naast die van zijn vader op de envelop waar George het kleine stukje zijde in stopte, hoewel hij eigenlijk wel wist dat hij dat alleen deed om zijn eigenliefde een beetje te strelen.
'Ik moet zeggen dat het allemaal heel logisch klinkt,' zei George terwijl hij de heg bekeek. 'We zullen de auto laten onderzoeken om te zien of er sporen op te vinden zijn. Hij moet flink langs de heg geschraapt hebben.'
'Ik neem niet aan,' zei Dominic, heel voorzichtig en zachtjes, 'dat ik even bij Kitty op bezoek mag?'
'Helaas niet. Dat zullen mijn meerderen nooit goedvinden. Alleen familieleden en juridische adviseurs en dergelijke mogen naar binnen – in dit stadium tenminste.'
'Ja, dat wist ik ook eigenlijk wel. Maar jij kunt wel naar haar toe, hè? Jij zou haar al mijn vragen kunnen stellen – waar ze precies gemerkt heeft dat ze geen benzine meer had, bijvoorbeeld, en wie ze heeft gebeld. Ik geloof niet dat ze jou vrijwillig iets zal vertellen, maar ze weet niet hoeveel jij nu weet en ze zal zich misschien per ongeluk iets laten ontvallen. Ze kan namelijk helemaal niet liegen,' zei Dominic, vechtend tegen de druk die in zijn keel opkwam. 'Ze vergeet vast aldoor wat ze allemaal heeft gezegd en komt dan vanzelf steeds met een stukje van de waarheid op de proppen, of ze nu wil of niet. Ze zal alleen goed oppassen dat ze die ander blijft beschermen.' Hij liet de punt van zijn schoen langs de

groeven glijden die de wielen van de auto in de zachte berm naast de heg hadden gemaakt en staarde fronsend naar de grond. 'Zou je haar soms een boodschap van mij kunnen overbrengen? Niets onwettelijks, hoor, alleen maar de groeten – en misschien zou je haar willen vertellen dat ik mijn uiterste best voor haar doe.'
'Dat zal ik met alle plezier doen,' zei George met een ernstig gezicht.
Hij vertelde hem niet dat ze in Kitty's auto op de plaats van de bestuurder vage bloedsporen hadden ontdekt, blijkbaar afkomstig van de zoom van haar rok en dat de kleine krasjes op de zijkant van de motorkap hen nu al een paar uur lang hard aan het denken hadden gezet. Het leek niet eerlijk om deze dingen achter te houden, nu Dominic zo'n grote bijdrage had geleverd, maar hij had geen keus. Ze waren het over de voorwaarden van hun vredesovereenkomst eens geweest; Dominic verwachtte geen concessies.
Die middag zocht George Kitty op. Raymond Shelley kwam net bij haar vandaan. Hij zag er vermoeid en gedeprimeerd uit en drukte zijn uitpuilende aktentas verdedigend tegen zich aan toen hij George op de gang tegenkwam, alsof hij Kitty's leven daarin met zich meedroeg. Het was nu niet makkelijk meer om gewoon met elkaar te praten, nu ze ieder een andere partij vertegenwoordigden. Communicatie was meer een plicht geworden.
'U heeft zeker al begrepen,' zei Shelley, 'dat haar verdediging gebaseerd zal zijn op pertinente ontkenning. Iedere vakkundige arts zal in staat zijn aan te tonen dat een vrouw, om puur fysieke redenen, onmogelijk tot iets dergelijks in staat is.'
Daar reageerde George niet op. Toen hij zelf aarzelend iets dergelijks te berde had gebracht, had Duckett hem minachtend aangekeken en gezegd: 'Doe niet zo raar, zeg. Terwijl je slachtoffer bewusteloos op een gloednieuwe parketvloer ligt uitgestald? Een kind van tien had het nog wel kunnen doen.'
'Ik kan er gewoon niet bij,' barstte Shelley uit. Hij schudde machteloos zijn hoofd. 'Ik ken Kitty al vanaf dat ze een baby was. Ze zou nog geen vlieg kwaad kunnen doen. Het kan gewoon niet waar zijn, het kan gewoon niet. Ik zal het mezelf nooit vergeven dat ik haar die avond alleen heb achtergelaten. Als ik had geweten dat hij zoiets van plan was, zou ik er wel een stokje voor hebben gestoken.'
Zou hij dat echt hebben kunnen doen? vroeg George zich af. Hij

keek hem meelevend na toen hij nerveus de gang uit liep. Hoeveel invloed had hij op Armiger gehad? Hoe had Leslie hem ook alweer beschreven? – een dekmantel. Hij had zich laten gebruiken; hij kende de geheimen van zijn meester alleen voor zover Armiger hem voor zijn eigen doeleinden in vertrouwen had genomen. Nee, Shelley zou er nooit in zijn geslaagd de aanstormende stier tegen te houden, en als hij dat zou hebben geprobeerd, zou er misschien nog een slachtoffer zijn gevallen.
Kitty had de eerste kwellingen overleefd, de wanhopige tranen van hulpeloosheid, eenzaamheid en schaamte, waarmee ze hem gisteren zo diep in zijn hart had geraakt. Dominic wist godzijdank niets af van die instorting die wel een half uur had geduurd en zou daar ook nooit iets over te weten komen. Wat zich ook in zijn verbeelding mocht afspelen, het zou niet de waarheid zijn waar George met bezwaard hart getuige van was geweest. Het eerste dat Kitty vandaag deed, was zich daarvoor verontschuldigen, ronduit en eenvoudig, zonder verlegenheid. Het was voorbij en het zou niet weer gebeuren.
'Het spijt me dat ik u zo tot last ben geweest. Ik had nooit gedacht dat ik zo overstuur zou raken. Zo zie je maar weer dat je nooit van tevoren kunt weten hoe je je in een crisissituatie zult gedragen. En ik dacht nog wel dat ik zo'n gelijkmoedig karakter had.'
George zei: 'Ik moet u de groeten doen van mijn zoon. Hij heeft gezegd dat hij zijn uiterste best voor u doet.'
Ze keek op en glimlachte naar hem, maar George wist dat alleen Dominic recht had op die glimlach. Kitty zag er bleek en vermoeid uit; door de angst leken haar ogen nog groter dan anders en waren de tere rondingen van haar mond nog zachter en bedroefder geworden. Ze droeg dezelfde ecrukleurige trui en rok als de dag ervoor en had een open boek op zijn kop naast zich liggen, waardoor ze eruitzag als een ijverige studente in de eindexamenweek.
'Wilt u hem alstublieft namens mij bedanken? Hij is zo'n beetje de enige die gelooft dat ik het niet heb gedaan. Kinderen en –' Ze maakte een snel gebaar alsof ze die onvergeeflijke woorden wilde terugpakken. 'Nee, zegt u dat er alstublieft niet bij. Het slaat nergens op en hij zou zich er alleen maar door gekwetst voelen. Bedankt u hem alleen maar en doet u hem de groeten terug.'
'We hebben de plek ontdekt waar u uw auto de berm in heeft gereden toen u zonder benzine was komen te zitten,' zei George op

dezelfde rustige toon. 'Waarom heeft u ons daar niets over verteld? U had toch kunnen weten dat we er op den duur wel achter zouden komen?'
'Daar is *hij* achter gekomen,' zei Kitty en glimlachte voor zich uit. Ook die glimlach was voor Dominic bestemd. 'Wat goed van hem!' vervolgde ze. 'Dat hij zich dat nog heeft herinnerd! Hoewel zelfs híj het wel eens mis zou kunnen hebben. Maar daar wil ik het niet over hebben. Het is een onderwerp waar ik niet over wens te praten en u kunt me niet dwingen. Goed beschouwd kan de politie me helemaal niets meer doen, afgezien van ophouden met deze bezoekjes. Maar ik zie ú liever dan helemaal niemand. Die arme Ray ziet er zo triest uit dat ik het gewoon niet kan aanzien. En wie zou me anders komen opzoeken?'
'U heeft anders vrienden en kennissen genoeg,' zei George, zich bereidwillig aan haar gedachtensprongen aanpassend.
'Ik *had* vrienden en kennissen genoeg. Het populairste meisje van de klas. Als u eens wist hoeveel jongens er met me wilden trouwen, toen ze eenmaal wisten dat Leslie van het toneel was verdwenen! Zeven hebben zelfs de sprong gewaagd en me inderdaad ten huwelijk gevraagd en nog een stuk of vijf hingen al tegen een aanzoek aan. En weet u hoeveel van die vrienden pogingen hebben gedaan me hier te komen opzoeken, om te bewijzen hoeveel ze van me houden? Eén. En dat was Leslie, die nooit heeft hoeven doen alsof.' Ze lachte en omdat Leslie haar was komen opzoeken, was het een oprechte, mooie, vreugdevolle lach. Pas toen begreep George het. Kitty had toch iets aan de hele onverkwikkelijke zaak overgehouden.
'Hebben ze hem binnengelaten?'
'Jazeker. Hij had daar min of meer recht op, hij is immers de zoon van mijn slachtoffer en we zijn samen opgegroeid. Hij was heel lief,' zei Kitty. Ze keek neer op haar gevouwen handen en glimlachte met een peinzende tederheid waarvoor iedere man haar zijn eeuwige liefde en trouw zou hebben verklaard. 'Hij vindt het allemaal zo erg.' Het kon haar niets meer schelen wie getuige was van haar persoonlijke lief en leed; het leven zelf was opeens zo onzeker dat het heel eenvoudig was geworden; ruimte voor huichelarij of schaamte was er niet. 'Ik geloof dat hij zich zelfs verantwoordelijk voor me voelt, enkel en alleen omdat zijn vader degene is die is vermoord – alsof híj daar iets aan kan doen! Hij heeft bijna het

gevoel dat het zijn schuld is dat ik zo in de nesten zit, maar dat heb ik alleen aan mezelf te danken en aan niemand anders. Ik hoop niet dat u dat als een bekentenis opvat, want dat is het namelijk niet.'
'U probeert iemand te beschermen,' zei George.
Ze draaide haar hoofd om en keek hem aan, niet zo abrupt dat hij kon concluderen dat hij eindelijk een stukje waarheid van haar had losgekregen, maar toch zo duidelijk dat hij wist dat ze eindelijk lette op wat hij zei.
'Namelijk degene die u heeft gebeld en om hulp heeft gevraagd,' drukte George door. 'We weten dat u iemand heeft gebeld, want er is een stukje van uw sjaal in de telefooncel in Wood's End blijven hangen. Dacht u soms dat we er niet achter zouden komen dat u iemand had gebeld? Het zou veel beter zijn als u ons alles zou vertellen. Op den duur komen we er toch wel achter.'
'Ik heb geen haast,' zei Kitty, glimlachend, zelfs een beetje plagend, hoewel de droefenis die alles ondermijnde wat ze deed en zei, ook in dit perverse grapje doorklonk.
'Wie heb je gebeld, Kitty?' Hij merkte te laat dat hij haar bij de voornaam had genoemd, maar ze keek hem rustig aan.
'Ja, u mag best Kitty zeggen, hoor. Ik ben niet zo dol op dat officiële gedoe.'
'Wie was het? Het is echt beter dat je het ons vertelt, dan dat wij het op een gegeven moment aan jou moeten komen vertellen.'
'Ik weet helemaal niet waar u het over heeft. Ik heb trouwens zitten denken,' zei ze. 'Als ik schuldig word bevonden, kan ik het geld van mijn slachtoffer niet erven. Wat gebeurt er dan met het geld? Ik had dat eigenlijk aan Ray moeten vragen, maar ik was veel te druk bezig hem over zijn bol te aaien om hem te troosten. Weet u soms hoe dat zit?'
'Ik weet het niet zeker, maar ik geloof dat het dan automatisch naar de naaste familieleden gaat, tenzij daarover een specifieke bepaling in het testament vermeld staat.' Hij vroeg zich af hoe lang hij dit nog zou kunnen volhouden voor hij zou vergeten dat hij een politieagent was die een verdachte aan het ondervragen was. Kon hij maar denken dat ze hem dit met opzet aandeed, om haar leed goed te maken, of uit bravoure, om niet aan al haar ellende te hoeven denken, maar hij wist dat dat niet zo was. Ze manoeuvreerde steeds om zijn vragen heen, maar probeerde hem onderhand wel uit te horen.

‘Mooi zo,’ zei ze met een tevreden zucht. ‘Dan hoeven Leslie en Jean zich in ieder geval geen zorgen meer te maken, die zullen stinkend rijk worden! Ik denk dat ik zelf ook maar eens een testament moet gaan opstellen.’
George deed zijn mond open om daar antwoord op te geven, maar kon geen woord uitbrengen. Ze keek op. Zijn geschrokken zwijgen had even een bres geslagen in de muur die ze om zich heen had opgetrokken. Ze dacht dat hij zweeg vanwege wat ze had gezegd en kwam meteen tot de verkeerde conclusie.
‘Kijkt u maar niet zo benauwd,’ zei ze snel en liefjes. ‘Zo heb ik het niet bedoeld. Wat er ook mag gebeuren, de doodstraf zal ik niet krijgen.’

HOOFDSTUK TIEN

'Dat is haar nu,' zei Leslie en hij deed een stapje achteruit bij de tafel vandaan. 'De Vreugdevolle Vrouw in eigen persoon. Ik heb uw advies opgevolgd en haar gisteren uit de winkel van Cranmer teruggehaald. Wat vindt u ervan?'
Als George daarop naar waarheid zou hebben geantwoord, zou hij gezegd hebben: niet veel bijzonders! Het houten paneel stond tegen de muur geleund, dicht bij het raam om zoveel mogelijk daglicht op te vangen, hoewel er niet veel licht was op deze sombere zondagochtend. Het zag er allerminst indrukwekkend uit. De huidskleur van het portret was vervaagd tot vaal lichtbruin en de fellere kleuren waren verschoten en vuil zodat ze alleen nog maar een schakering van tabakkleurige tinten toonden. Het paneel was niet erg groot voor een uithangbord, ongeveer vijftig bij vijfenveertig centimeter en de afbeelding nam niet eens alle beschikbare ruimte in. Tegen een egale achtergrond die ooit misschien donkergroen of hardblauw was geweest, maar nu korrelig en harsachtig bruin was geworden door de vele lagen verf en lak, was de vrouwengedaante tot iets onder haar middel afgebeeld. Aan de rand van de afbeelding hield ze haar handen gevouwen onder kleine maagdelijke borsten, die schuilgingen onder een slecht geschilderde omslagdoek van mousseline. Onder de vouwen van de katoenen stof hield ze haar schouders naar achteren getrokken. Ze had een lange nek die er in zijn huidige staat vrij vormeloos uitzag en als de slappe steel van een bloem iets naar voren boog om haar hoofd, dat ze schuin achterover hield, in evenwicht te houden. Ze was wat van opzij afgebeeld met haar brede voorhoofd opgeheven naar het licht; en ze lachte. Ook al waren de fletse stroken waaruit ze was opgebouwd nog zo primitief en vertoonde haar gezicht een duidelijk gebrek aan vorm, er bestond geen enkele twijfel over dat deze lach er een van verrukking was en niet van plezier; het was een

lach die ze niet met anderen deelde, maar die van haar alleen was. 'Vreugdevol' was het juiste woord voor haar.
'Ik weet niets van schilderijen af,' zei George naar waarheid, terwijl hij ervoor zorgde niet zelfingenomen te klinken. 'Eerlijk gezegd vind ik het nogal lelijk. Een vreemde mengelmoes, als je het mij vraagt. De kraag rond haar hals en die enorme bos haar met die pijpekrullen langs haar oren lijken mij vroeg-Victoriaans realisme, maar de pose ziet er niet erg Victoriaans uit – en ook niet realistisch. Eerder verheven, streng. Kom ik in de buurt?'
'Heel dicht in de buurt, zelfs. Vindt u het hele schilderij lelijk, of alleen bepaalde details?'
'De details. De vreemde verhoudingen – ik bedoel de aparte onderdelen van haar. Het ziet er allemaal zo klodderig uit. Ze is zeker door de jaren heen steeds bijgewerkt door welwillende amateurs, als ze een beetje vaal begon te worden.'
'Er is een kunstcriticus aan u verloren gegaan,' zei Leslie bewonderend. In zijn opwinding over de onbeduidend lijkende schildering was hij helemaal vergeten dat zijn relatie tot George tot nu toe doordrenkt was geweest van wederzijdse achterdocht en potentiële vijandschap. 'Dat is namelijk precies wat er met haar is gebeurd, waarschijnlijk al een paar eeuwen lang. Iedere keer dat ze een beetje vaal begon te worden, heeft een van de leden van de familie een paar potten verf en een kwast gepakt en de vlakken lekker ingekleurd, als een kind met een kleurboek. Af en toe raakten die artiesten zo enthousiast over hun eigen werk dat ze er dingen bij gingen fantaseren, zoals die pijpekrullen naast haar oren. Dat heeft u goed gezien: die passen helemaal niet bij haar en ik wil wedden dat we die na een paar lagen ook helemaal niet meer zullen vinden. Maar de vorm, de manier waarop ze het paneel vult en er zo fier bij staat dat ze zelfs de achtergrond karakter geeft, dat is allemaal origineel en dat is echte kunst. Ik wil haar uit haar doodskist vandaan zien te krijgen. Ik wil zien hoe ze er in het begin heeft uitgezien, voor ze beroeps werd, want ik ben er zo goed als zeker van dat ze ooit een ander leven heeft geleid. Ze is niet altijd een uithangbord geweest.'
Jean bleef op weg naar het keukentje staan.
Ze bekeek de lachende vrouw aandachtig, terwijl ze afwezig op het uiteinde van de vork beet die ze in haar hand had. 'Ze doet me ergens aan denken, maar ik weet niet precies waaraan. Denk je dat

ze altijd zo heeft gelachen?'
'Ja, volgens mij wel, gezien de manier waarop ze haar hoofd achterover houdt. Met een beetje geluk zullen we er nog wel achter komen. Vanmiddag gaat ze naar het hoofd van de kunstacademie,' legde Leslie met een tevreden gezicht uit. 'Ene professor Brandon Lucas. Toen ik hem gisteren opbelde, bleek dat ik samen met zijn zoon op Oxford heb gezeten. Hij zei dat hij het hele verhaal erg interessant vond klinken en dat hij haar met alle plezier zal bekijken.'
'Heeft u nog problemen met Cranmer gehad toen u het terug kwam halen?' vroeg George.
'Nee. Hij vond het wel jammer dat hij het terug moest geven, maar hij kon natuurlijk niet al te happig doen, nadat u bij hem was geweest.'
'Heeft hij u er iets voor geboden?'
'Ja,' antwoordde Leslie.
'Hoe ver is hij gegaan?'
Te laat voelde George de kille terughoudendheid die de temperatuur in de kamer opeens leek te doen dalen. Vonken van spanning sprongen tussen man en vrouw over. Hij had het niet moeten vragen; geld was iets wat als een dreigende schaduw over hun nog zo verse huwelijk lag: het gebrek aan geld, de onbillijke manier waarop het hun was ontnomen, de vernedering erom te moeten vragen.
'Zeshonderd pond,' zei Jean op afgemeten, bittere toon en met die woorden draaide ze zich om en liep naar de deur.
Leslies vingers beefden opeens toen hij zijn sigaret uitdrukte. 'Toen mijn vader er vijfhonderd voor bood, wilde je er niets van weten,' zei hij gepikeerd. 'Je zei dat ik groot gelijk had dat ik dat aanbod had afgeslagen. Waarom zou je dit dan wel accepteren?'
'Het is honderd pond meer,' zei ze ronduit en op koele toon, 'en het is niet het geld van je vader. Het is een eerlijk bod van een kunsthandelaar waar ik geen aanstoot aan hoef te nemen. Aan de dingen die ik daarmee zou kopen, zou geen smet kleven.'
Zo zat de vork dus in de steel. Ze vond dat hij dit verleidelijke aanbod wel had kunnen accepteren. Logisch en begrijpelijk. Ze was een drachtige leeuwin, ze wilde een nest klaarmaken voor haar jong; niet tot elke prijs, maar wel voor een prijs die haar trots niet zou krenken. Als haar vertrouwen in Leslie nog steeds ongeschonden was geweest, zou ze zijn oordeel over de weg die ze het beste

zouden kunnen volgen zonder meer hebben geaccepteerd en hem trouw hebben bijgestaan, maar door die ene rampzalige misstap was daar de klad in gekomen. Nu zou hij zich moeten waarmaken, ze zou hem niet meer blindelings kunnen volgen; alles wat hij deed zou door een loep worden bekeken en genadeloos beoordeeld, niet omdat ze hebberig was, maar omdat ze het beste voor haar kind wilde. George liet zijn ogen nog een keer door de armetierige, volgepropte kamer dwalen en kon het haar niet kwalijk nemen dat ze liever contant geld had gezien dan te moeten speculeren op toekomstige rijkdom.

'En als ik dat had aangenomen en achteraf was gebleken dat het tien keer zoveel waard is, zou je me dát steeds naar het hoofd hebben geslingerd,' zei Leslie gekwetst. Hij bloosde om de prikkelbare klank van zijn eigen stem. Om een eind te maken aan de onaangename woordenwisseling pakte hij het paneel op, maar zijn plezier was bedorven. Hij schaamde zich ervoor dat ze in het bijzijn van George hun geschillen aan het licht hadden laten komen. Hetzelfde gold waarschijnlijk voor Jean, want ze zei vanuit de deuropening, zonder haar hoofd om te draaien: 'Laten we er maar over ophouden. We kunnen alleen nog hopen dat er inderdaad iets uit zal komen.'

'Als Cranmer bereid was er zeshonderd pond voor neer te tellen,' zei George met klem, 'moet het heel wat meer waard zijn. Cranmer is een zakenman, hij doet echt niet aan liefdadigheid. U kunt dus echt beter wachten tot u een objectief oordeel heeft gekregen.' Hij ging naast Leslie staan om het paneel nog een keer te bekijken. Er zat een vreemd voorwerp tussen de kinderlijke borsten, iets wat eruitzag als een grote ovale broche met een in reliëf uitgevoerd patroon. Het rustte vlak boven de bleke, gevouwen handen met lange, slappe vingers. 'Ik neem aan dat u hierover zo uw eigen ideeën heeft?' vroeg hij nieuwsgierig.

'Ja, maar ik durf het zelf nauwelijks te geloven. Het is zoiets onvoorstelbaars dat ik er liever niets over zeg tot ik de mening van een deskundige heb gehoord, die hier veel beter in thuis is dan ik.' Hij wikkelde het paneel in een oude stofdoek en zette het voorzichtig in een hoekje. 'Neemt u me niet kwalijk, ik ben zo vol van dit schilderij dat ik de laatste tijd bijna nergens anders meer aan heb kunnen denken, maar daar bent u natuurlijk niet voor gekomen. Gaat het om Kitty?' Zijn gezicht stond meteen somber toen hij zich Kit-

ty herinnerde en de kwellingen en genoegens rond zijn eigen beslommeringen verdwenen prompt naar de achtergrond.
'Ja, het gaat inderdaad om Kitty,' antwoordde George. 'U bent gisterochtend bij haar op bezoek geweest, heb ik gehoord.'
'Ja, zodra ik even van mijn werk weg kon. Ik wist niet eens dat ze was gearresteerd. Dat hoorde ik pas toen ik op mijn werk kwam. Hoezo? Mocht dat soms niet?'
'Jawel. Ik vroeg me alleen af of ze soms tegenover u meer heeft losgelaten dan tegen ons. Ze weigert ons te vertellen waar ze op de avond van de moord van even over elven tot even over twaalven is geweest. We sluiten de mogelijkheid niet uit dat ze daar niets over wil zeggen omdat er iemand anders bij betrokken is. Volgens mij zou ze er een stuk mee geholpen zijn, als ze alles wat ze die avond heeft gedaan, gewoon zou opbiechten.'
'Ook als ze schuldig mocht zijn?'
'Ook als ze schuldig mocht zijn.'
'Dat wil ik van u nog wel aannemen,' zei Leslie na een korte overpeinzing, 'maar als u wilt weten of ze mij gisterochtend iets heeft verteld wat ze voor u heeft verzwegen, dan is het antwoord: nee. Ze heeft helemaal niets gezegd over mijn vader of over die avond. We hebben het daar helemaal niet over gehad. We hebben trouwens heel weinig gesproken. Ze zei alleen dat ze het niet heeft gedaan en ik heb gezegd dat ik dat best wist. Hetgeen op zich natuurlijk een goede reden is om u mijn medewerking te verlenen.'
'Inderdaad, als u daar echt van overtuigd bent. Hoe lang bent u bij haar gebleven? Een half uur, ongeveer? Als u niet veel heeft gesproken, wat heeft u dan al die tijd gedaan?'
Met een boos gezicht vanwege de kleur die opeens over zijn welgevormde jukbeenderen kroop, zei Leslie: 'Kitty heeft bijna de hele tijd zitten huilen en ik heb geprobeerd haar te troosten.' Zijn ogen flitsten even fel, maar de eenzijdige verontwaardiging verdween even snel als die was opgekomen. 'Het was niets bijzonders. Ze had gewoon behoefte om eens flink uit te huilen en tegenover mij kon ze dat doen. Ze heeft me niets verteld over uw ontbrekende uur. Weet u trouwens dat u niet de enige bent die me daarnaar heeft gevraagd? Uw zoon is me gisteren komen opzoeken.'
'Nee, dat wist ik niet, maar het verbaast me niets.' Dominic had hem niet verteld dat hij in deze richting was gaan zoeken, waarschijnlijk omdat hij er niets wijzer van was geworden. 'Wij houden

ons aan bepaalde regels,' zei George met een holle glimlach. 'Heeft hij u soms deze vraag ook gesteld: als Kitty in moeilijkheden zat en snel iemand nodig had, iemand die niet zou aarzelen midden in de nacht naar haar toe te komen om haar te helpen, wie dat dan zou kunnen zijn?'
'Nee, dat heeft hij niet met zoveel woorden gevraagd, maar hij zat wel in dezelfde richting te denken. Nog niet zo lang geleden zou ik gezegd hebben dat ze dan naar mij gekomen zou zijn. We hebben altijd goed met elkaar kunnen opschieten. Ik heb haar altijd als mijn kleine zusje beschouwd, maar door dat belachelijke gekonkel van mijn vader is daar een beetje de klad in gekomen. Kon ook moeilijk anders. Kitty is niet alleen lief, aardig, grappig en oprecht, maar ze is ook erg eenzaam. Ik ben erg op haar gesteld en zij was dat ook op mij, tot mijn vader alles heeft bedorven. Ik heb haar gisteren nog gevraagd waarom ze mij niet heeft gebeld, als ze in moeilijkheden zat, maar ze zei alleen dat ik geen telefoon heb. Alsof dat een reden is om me helemaal buiten te sluiten. Zei u iets?'
George schudde zijn hoofd. 'Nee, gaat u door. Als u het niet was, wie zou het dan geweest kunnen zijn?'
'Tja, ze heeft altijd hele horden aanbidders achter zich aan, maar ik kan me nauwelijks voorstellen dat ze een van hen erbij zou halen. Volgens mij zou ze een ouder iemand kiezen, als ze echt in nood zat. Als haar tante, die haar heeft grootgebracht, niet vorig jaar was gestorven, zou dat de aangewezen persoon zijn geweest. Misschien de directeur van de fabriek. Dat is een erg aardige man, die ze haar hele leven al kent. Of Ray Shelley, die ze als een soort oom beschouwt. Met hem heeft ze altijd goed kunnen opschieten, zeker toen hij het voor mij probeerde op te nemen toen ik ruzie kreeg met mijn vader. Zo iemand is het waarschijnlijk geweest. Heeft u daar iets aan?'
'Misschien,' zei George.
'Het gaat mij natuurlijk alleen om Kitty. Ik wil háár graag helpen, niet u. Dat moet u niet verkeerd opvatten, u doet alleen maar uw werk, dat weet ik ook wel, maar ik ben geen politieman. Ik ben gewoon een vriend van Kitty.'
'Dat weet ik wel,' zei George, die er wel aan gewend was niet als lid van het menselijk ras beschouwd te worden. 'Tussen haakjes, ik neem aan dat Dominic er geen twijfel over heeft laten bestaan aan

wiens kant hij staat?' Aan de vluchtige glimlach in Leslies ogen zag hij dat Dominic dat inderdaad heel duidelijk had gemaakt en dat hij dienovereenkomstig was verwelkomd.
Hij liep naar de deur, maar draaide zich daar om en zei: 'Nog één ding dat u wel het weten waard zult vinden: we hebben iemand gevonden die uw alibi heeft bevestigd. Aan het eind van deze straat woont een mijnwerker die toevallig die avond in de avondploeg zat. Hij stapte net uit de bus toen u naar huis liep. Daarmee is dus bevestigd dat u inderdaad rond kwart voor elf bent thuisgekomen, een paar minuten daargelaten. Dat is dus rond, voor zover het nu nog iets uitmaakt.'
'Tja,' zei Leslie langzaam, 'een paar dagen geleden zou dit me een fortuin waard zijn geweest, maar zoals u zelf al zei, nu maakt het niet veel meer uit. Maar toch bedankt dat u het me heeft laten weten.'
'We zijn gisteren pas op het idee gekomen navraag te doen bij de pendeldienst van de mijn. Als ik het eerder had geweten, had ik het u wel verteld. Maar goed, veel succes in ieder geval vanmiddag met uw Vreugdevolle Vrouw. Hoe denkt u haar te vervoeren? Het lijkt me nogal een zwaar ding om mee te nemen in de bus. Als u soms onthand zit, zou ik u wel aan vervoer kunnen helpen.'
'Dank u, maar op dagen dat Barney Wilson zijn bestelwagen niet nodig heeft, hebben wij er de vrije beschikking over. Ik heb de reservesleuteltjes, zodat ik hem niet eens lastig hoef te vallen. Hij heeft thuis geen garage en laat de wagen altijd op het parkeerterrein achter het architectenbureau staan, vlak bij de grote weg. Dat is voor ons dus wel handig.'
'Aardig van hem,' zei George boven aan de trap. 'De meeste mensen zouden je nog eerder hun vrouw lenen.'
Goed, dacht hij toen hij langzaam en peinzend naar huis reed, hier was hij tenminste niet met lege handen vandaan gekomen, ook al zat hij nog steeds met een paar vervelende losse eindjes die hij nergens aan vast kon knopen. Een van de belangrijkste daarvan was De Vreugdevolle Vrouw, die onbeduidend lijkende, lelijke schildering van zo'n alledaagse herkomst, waarvoor een geslepen kunsthandelaar niettemin bereid was zeshonderd pond neer te tellen. Zou dat iets met de dood van Armiger te maken hebben of niet? Het paste niet bij de theorieën die hem sinds zijn gesprek met Kitty gisteren voortdurend bezighielden, maar als het erg kostbaar

mocht blijken te zijn, mocht hij die mogelijkheid niet uitsluiten. En toch, als geld het motief voor deze moord was, stond er veel meer op het spel dan de paar duizend pond die een kunstwerk eventueel zou opleveren. Niet het geld waar Armiger vlak voor zijn dood op had gegokt, maar zijn eigen geld: het kwart miljoen waarvan Leslie altijd had gedacht dat het op een gegeven moment van hem zou zijn.
Zou hij zich er echt bij hebben neergelegd dat hij het zonder dat geld zou moeten zien te rooien? En zelfs als hij had geaccepteerd dat hij nu arm was en dat hij niet in staat was daarin verandering te brengen, hoe zou hij dan gereageerd hebben als het lot hem opeens een schitterende, unieke gelegenheid in de schoot had geworpen om zijn erfdeel terug te krijgen?
Het leed geen enkele twijfel dat Leslie die avond Het Vrolijke Barmeisje had verlaten zonder iets strafbaars in de zin te hebben. Hij was gewoon naar huis gegaan; de getuigenis van de mijnwerker bewees dat onomstotelijk. Hij had niet bij de herberg rondgehangen, zodat hij Kitty niet paniekerig had zien weghollen en het karwei had afgemaakt dat zij per ongeluk was begonnen. Hij was op dat moment al in Comerbourne geweest, twee kilometer bij de plaats van de misdaad vandaan. Als Leslie zijn vader had vermoord, had hij daarvoor speciaal terug moeten gaan. Het idee zou heel plotseling bij hem moeten zijn opgekomen, als door de flits van een bliksemschicht – of door een noodkreet, van Kitty bijvoorbeeld.
Zover was George in gedachten al gekomen, toen het eindelijk tot hem doordrong dat zijn manier van denken bewees dat hijzelf geen enkele twijfel meer koesterde dat Kitty het niet had gedaan. Of dat nu door Kitty zelf kwam of door Dominics invloed wist hij niet, maar het feit op zich verbaasde hem niets; hij had gewoon nu pas onderkend wat hem al minstens vierentwintig uur duidelijk was geweest.
Het was Kitty dus niet geweest. Iemand anders. Degene die ze vanuit Wood's End had gebeld? Stel dat iemand van de half hysterische Kitty had gehoord dat Armiger bewusteloos in de schuur lag en stel dat die iemand opeens een alles overheersende aandrang had gevoeld om de man naar de andere wereld te helpen. Kitty dacht dat zíj het had gedaan. De moordenaar had een unieke gelegenheid op een presenteerblaadje cadeau gekregen. Zo'n kans kreeg je maar eens in je leven.

Kitty had George het idee zelf aan de hand gedaan, zonder de minste of geringste notie te hebben van het zaad dat ze had gezaaid. Ze had zich alleen maar vastgeklampt aan een klein lichtpuntje in haar droevige eenzaamheid: 'Als ik word veroordeeld, kan ik het geld van mijn slachtoffer niet erven. Wat gaat er dan mee gebeuren?' En daarna, gerustgesteld en getroost: 'Mooi zo! Dan hoeven Leslie en Jean zich geen zorgen meer te maken. Die zullen stinkend rijk zijn.'
De situatie was, hoe toevallig die ook was ontstaan, eenvoudigweg perfect. De moordenaar zou niet eens het risico lopen Kitty's dood op zijn geweten te krijgen omdat dit, zoals ze zelf had gezegd, geen misdaad was waar de doodstraf op stond; volgens de wet kon echter degene die schuldig was bevonden aan moord, niet het geld van zijn slachtoffer erven. Als Kitty veroordeeld zou worden, zou deze erfenis dus verbeurd verklaard worden, maar aan het eind van haar straftijd zou ze toch nog een rijke en redelijk jonge vrouw zijn. En als er een kwart miljoen op het spel stond, zou de moordenaar zichzelf er misschien zelfs van hebben kunnen overtuigen dat hij haar niet eens zo'n erg groot kwaad had aangedaan. Een dergelijke hoeveelheid geld kan de stem van het geweten geheel tot zwijgen brengen.
George had met twee knelpunten gezeten toen hij besloten had Leslie met een onverwacht bezoek te vereren. Om te beginnen had Leslie geen auto waarmee hij die avond snel terug had kunnen rijden naar de schuur; en verder had hij duidelijk gemaakt dat Kitty zelf had gezegd dat hij geen telefoon had. Hij was telefonisch alleen overdag te bereiken, op zijn werk. Twee onoverkoombare hindernissen, waarvan George er al één omver had gegooid: Leslie had de vrije beschikking over Barney Wilsons bestelwagen, wanneer Barney hem zelf niet nodig had. Hij had de reservesleuteltjes en de wagen stond vlakbij, op het parkeerterrein van het architectenbureau. Wie weet was het tweede obstakel uiteindelijk al even denkbeeldig.
De zaak werd met de minuut ingewikkelder en toch had George van het begin af aan het gevoel gehad dat de waarheid als een rode draad kaarsrecht door de hele wirwar moest lopen die er toevallig omheen was gesponnen.
Hier had je nu zo'n rechte lijn, het overtuigende motief, de onweerstaanbare verleiding. Een man die een kwart miljoen binnen

zijn bereik had, kon het zich wel veroorloven een luttele zeshonderd pond af te slaan.
Maar toch... Leslie had geen telefoon.

HOOFDSTUK ELF

Dominic kwam op zondagavond met een zo vastberaden gezicht naar zijn vader dat het duidelijk was dat hij een ernstig gesprek wilde voeren. Bunty was naar de kerk; George zou er niets op tegen hebben gehad als ze erbij was geweest, maar Dominic waarschijnlijk wel, overtuigd als hij was dat moeders beschermd dienden te worden tegen zulke schokkende zaken als moord. Het nieuwe, pas verworven verantwoordelijkheidsgevoel was zo sterk dat hij George er zelfs op aankeek dat hij Bunty al die jaren als klankbord had gebruikt.

‘Ik heb nog eens zitten denken over de handschoenen,’ begon hij, zijn ellebogen stevig tegenover George op de tafel geplant.

‘En?’ zei George. Het was niet de opening die hij had verwacht, maar de jongen had gelijk: ze zaten nog steeds met die handschoenen in hun maag.

‘Je begrijpt zeker wel waar ik naar toe wil. De handschoenen van Leslie waren in orde, maar iemand anders heeft die bewuste avond een paar behoorlijk smerige handschoenen moeten zien kwijt te raken. De champagnefles zat onder het bloed en aan de manier waarop jullie je op die oude werkhandschoenen hebben gestort, blijkt duidelijk dat de handschoenen voor jullie het grootste knelpunt vormen. Jullie weten niet zeker of de moordenaar ook bloed op zijn kleren heeft gekregen, maar wel dat zijn handschoenen onder het bloed moeten hebben gezeten. Jullie weten ook zeker dat hij inderdaad handschoenen aan had. Klopt dit tot nu toe allemaal?’

‘Ja. Ga door.’

‘Je hebt me eigenlijk nooit verteld of Kítty die avond handschoenen aan had.’ Hij vroeg dat niet omdat hij dacht dat het antwoord daarop iets zou bewijzen, zo dom was hij niet; het was iets dat deel uitmaakte van zijn theorieën.

'In het café zelf had ze geen handschoenen aan,' zei George prompt, 'maar het kan best zijn dat ze handschoenen in haar auto had liggen. Ze zal wel met handschoenen aan gereden hebben.'
'Ja, maar je hebt geen besmeurde handschoenen van Kitty gevonden.' Het was geen vraag, maar een vaststelling van een feit. Hij lette met scherpe ogen op de reactie en scheen daarover tevreden te zijn. 'Met het vraagstuk van de handschoenen in mijn achterhoofd, heb ik zitten denken over wat er die avond precies gebeurd moet zijn. Kitty holt hals over kop de schuur uit. Ze wil zo snel mogelijk thuis zien te komen. Na een paar honderd meter komt ze zonder benzine te staan. Ze raakt in paniek. Ze is bang dat ze iets vreselijks heeft gedaan, dat Armiger gewond is of misschien zelfs dood. Ze zit in de knel en durft daarom niet iemand van de garage te laten komen. Ze holt naar de telefooncel en belt een kennis die ze kan vertrouwen. Ze legt hem uit waar ze is gestrand en vraagt of hij haar wat benzine kan brengen, een jerrycan of zelfs alleen maar een slangetje om wat over te hevelen uit zijn eigen auto. Als ze er maar mee thuis kan komen. Zeg tegen niemand iets, zegt ze, kom alleen snel. Ik heb iets vreselijks gedaan. En dan flapt ze alles eruit; ze is volkomen hysterisch en kan het niet meer voor zich houden. Stel nu dat die kennis die ze heeft opgebeld, graag zou willen dat Armiger nooit meer bij zou komen. Hij heeft er misschien nooit bewust bij stilgestaan, maar nu komt hij opeens op een idee. Dit is zijn kans! Armiger ligt bewusteloos in de schuur, een makkelijk doelwit, als hij tenminste niet inmiddels is bijgekomen. Er is zelfs iemand die er de schuld van zal krijgen. Ik wil niet beweren dat hij ter plekke heeft besloten hem te vermoorden, maar hij vindt het zo'n mooie gelegenheid dat het in ieder geval de moeite waard is even poolshoogte te gaan nemen. Er zitten natuurlijk wel wat haken en ogen aan: misschien is Armiger maar een paar minuten buiten westen geweest en allang weer bijgekomen, misschien is hij zelfs al opgestaan en weggelopen, maar dan heeft onze onbekende immers niets te verliezen. Als Armiger er niet meer is, dan is dat jammer. Als hij soms op de grond zit en over zijn pijnlijke hoofd strijkt, kan onze vriend net doen alsof hij erg met hem te doen heeft, hem naar zijn auto helpen en vervolgens naar Kitty gaan om haar gerust te stellen dat er niets bijzonders is gebeurd. Maar stel dat Armiger nog steeds bewusteloos op de grond ligt – dat zou voor hem een kans zijn die nooit meer terug zou komen.

Hij neemt snel een besluit en sjeest als een gek naar de herberg – naar de schuur, niet naar Kitty. En ja hoor, daar ligt Armiger op de grond. Nu hoeft hij zijn kans alleen nog maar te benutten.'
'Ga door,' zei George rustig terwijl hij het geconcentreerde gezicht tegenover hem nauwkeurig in de gaten hield. Hoewel ze het allebei altijd ontkenden, moesten ze toch wel een beetje op elkaar lijken, zoals Bunty hun altijd voorhield, vooral wanneer ze haar ergerden. Nu was het alsof hij een spiegel voor zijn eigen verstand hield. Het was al vaak gebeurd, wanneer ze zich allebei met een bepaald probleem bezighielden, dat Dominic precies bij hem in de pas bleef, als een echo; nu was George er echter niet zeker meer van wie het origineel was en wie de echo. 'Laat maar eens horen hoe je alle details denkt te kunnen inpassen.'
'Die kan ik allemaal kwijt,' zei Dominic. 'De moordenaar is nu erg gespannen. Tot nu toe wist hij eigenlijk zelf niet of hij het wel echt zou kunnen doen. Hij heeft geen wapen en hij heeft niets voorbereid. Hij slaat eigenlijk alle voorzichtigheid in de wind. Hij heeft toevallig handschoenen aan omdat het koud is. Nu grijpt hij de kans die hem in de schoot is geworpen. Zodra hij de schuur binnengaat, ziet hij Armiger op de grond liggen. Hij grijpt het eerste het beste wapen dat hij ziet – het gipsen beeld in de nis rechts van de deur. Ik heb je horen zeggen wat dat voor beelden zijn, hoe verbaasd je was dat ze zo licht zijn omdat ze hol zijn. Hij grijpt het beeld om Armiger de hersens in te slaan, maar gooit het verachtelijk van zich af omdat het zo'n mal, licht ding is waar je nog geen muis mee dood zou kunnen slaan. Het beeld slaat tegen de muur kapot. De moordenaar holt de trap op, grijpt de fles champagne en beukt daarmee net zo lang op Armigers hoofd tot de fles breekt. Dan dringt het pas tot hem door dat Armiger allang morsdood is en dat hij zijn sporen moet uitwissen. Op de eerste plaats moet hij van zijn handschoenen af zien te komen. En snel. Hij heeft weinig tijd. Binnen een radius van honderd meter zal hij die handschoenen moeten zien kwijt te raken, want Kitty staat nog op hem te wachten. Hij moet haar wel helpen om daar weg te komen, zoals hij had beloofd, anders zal zij achteraf beseffen dat hij wel eens iets met de moord te maken kan hebben, zodra het nieuws daarover bekend zal zijn. Het mooie van de hele zaak is dat *niemand* er ooit iets over te weten zal komen. De politie mag van hem best op het spoor van Kitty komen, maar hij moet haar en haar auto daar niettemin weg

zien te krijgen, want als de politie haar daar op het bospad zou aantreffen, zou ze haar hele verhaal eruit flappen en zeggen: 'Ik heb die-en-die gebeld of hij me zou kunnen helpen en hij heeft gezegd dat hij zou komen, maar hij is helemaal niet komen opdagen.' Ook als ze daar zelf niets achter zou zoeken, zou daardoor bij de politie meteen een rood lampje gaan branden, waar of niet?'
'De implicaties zouden ons zeker niet zijn ontgaan,' stemde George in.
'Het is misschien niet eens zijn bedoeling geweest dat Kitty als de schuldige uit de bus zou komen, maar als dat mocht gebeuren, was dat gewoon jammer. Hij heeft waarschijnlijk helemaal niets tegen haar persoonlijk en had liever gehad dat ook zij helemaal buiten schot zou blijven – zolang hijzelf maar geen gevaar liep, natuurlijk. Hoe dan ook, hij moest nu zijn reddingsactie op touw gaan zetten en net doen alsof hij regelrecht naar haar toe was gekomen. Wat hij in de schuur heeft gedaan, kan niet langer hebben geduurd dan een paar minuten; veel vertraging had hij dus niet. Nu moest hij alleen nog van zijn handschoenen af zien te komen. Hij zou dicht bij Kitty in de buurt komen, hij moest de benzine in haar tank gieten. Hij kan het zich niet veroorloven bloedsporen achter te laten en moet uiteraard voorkomen dat Kitty er iets van zal zien. Hij durft de handschoenen niet in zijn zak te steken of in zijn eigen auto te laten liggen, want dat laat sporen achter. Hij kon dus maar één ding doen: ze weggooien of ergens verstoppen *voor hij naar Kitty zou gaan*.'
'Je hebt het helemaal uitgewerkt, merk ik,' zei George. 'Zeg het maar, hoe denk je dat hij van die handschoenen af is gekomen?'
'Hij heeft niet veel speelruimte en niet veel tijd. Hij kan niet te ver van de weg afdwalen en hij moet zorgen dat Kitty hem niet ziet. Hij glipt de schuur uit en trekt met zijn linkerhand de deur dicht, omdat die handschoen minder bloederig is en waarschijnlijk alleen wat spatten heeft opgevangen. Ik denk niet dat hij de handschoenen binnen in de schuur ergens verstopt heeft, als hij daar al een geschikte bergplaats had kunnen vinden, omdat hij dan de deurknop had moeten aanraken. Beter een paar bloedvegen op de deurknop dan vingerafdrukken. Buiten stroopt hij de handschoenen binnenstebuiten van zijn handen af. Hij trekt waarschijnlijk de linker handschoen ook nog over de rechter heen om een zo schoon mogelijk deel aan de buitenkant te krijgen. Ik heb de omgeving

daar bekeken. Vlak achter de schuur is een afvoerput met een rooster. Dat is verleidelijk, maar te gevaarlijk, want tenzij het water daar met kracht doorheen zou stromen, en dat is niet zo, zouden de handschoenen onder het rooster in de put blijven steken. Bovendien zou de politie daar waarschijnlijk meteen gaan zoeken –'
'Klopt. Na de schuur zelf, uiteraard. Ga door.'
'Verder heb je daar alleen het bospad met aan de ene kant heggen en geulen en aan de overkant het bos. Het lijkt eenvoudig, maar ik geloof toch dat er ontzettend veel tijd in zou gaan zitten en er een heleboel mensen nodig zouden zijn om zo'n heel bos af te zoeken. Zelfs als ze alleen maar een strook langs de kant van de weg zouden afzoeken, omdat de moordenaar geen tijd gehad kan hebben om diep het bos in te gaan. De grond is daar bovendien bedekt met een dikke laag halfverrotte bladeren. Zelfs als ze het bos helemaal zouden uitkammen, zouden ze misschien toch niet vinden waar ze naar zochten. Hoe dan ook, dat zou ík hebben gedaan. Ik zou een stukje het bos in zijn gehold en de handschoenen ergens diep onder die laag bladeren geduwd hebben. Daarna gaat onze vriend meteen naar Kitty toe. Hij komt gehaast en bezorgd aan, giet de benzine in haar tank en verzekert haar dat ze rustig naar huis kan gaan en zich nergens zorgen over hoeft te maken. Je maakt je waarschijnlijk druk om niets, zegt hij, die ouwe is vast allang weer bijgekomen. Kitty blijft van pure opluchting dicht bij hem in de buurt. Je zei dat ze een jurk met een wijde rok aan had. Daardoor strijkt haar rok tegen zijn broekspijp, waar bloed aan gekleefd zit en een druppel bloed valt van zijn mouw op haar schoen. In het donker hebben ze daar geen van beiden erg in. En dat was het, alle details. Heb ik iets vergeten?'
Nee, hij had niets vergeten, dat moest George eerlijk toegeven.
'Weet je zeker dat hij eerst Armiger heeft gedood en daarna naar Kitty is gegaan en niet andersom?'
'Natuurlijk! Armiger zou niet eeuwig bewusteloos blijven. Als hij eerst naar Kitty was gegaan, weet ik niet of hij nog wel het lef gehad zou hebben om terug te gaan en te zien of hij die kans nog steeds zou kunnen grijpen.'
Dominic had tot het einde toe volkomen zeker van zijn zaak geleken, maar toen George zwijgend en in gedachten verzonken bleef zitten, kon hij de spanning niet meer verdragen. Hij had al zijn

hoop op deze uiteenzetting gevestigd en hij beefde toen hij het eenmaal had verteld. Zijn ogen, die het gezicht van zijn vader niet los durfden laten, smeekten om een bemoedigend teken en de stilte maakte hem nerveus. Hij wist echter niet dat George nog steeds in een spiegel staarde.
'Zeg eens iets!' barstte Dominic los. Zijn stem sloeg over van de spanning. 'Waarom zit je daar maar te zitten! Het kan je zeker niets schelen als Kitty de rest van haar leven in de gevangenis komt te zitten, als je maar iemand kunt laten veroordelen, zodat je de zaak kunt afsluiten. Het kan jou niets schelen of ze het gedaan heeft of niet. Je doet er gewoon helemaal niets aan!'
George schrok op uit zijn overpeinzingen, greep zijn zoon bij de nek en schudde hem door elkaar op een manier die plagend leek, maar hem toch duidelijk maakte dat hij het wel degelijk meende. Aan Dominics beschuldigingen kwam een abrupt einde; hij was er zelf meer van geschrokken dan George.
'Zo is het wel genoeg. Hou je een beetje rustig.'
'Goed, goed, sorry. Maar je schijnt er inderdaad niet veel aan te doen! Krijg ik hier helemaal niets voor terug?'
'Ja, een draai om je oren,' zei George, 'als je met dergelijke praatjes begint. Als je vanmiddag naar dat fameuze bos van jou was gegaan, had je kunnen zien dat het daar krioelde van de politieagenten, die allemaal op zoek waren naar die handschoenen. We hebben er trouwens al een hele tijd naar gezocht. Vanaf het moment dat we zeker wisten dat de moordenaar handschoenen had gedragen. We zijn er misschien niet zo zeker van als jij dat ze daarginds ergens verborgen moeten zitten, maar we willen ze niettemin net zo graag vinden als jij. We zijn zelfs objectief, al zal jij dat misschien niet willen geloven, wat die smeer bloed op de zoom van Kitty's rok betreft. Daarover zijn we nog lang niet tot overtuigende conclusies gekomen. Jij bent niet de enige die twee en twee bij elkaar kan optellen, jongetje. Het enige dat wij nu nog willen weten, is wie ze die avond heeft opgebeld, maar ik neem aan dat jij daar ook al mee bezig bent en zodra je het weet, meld je je maar.'
Aan de zware, geladen stilte die daarop volgde, wist George dat hij genoeg had gezegd en dat Dominic precies had begrepen wat hij daarmee bedoelde. Dominic trok met een waardig gezicht zijn kraag recht en bekeek zijn vader aandachtig van achter de hinderlaag die zijn kalme, ondoorgrondelijke gezicht vormde.

Zo zit dat dus, zeiden de intelligente, tevreden ogen. Nu snap ik het! *Zij* zijn op zoek naar de handschoenen om de zaak te kunnen afsluiten, maar *jij* niet, *jij* zoekt ze om de hele zaak open te breken. Jij gelooft ook niet dat ze het heeft gedaan! Zie je nu wel! Ik wist wel dat je dat uiteindelijk wel door zou krijgen. Dominic was blij dat hij dit wist, blij dat hij niet meer alleen stond, maar achter de zorgvuldig in stand gehouden kalmte van dat besproete voorhoofd gebeurde nog iets anders, iets wat hij niet had voorzien en wat hem grote onrust bezorgde. Hij was blij dat hij nu een bondgenoot had en toch keek hij hem met een bijna vijandige blik aan. Hij zag te veel, hij had zijn eigen noodkreten met een te scherpe gevoeligheid herkend. Het ergste was dat het om zijn vader ging. Hij had behoefte aan een bondgenoot, niet aan een rivaal.
'Ja, daar ben ik mee bezig,' zei Dominic afgemeten. 'Ik geloof zelfs dat ik over niet al te lange tijd wel zal weten wie het geweest is.' Hij voegde er niet aan toe dat hij die informatie zou delen, met zijn vader of wie dan ook. Sint George had een nieuwe vlag aan de horizon bespeurd. Het stond nog te bezien wie het eerst bij de draak zou zijn.

HOOFDSTUK TWAALF

Op maandagochtend, ongeveer een uur voordat de begrafenisstoet van Alfred Armiger op weg zou gaan naar het kerkhof, tegen alle verwachtingen in begeleid door de somber kijkende Leslie, moest Kitty voor de rechtbank verschijnen voor een formele procedure die nog geen twee minuten duurde. Er werd besloten haar nog een week in voorlopige hechtenis te houden.
Ze zat er stilletjes bij en zei geen woord, zelfs niet tegen Raymond Shelley die als haar advocaat optrad, maar deed gehoorzaam wat er van haar werd verlangd. Ze stond op en ging zitten wanneer haar dat werd verteld en zag eruit als een kind dat zich in een onbekende omgeving bevindt en niet weet wat het met al die vreemde dingen aanmoet en hoe het zich tegenover al die onbekende, machtige, onberekenbare mensen moet gedragen. Haar ogen, hol van het huilen en van de slapeloze nachten die ze nu achter zich had gelaten, hadden de helft van haar gezicht opgeslokt. Ze keek onbevreesd om zich heen van de ene vijand naar de andere. Ze had zich overgegeven aan de stroom waardoor ze werd meegesleurd en accepteerde zwijgend de klappen die ze onderweg kreeg, omdat ze er toch niets aan kon doen. Het was hartverscheurend om haar zo te zien zitten. Dat is Dominic tenminste bespaard gebleven, dacht George, die haar de rechtszaal had binnengebracht.
Tijdens die paar minuten dat ze in de rechtszaal zat, was het nieuws als een lopend vuurtje rondgegaan en toen ze naar buiten kwam, stond er een grote nieuwsgierige menigte te wachten. Een fotograaf drong zelfs met zijn camera naar voren tot hij vlak bij haar was vóór George beschermende maatregelen kon nemen. Hij had kunnen weten dat Kitty Norris, wier garderobe, auto's en vriendjes altijd stof tot praten gaven, in deze nieuwe rol niet aan de krantekoppen zou kunnen ontsnappen. Voor het eerst kwam er weer beweging in het mooie, bedroefde gezichtje. Ze kromp ineen en

drukte zich bang en onthutst tegen George aan, de rauwe nieuwsgierigheid opvattend als doelbewuste boosaardigheid. Hij tilde haar half op toen hij haar met zich meesleepte naar de wachtende auto, maar ze kon niet aan de ogen en het gemompel ontsnappen, evenmin als aan de nieuwsgierige gezichten die haar door de raampjes heen aangaapten tot ze wegreden.
'Waarom doen die mensen zo?' vroeg Kitty huiverend. 'Ik heb ze toch niets gedaan?'
'Ze zijn gewoon nieuwsgierig, lieve kind,' zei de gevangenbewaarster geruststellend, 'ze hebben geen kwaad in de zin. Je raakt er wel aan gewend.'
Had ze niet iets anders kunnen zeggen? dacht George. Hij leed in stilte door het schuren van haar mouw tegen de zijne en door de pijnlijke herinnering aan haar warmte die hij in zijn hart meedroeg; toch scheen ze door die troostende woorden een beetje te zijn gekalmeerd. Van hem verwachtte ze niets en het was niet op zijn schouder dat ze haar hoofd liet rusten toen ze werd teruggebracht naar de gevangenis.
'Je zult nu dapper moeten zijn, Kitty,' zei hij toen hij haar uit de wagen hielp. Toen hij haar naam uitsprak, besefte hij dat die hem onrustbarend voor in de mond lag.
'Hoezo?' vroeg Kitty terwijl ze dwars door hem heen naar een sombere verte staarde.
'Dat ben je aan jezelf verplicht en aan de vrienden die in je geloven.'
Zijn keel werd dichtgeknepen en hij was woedend dat hij dergelijke weinig professionele gevoelens naar boven had laten komen. Later, toen hij in stilte leed omdat ze helemaal niet had begrepen wat hij had willen zeggen, hield hij zichzelf voor dat het zijn verdiende loon was. Kitty glimlachte opeens heel liefjes. Haar afwezige blik draaide bij, zodat hij dacht dat ze naar hem keek en toen zei ze zachtjes: 'Ja, ik mag Dominic niet teleurstellen. Vertelt u hem maar dat ik klaar zal zijn voor de strijd als er op de gong wordt geslagen. Met hem in mijn hoek kan ik immers niet verliezen.'
Zo, dacht George grimmig toen hij terugreed naar het centrum van Comerbourne, daar sta je dan. De onzichtbare man, een instituut, niet een mens, en nog wel een vijandig instituut ook. Dat deed pijn. Hij wist dat hij zich aanstelde, maar dat maakte het alleen maar erger. Afgunst is altijd vernederend; jaloers zijn op je eigen

zoon is een onverdraaglijke schande.
Door zijn gemartelde zenuwen en het vage, maar hardnekkige schuldgevoel dat aan de randjes van zijn bewustzijn bleef knagen, was hij extra lief en attent voor Bunty en dat was op zich ook weer gevaarlijk, want Bunty kende hem al heel lang en was op haar eigen nonchalante manier een bijzonder intelligente vrouw. Ze waren al zo lang met elkaar vertrouwd dat George onoplettend was geworden, maar voor haar waren dergelijke plotselinge attenties niet meer dan kinderlijk onschuldige trucjes. Ze hield heel veel van hem en had een rotsvast vertrouwen in hem.
Na de lange, vermoeiende dagen waarin ze zo weinig waren opgeschoten, werd George, gefrustreerd door zijn eigen onmacht, wakker na een eerste, onrustige slaap. Hij tastte naar Bunty, niet als troost, maar als medicijn voor wat hem dwars zat; zij nam hem half slapend in haar armen, maar zelfs half slapend wist ze dat ze twee vrouwen zou moeten zijn. Ze wist ook dat ze zonder enige moeite alle vrouwen zou kunnen zijn die George ooit mocht verlangen. Als hij zijn hart wilde uitstorten, ging dat het makkelijkst midden in de nacht, en tijdens de kleine uurtjes van die woensdagochtend vertelde hij haar alles over zijn nog ietwat dubieuze overtuiging dat degene die Kitty die bewuste avond te hulp had geroepen, naar alle waarschijnlijkheid degene was die Alfred Armiger had vermoord.
'Zou ze dat dan zelf ook niet bedacht hebben?' vroeg Bunty. 'Ze zou zoiets toch niet verzwijgen, als ze zelf ook tot die conclusie was gekomen? Waarom zou ze in hemelsnaam een moordenaar willen beschermen, zelfs als hij haar uit de nood had gered?'
'Dat zou ze ook nooit doen. Het punt is dat ze iemand heeft gebeld die ze heel goed kent en die ze volkomen vertrouwt. In het ware leven bekijk je een moordzaak niet als een onpersoonlijk raadsel in een boekje; je gaat niet zomaar allerlei mensen verdenken omdat ze toevallig de mogelijkheid of een motief hadden; je gaat tot op zekere hoogte af op wat je van die mensen af weet. Je verdeelt ze onder in diegenen die het eventueel gedaan zouden kunnen hebben en diegenen die zoiets nooit zouden kunnen doen. Je eigen gezin, je familie en je vrienden sluit je automatisch uit. Kitty heeft deze man als verdachte eenvoudigweg uitgesloten. Als jij in moeilijkheden zat en mij te hulp riep en als ik dan zou komen en er later een lijk in de buurt werd gevonden, zou jij je dan kunnen indenken dat ik wel eens de moordenaar zou kunnen zijn?'

'Nee, natuurlijk niet,' zei Bunty, 'maar voor mij is er maar één zo-als jij. Ik zou best opzij kunnen kijken naar een ander.'
'Wie dan? Dominic bijvoorbeeld? Of oom Steve?'
Ze dacht aan haar goedmoedige oude oom en giechelde. 'Doe niet zo mal. Die lieve oude man!'
'Chris Duckett dan.'
'Ik snap wel wat je bedoelt. De enige mensen die je erbij wilt be-trekken als je in de nesten zit, zijn de mensen die je onmogelijk van iets slechts zou kunnen verdenken. Maar als iemand je later op een dergelijk spoor zou zetten, zou je dan niet beginnen te twijfelen? Heb je dat al geprobeerd met Kitty?'
'Ik heb alles al geprobeerd wat ik maar heb kunnen bedenken.' De woorden die zijn lippen automatisch vormden als hij aan Kitty dacht, rolden nu naar buiten in ademloze uitbarstingen van veront-waardiging en bezorgdheid die hij niet meer kon verhullen, ook al probeerde hij ze zoveel mogelijk te dempen door zijn neus in Bun-ty's krullen te steken. Hij had Bunty echter nog nooit kunnen mis-leiden en gaf het ook nu maar op. 'Iedere keer dat ik over dat tele-foongesprek begin, doet ze net of ze gek is. Ze weet dat we weten dat ze iemand heeft opgebeld. Ze ontkent dat ook niet, ze doet gewoon alsof ze het niet begrijpt en soms doet ze niet eens alsof, maar negeert ze ons gewoon en zit ze erbij alsof wij niet meer be-staan. Zelfs Duckett heeft het geprobeerd. Niemand kan iets van haar loskrijgen. Ik heb haar ook verteld dat degene die ze heeft opgebeld wel eens de moordenaar zou kunnen zijn. Ik heb haar gesmeekt en bedreigd – en dat heeft het allemaal alleen maar moei-lijker gemaakt. Ze is vastbesloten hem niet te verraden.'
'Omdat ze niet kan geloven dat hij er iets mee te maken heeft,' zei Bunty.
'Precies. Er valt gewoon niet tegenin te praten.'
'Denkt zij dan dat ze haar eigen problemen op een ander zou schui-ven die even onschuldig is als zij, als ze jullie zou vertellen wie het is?'
'Ja, ze denkt dat wij er net zo op gebrand zijn hém te veroordelen als we in haar ogen in het begin tegenover haar hebben gestaan,' antwoordde George op bittere toon. Opeens voelde hij zich innig dankbaar dat hij Bunty had en dat ze samen een eenheid vormden, die door geen enkele druk van buitenaf noch door de klappen die zijn eigen overbelaste hart te verduren kreeg, verbroken kon wor-

den. Hij sloeg zijn armen om haar heen en drukte zijn gezicht in het warme holletje van haar nek. Ze verschoof een beetje om hem een beter plekje te geven en trok hem dicht tegen zich aan.
'Is Chris Duckett er nog steeds van overtuigd dat zij het heeft gedaan?'
Hij mompelde van ja, te moe om zijn mond van haar nek los te maken. Het leek op het begin van een kus en hij maakte er een echte van.
'De baas zit er dus op te azen Kitty te laten veroordelen en jij zit erop te azen die ander te laten veroordelen, degene van wie Kitty denkt dat hij net zo onschuldig is als zij en die ze niet machteloos in jullie web wil laten spartelen. Geen wonder dat het arme kind niemand vertrouwt en haar mond stijf dicht houdt.'
George maakte zich protesterend uit de valkuil los en verklaarde verontwaardigd dat hij helemaal nergens op zat te azen en dat er niemand zomaar veroordeeld zou worden, enkel en alleen om de zaak te kunnen afsluiten, maar dat ze alle reden hadden om het alibi van meneer X te willen natrekken. Hij legde haar uit wat die redenen waren en in de stilte van de nacht klonk het nog indrukwekkender dan toen Dominic het zondagavond had uiteengezet, met woorden die hij uit Georges eigen gedachten scheen te hebben geplukt als om zijn vader rechtstreeks uit te dagen.
'Als het zo zit,' zei Bunty uiteindelijk, 'en als ze tegen jou niets wil zeggen, waarom stuur je dan niet iemand op haar af die misschien wél iets uit haar los kan krijgen? Ik ken Kitty niet zo goed als jij...' Haar hand streelde zijn wang en hij hoopte maar dat ze hem niet suste vanwege de vernederende pijn waar ze niets van af kon weten, hoewel hij vreesde dat dat wel zo was. '...maar ik heb zo het gevoel dat ze misschien zal instorten en alles zal vertellen als je Leslie Armiger op haar los zou laten. Ik zou het mis kunnen hebben,' vervolgde Bunty zachtjes, hoewel ze heel goed wist dat ze het helemaal niet mis had, 'maar die twee zijn zo ongeveer samen opgegroeid en ik neem aan dat ze erg veel om elkaar geven.'
'Dat klopt, maar dat kan ik niet doen,' zei George.
'Waarom niet?'
'*Omdat hij het is!* Omdat afgezien van één obstakel waar ik nog steeds niet overheen heb kunnen komen, ik er zo goed als zeker van ben dat het Leslie moet zijn geweest.'
Hij voelde haar verstijven van schrik. De vingers die door zijn haar

hadden gekamd, bleven stilliggen.
'Ik weet het, hij heeft geen telefoon! Hij heeft me daar zelf aan herinnerd. Ik weet het, maar toch... denk je eens in wat dit voor hem inhoudt. Hij is de enige die hier voordeel bij had.' Nu vertelde hij haar de rest, lichamelijk al half slapend in haar armen, maar geestelijk klaarwakker en zich scherp bewust van iedere ademhaling, iedere conclusie die ze uit zijn woorden trok.
'Ik blijf erbij dat Leslie het niet heeft gedaan,' zei ze met klem toen hij was uitverteld.
'Ik heb er ook moeite mee. Hij heeft geen telefoon – daar kunnen we niet omheen.'
'Nee, dat bedoel ik niet. Ik bedoel dat ik niet geloof dat Leslie het heeft gedaan, omdat ik er zo goed als zeker van ben dat hij niet degene is geweest die ze heeft gebeld, ook al zou hij wel telefoon hebben gehad.' Ze vertelde hem ook waarom. Toen ze zweeg, was hij in slaap gevallen, met zijn mond tegen haar wang. Ze kuste hem maar hij werd niet wakker. 'Arme lieverd!' zei ze en ze viel met haar armen om hem heen in slaap.
Toen hij vlak voor de dageraad wakker werd, herinnerde hij zich echter alles wat ze had gezegd en schoot hij opeens recht overeind. Hij zou de hele zaak nog eens van voren af aan moeten bekijken, vanuit een heel andere hoek. Hij ging zachtjes weer liggen om Bunty niet te storen en begon alles nog eens centimeter voor centimeter te bekijken.
Die avond kwam hij laat en prikkelbaar thuis na een dag van intense maar nog steeds vruchteloze arbeid en zag hij met een somber gemoed Dominic al uit de huiskamer te voorschijn komen nog voor hij zijn tas had weggezet en zijn jas uitgetrokken. In de spiegel keek zijn eenenveertigjarige gezicht hem somber en strak van vermoeidheid aan; zijn sluike bruine haar begon bij de slapen grijs te worden en leek opeens van boven al wat uit te dunnen. En daar verscheen opeens pal naast hem zijn zestienjarige telg, zo fris als een hoentje, met wimpers zo dik als varens en een bos roestbruine krullen boven een gezicht dat nog zo jong en nieuw was dat alle zorgen en moeilijkheden ter wereld de veerkrachtige frisheid ervan niet konden tenietdoen. Het contrast was niet bepaald opbeurend; evenmin als de blik waarmee Dominic hem aankeek en met ingehouden adem wachtte op het nieuws waar hij bijna niet meer op durfde hopen.

'Het spijt me, kerel,' zei George, 'maar we hebben ze nog niet gevonden.'
Dominic bewoog zich niet, maar zijn ongeruste ogen volgden zijn vader met een soort machteloze intensiteit toen hij zijn jas ophing en naar de trap liep. Hij had de politie in stilte tot vanavond de tijd gegeven; als ze de handschoenen dan nog niet hadden gevonden, zat het er niet in dat ze ooit nog boven water zouden komen. Alle hoop in die richting kon hij nu wel laten varen. Hij zou er zelf iets aan moeten doen. Wanneer boomstammen die door een rivier worden meegevoerd, ergens vast komen te zitten, is er soms een lading dynamiet nodig om ze weer in beweging te krijgen. Dominic wilde zichzelf niet precies met een lading dynamiet vergelijken, maar het was duidelijk dat er buitengewone maatregelen genomen moesten worden. Hij wist dat hij zijn vader hierover niet in vertrouwen kon nemen, want de overrompelingstactiek die hij in gedachten had, zou nooit door de politie worden goedgekeurd. Als George erachter zou komen, zou hij het hem onherroepelijk verbieden. Nee, dit zou hij in zijn eentje moeten opknappen en als hij hulp nodig had, zou hij niet bij zijn vader moeten aankloppen. Voor hij de sprong echter zou kunnen wagen, zou hij er absoluut zeker van moeten zijn dat hij geen ontsnappingswegen had opengelaten door een gebrek aan informatie en er was nog een aantal dingen die hij niet wist. Vanwege de speciale overeenkomst met zijn vader kon hij hém niets vragen, maar Leslie Armiger zou het hem waarschijnlijk ook wel kunnen vertellen.
Hij liep de keuken in en zei: 'Ik moet nog even weg, mam.' Het verbaasde haar een beetje, want het was al over achten, maar ze vroeg hem niet waarom hij weg wilde of waar hij naar toe ging, maar zei alleen: 'Goed hoor, jongen, kom je niet al te laat thuis?' Ze was een aardige moeder en hij voelde opeens een opwelling om haar te omhelzen, maar ze had een hete strijkbout in haar hand, zodat hij er maar van afzag. Ze had niet eens gezegd: 'Heb je je huiswerk wel af?' hoewel ze waarschijnlijk best wist dat hij daar nog niet veel aan had gedaan. Iedere andere moeder zou zijn gaan zeuren, want hij had zijn schoolwerk de afgelopen paar dagen aardig verwaarloosd.
Hij haalde zijn fiets uit de schuur, reed naar Comerbourne en duwde het lage hekje van de tuin van mevrouw Harkness open. Bij de voordeur zat een bel voor Leslie en Jean Armiger, maar die hoor-

den ze niet altijd. Je kon beter gewoon naar binnen gaan, de trap oplopen en op de deur van hun kamer kloppen.
Leslie zat aan tafel met een stapel boeken voor zich en een wolk van sigaretterook om zich heen. In tegenstelling tot Dominic zat Leslie juist hard te blokken. Hij had Oxford verlaten zonder een graad te hebben behaald, want hij had zich precies zo gedragen als zijn vader van hem had verwacht: de ruime toelage van zijn vader had hij met gulle hand en veel genoegen verkwist, hij had naar hartelust geschilderd en was een graag geziene gast geweest op feesten en partijen. Aan zijn studie had hij een minimum aan tijd en moeite besteed, hoewel hij na iedere bezorgde preek van de decaan weer een poosje zijn best had gedaan, omdat hij de decaan graag mocht en graag tegemoet had willen komen aan diens conservatieve opvattingen over de doelstellingen van universiteiten. Vandaar dat hij heel wat had in te halen, nu het huwelijk, met alle verantwoordelijkheden van dien, een duidelijke streep had gezet onder zijn onbezorgde leventje.
'O, neem me niet kwalijk,' zei Dominic teleurgesteld. 'Als u aan het werk bent, zal ik u niet storen.'
'Nee, nee, kom er maar in, hoor.' Leslie sloeg zijn boek dicht, schoof de hele stapel opzij en strekte zijn verkrampte armen. 'Ik ben blij dat ik een excuus heb om ermee op te kunnen houden. Je hebt zeker geen nieuws, hè? Over Kitty?'
Dominic schudde zijn hoofd. 'Bent u nog bij haar op bezoek geweest?'
'Nog niet. Als ik te vaak ga, loop ik de kans dat ze me niet meer binnen zullen laten. Kan ik je soms ergens mee helpen?'
'Ja, eerlijk gezegd wel. U zult het misschien wel gek vinden dat ik het vraag, maar het gaat om dat uithangbord. Ik zou graag willen weten hoe het kwam dat iemand heeft geprobeerd het van u terug te krijgen. Ik heb namelijk een theorie ontwikkeld, maar het ontbreekt me aan details om te kunnen beoordelen of ik in de goede richting zit.'
'Denk je dan dat De Vreugdevolle Vrouw er iets mee te maken kan hebben?' vroeg Leslie, hem door de wolk van rook heen aandachtig bekijkend. Het vreemde aan die jongen was, dat er niets vreemds aan hem was; vrij lang, leuk om te zien, redelijk extravert, een gezonde dosis zelfvertrouwen. Hij vond zichzelf op dit moment iets te belangrijk maar het zou wel gek zijn als dat niet het

geval was. Het was een type dat je op iedere willekeurige school neer kon zetten; hij zou zijn grote voeten meteen stevig neerplanten en een plaats voor zichzelf veroveren. Een jongen die alles waaraan hij begon tot een goed einde zou brengen en de rest van de klas niet alleen steeds een stapje voor zou blijven met sport, maar twéé stapjes met de studie, terwijl hij nog voldoende energie over zou hebben voor een paar interessante hobby's, van bergbeklimmen tot amateurtoneel. En als toetje zou hij ook nog een hartstocht ontwikkelen voor snelle motorfietsen of een zwak voor wulpse blondjes. Een heerlijk normale jongen en toch zat hij hier met een gezicht alsof hij zich persoonlijk verantwoordelijk voelde voor de oplossing van de moordzaak en gebruikte hij al die heerlijk normale eigenschappen om zich door een situatie heen te slaan die zo abnormaal was dat het einde ervan nog steeds een groot vraagteken was. Leslie bekeek hem aandachtig en dacht even dat hij niet scherp zag, want de componenten leken opeens in allerlei verschillende dimensies uiteen te vallen. Misschien zien we er in deze situatie allemaal een beetje scheefgetrokken uit, dacht hij, en valt het bij hem meer op omdat hij nog zo jong is.

Hij trok een stoel voor Dominic bij en vertelde hem het hele verhaal over De Vreugdevolle Vrouw, van het begin af aan. Dominic luisterde aandachtig en stelde rappe vragen met groeiende hoop in zijn ogen. Halverwege het verhaal kwam Jean binnen met een mok chocolademelk en een schaaltje koekjes; ze had drie broers en was eraan gewend dat opgroeiende jongens op regelmatige tijden gevoederd moesten worden.

'U vermoedt dus dat die kunsthandelaar, Cranmer, uw vader een seintje had gegeven dat het uithangbord wel eens veel waard zou kunnen zijn.' De warme, hoopvolle blik in Dominics ogen had nu een berekenende glans gekregen; alles bleek precies te zijn gegaan zoals hij had gedacht. 'Maar meneer Shelley is degene die bij u is gekomen.'

'Op last van mijn vader.'

'Weet u dat zeker? Dat denkt u alleen, omdat híj dat heeft gezegd. Stel dat het zo is gegaan: Cranmer ziet wel iets in het uithangbord; hij weet dat uw vader het heeft weggegeven in de veronderstelling dat het niets waard was; hij weet ook dat het juist wel eens een heleboel zou kunnen opleveren. Hij denkt bij zichzelf dat het voor hem misschien wel de moeite waard zou kunnen zijn uw vader

daarvan op de hoogte te stellen en belt naar zijn kantoor. Uw vader is er toevallig niet. Ze verbinden hem door met meneer Shelley. Hij vertelt meneer Shelley wat hij heeft ontdekt en raadt hem aan zijn baas te vertellen dat hij er nog eens goed over moet nadenken, omdat hij zomaar een klein fortuin heeft weggegeven. In plaats van die boodschap door te geven, denkt Shelley snel na. Hij is er tegen die tijd volkomen zeker van dat de breuk tussen u en uw vader nooit meer geheeld zal worden, zodat u van elkaar niets te weten kunt komen. Hij besluit zijn kans te grijpen. Hou die schildering nog even vast, zegt hij tegen Cranmer, en hou je mond erover dicht. Misschien kunnen wij samen wel een deal sluiten en de winst delen. Armiger hoeft er niets van af te weten. Daarna gaat hij naar u toe met dat verhaal dat uw vader spijt heeft van zijn gemene streek en dat hij u vijfhonderd pond biedt in plaats van de schildering. U zei dat hij contact geld had meegebracht. Vond u dat niet vreemd?'
'Nee, helemaal niet. Mijn vader liep wel vaker met zoveel geld op zak. Ik ben het echter met je eens dat jouw versie daardoor wel aannemelijk wordt. Ik ben het ook met je eens dat het een gemakkelijke manier moet hebben geleken om het uithangbord terug te krijgen, maar als Shelley het inderdaad voor zichzelf wilde hebben, zou hij dan nog wel risico's hebben durven nemen, nadat ik het geld had geweigerd? '
'Als het om een groot bedrag ging waarschijnlijk wel. U slaat het aanbod af, hij komt terug en steelt de brief van uw vader die het enige bewijs vormt dat u de eigenaar van het uithangbord bent. Hij is ervan overtuigd dat u er niets over tegen uw vader zult zeggen, omdat hij precies weet hoe de zaken tussen u staan – dat u niets van uw vader wilt aannemen, dat u hem nooit meer wilt zien of spreken, maar dat u hem aan de andere kant ook niet in het openbaar zult aanklagen over een dergelijke kwestie. Hij rekent erop dat u het voorval minachtend naast u neer zult leggen en er niets aan zult doen, omdat u van niemand te horen zult krijgen dat de schildering veel geld waard is; daar zal Cranmer wel voor zorgen. Die zal u vertellen dat het niet meer is dan een doodgewoon goedkoop uithangbord! U wordt geacht te denken: wat kan mij het ook schelen, hij heeft zichzelf dus in de vingers gesneden; van mij mag hij het hebben! De ouwe heeft zich blijkbaar allerlei dingen in zijn hoofd gehaald, omdat het is uitgelekt dat ik een kunsthandelaar om zijn

mening heb gevraagd en nu staat hij mooi in zijn hemd. Van mij mag hij het aan de muur hangen, ter herinnering aan zijn eigen stommiteit!'

Dominic ging zo enthousiast op in zijn eigen verhaal dat hij nu pas besefte dat zijn taalgebruik een beetje beledigend was geworden. Wat je ook over de doden mocht denken, je werd geacht dergelijke dingen niet hardop te zeggen en zelfs als Leslie geen enkele reden had om nog van zijn overleden vader te houden, werd je toch geacht bepaalde gedragsregels in stand te houden. Bovendien kon je nooit weten hoe conventioneel onconventionele mensen diep in hun hart waren. Hij trok spierwit weg en bloosde toen tot in zijn haarwortels. 'O, het spijt me, dat was wel brutaal van me. Het spijt me heel erg! Ik was helemaal vergeten dat hij uw vader was en –'

'Het geeft niets,' zei Leslie met een wrange glimlach. 'Misschien heb je wel gelijk. Ik zou dat misschien inderdaad hebben gedaan, als ik op dat moment niet zo vreselijk mijn buik van hem vol had gehad. Je mag mijn vader zelfs best uitschelden, dat was wel het laatste waar hij zich ooit druk over maakte. Een van zijn goede eigenschappen was dat hij nooit huichelachtig was als hij een sluwe deal had gesloten. Hij liep er juist mee te pronken alsof hij zeggen wilde: Zo, is er nog iemand die denkt dat hij het beter kan? Ga dus maar rustig door.'

'Vindt u het echt niet erg? Het was erg brutaal van me. Maar u begrijpt natuurlijk wel hoe belangrijk het zou kunnen zijn als Shelley inderdaad zoiets van plan was geweest. Shelley was er zeker van dat u geen moeite zou doen het uithangbord van Cranmer terug te krijgen, als uw vader zou beweren dat het nog steeds van hem was. U zou besluiten de hele zaak maar te vergeten en uw vader in zijn sop gaar te laten koken, zodat Shelley en Cranmer het schilderij rustig zouden kunnen verkopen en samen de winst opstrijken. En dan, als een donderslag bij heldere hemel, toen Shelley net was thuisgekomen van die openingsavond van het café, *krijgt hij een telefoontje van Kitty*.

U heeft zelf gezegd dat hij een van de mensen is die ze waarschijnlijk zou bellen als ze in moeilijkheden zat. Ze flapt het hele verhaal eruit en vraagt of hij haar alsjeblieft kan komen halen. Ze beseft helemaal niet wat voor informatie ze hem in handen speelt, toen ze hem vertelde dat u naar uw vader was gegaan en dat u samen met hem in de schuur was geweest – zoals uw vader haar had verteld –

maar u kunt zich voorstellen wat een klap dat voor Shelley moet zijn geweest! Zijn plan had een volkomen averechtse uitwerking gekregen. In plaats van de hele zaak te vergeten, was u meteen naar uw vader gehold en had u hem de huid vol gescholden omdat hij zo'n vuile streek had uitgehaald. Uw vader had natuurlijk geen idee waar u het over had en zo was de hele zaak uitgekomen. De ondergang van Shelley! Hij had al... hoeveel jaar voor uw vader gewerkt? Denkt u zich eens in wat het voor hem zou betekenen als hij nu de laan uit werd gestuurd en ergens anders helemaal opnieuw zou moeten beginnen, en dit keer met uw vader als tegenstander. Uw vader zou zelfs een officiële aanklacht tegen hem kunnen indienen en hem op die manier in het openbaar te schande zetten. Maar dan vertelt Kitty hem volkomen overstuur dat ze uw vader van de trap af heeft geduwd en dat hij bewusteloos in de schuur ligt. Het is nu of nooit, als Shelley het schandaal wil vermijden en zijn aandeel in de opbrengst van het schilderij wil houden! Dus zegt hij tegen Kitty: maak je geen zorgen, ik ben al onderweg. Blijf maar rustig bij de auto wachten, ik ben er zo. Hij haalt zijn auto uit de garage en rijdt als de duivel terug naar de schuur. En daar vermoordt hij uw vader.'
Ze keken hem allebei met grote, behoedzame ogen aan, zich weifelend afvragend of het waar zou kunnen zijn. Met een beklemde stem zei Leslie zachtjes: 'Zo zou het inderdaad kunnen zijn gegaan. Het zou voor hem zeker het einde van de wereld zijn geweest als mijn vader zich tegen hem had gekeerd, en het zit er dik in dat hij in zo'n geval tot het uiterste zou zijn gegaan. Mijn vader hield van een scherp zakelijk beleid, hij verwachtte altijd tegenstand en wist hoe hij die moest opvangen... maar als het echt om veel geld ging... en daar komt natuurlijk bij dat zijn trots danig gekrenkt zou zijn als hij erachter was gekomen dat hij dit keer niet de slimste was geweest.'
'Toen u uw vader vroeg waarom hij zijn eigen brief had laten stelen, zei hij dat hij er niets van af wist.'
'Klopt,' antwoordde Leslie weifelend, 'maar dat had net zo goed gelogen kunnen zijn. Dat dacht ik tenminste. Maar misschien was het wel waar en wist hij er echt niets van.'
Jean had er al die tijd zwijgend bij gezeten, met haar kin op haar gevouwen handen en haar ogen afwisselend gericht op degene die aan het woord was. Nu stak ze haar hand op. 'Nee,' zei ze. 'Zo is

het niet gegaan. Het spijt me, jongens, er zit één knelpunt in dit verhaal, en daar loopt de hele boel op stuk. Ik wil niet beweren dat het Shelley niet heeft kunnen zijn, maar als dat zo is, is het toch niet zo gegaan als jullie denken.'
Ze staarden haar allebei aan. 'Waarom niet?' vroegen ze tegelijk.
Met het geduld en absolute gezag van een kleuterleidster die de slimste kindertjes van haar klas iets nieuws leert, legde Jean hun dat uit.

HOOFDSTUK DERTIEN

Oktober deed koud en winderig zijn intrede met storm en nachtvorst. Het gras voor de ingang van het kantoorgebouw van Armiger's Ales hield op met groeien en trok zich terug in zijn winterslaap. De bladeren vielen opeens sneller dan regendruppels van de bomen tot de ranke skeletten door het uitdunnende gele gebladerte heen afstaken tegen de grijze wolken die langs de hemel joegen. In het gebouw hadden ze voor het eerst de centrale verwarming aangezet. Op donderdagmiddag om vijf uur kwam Ruth Hamilton de trap af. Ze hoorde de wind langs de ramen van het trappehuis gieren en trok onwillekeurig haar schouders op. Die nacht zou er weer een flinke storm komen; de nazomer was definitief voorbij; in één dag waren de laatste restjes warmte weggeveegd.

Charlcote, de gepensioneerde man die de portiersloge in de hal bemande, was uit zijn hokje gekomen met zijn jas al aan. Ruth Hamilton was meestal de laatste die het gebouw verliet en hij had haar onbuigzame plichtsbesef vaak verwenst, maar nooit hardop omdat zij een van de pilaren was waar de maatschappij op leunde. Met zijn ene oog op de klok en de andere op de trap trok hij de marineblauwe handschoenen aan die zijn vrouw voor hem had gebreid. De jongen die haastig binnen was gekomen en hem nu aansprak, gunde hij nauwelijks een blik waardig. Een schooljongen had hier immers niets te maken – zeker niet op dit uur van de dag.

'Wat is er aan de hand, Charlcote?' vroeg Ruth Hamilton terwijl ze met autoritaire stappen over de glanzend gewreven vloer naar hem toe liep.

Had ze nu juist vandaag niet één minuutje later kunnen komen? Dan had hij dat joch snel kunnen wegwerken en hadden ze allebei naar huis kunnen gaan. Nu zou haar nieuwsgierigheid haar natuurlijk niet met rust laten voor ze erachter zou zijn wat die vervelende klier wilde en zou hij zelf nog een uur hier moeten rondhangen

voor hij de boel zou kunnen afsluiten en naar huis kon gaan.
'Niets bijzonders. Deze jongeman wilde meneer Shelley spreken, maar die is een minuut of tien geleden al vertrokken. Ik neem niet aan dat het erg dringend is.'
De jongen hield zijn schooltas dicht tegen zich aan geklemd en zei op felle toon: 'Jawel, dat is het wél! Ik moet hem echt vanavond nog spreken. Dat ik hem nu net heb gemist...' De gespannen stem verflauwde nogal zielig. De grote, bezorgde, heldere ogen bleven vragend op Ruth Hamiltons gezicht rusten in de hoop daar een bemoedigend teken op te kunnen aflezen. Ze meende zijn lippen een beetje te zien trillen. 'Ik zit met een probleem,' zei hij. 'Ik weet niet wat ik moet doen.'
'Het spijt me. Meneer Shelley is vandaag iets vroeger weggegaan. Hij heeft het erg druk op het moment.' Ze legde niet uit waarmee; wat kon zo'n kind nu afweten van de problemen die Ray Shelley dag en nacht bezighielden? 'Je zult hem thuis ook niet kunnen bereiken. Hij is naar een vergadering die wel lang zal duren.' Shelley had samen met een rechtskundig adviseur een bespreking met Kitty. 'Kan het niet tot morgen wachten? Morgen is hij gewoon op kantoor.'
'Morgen heb ik school. Ik kan niet zomaar gaan spijbelen,' legde de jongen met een verlegen verontwaardiging uit. 'Ik had hier al eerder willen zijn, maar we hadden na school nog rugbytraining. Ik heb me nog wel zo gehaast om hier op tijd te zijn.' Hij had zich blijkbaar met douchen ook erg gehaast, want onder zijn linkeroor en langs de rand van zijn dikke kastanjebruine haar vlak boven zijn slaap zat nog wat modder van het rugbyveld. Ruths schrandere ogen hadden dat meteen gezien; ze wist veel van opgroeiende jongens af. En deze jongen zat met een probleem; dat was duidelijk te zien aan dat bedeesde, gespannen gezicht.
'Hebben wij elkaar al eens eerder ontmoet? Je komt me bekend voor.'
Een flauwe glimlach brak de spanning op zijn gezicht. 'We hebben afgelopen zomer een paar keer op uw club gespeeld. Misschien heeft u me na de wedstrijd gezien. Ik zit ook in het bowlingteam, maar daar ben ik niet erg goed in. Mijn naam is Dominic, Dominic Felse.'
'Felse? Ben je soms familie van rechercheur Felse?'
'Ja, dat is mijn vader,' zei de jongen en hij drukte zijn schooltas nog

dichter tegen zich aan, met een plotseling nerveus samentrekken van zijn spieren, alsof er een huivering door hem heen was getrokken. 'Ik had meneer Shelley willen spreken in verband met de moord op meneer Armiger.'
'Je wilt me toch niet vertellen dat je vader –'
'Mijn vader weet hier niets van af,' zei Dominic snel. 'Ik heb zelf iets wat ik met meneer Shelley had willen bespreken.'
Het was duidelijk dat de jongen werd geplaagd door een hevige inwendige spanning; er zou niet veel hoeven te gebeuren of hij zou de zelfbeheersing waarin hij zich met alle macht vastbeet, verliezen en zijn hart uitstorten. Ruth was eraan gewend bekentenissen van jonge jongens aan te horen en behandelde die altijd heel discreet; en de meesten van haar beschermelingen waren heel wat geharder dan deze welopgevoede knaap. Ze wierp een blik op de klok. Charlcote keek ook al veelbetekenend in die richting. Zijn dienst zat erop, hij wilde naar huis en hij was niet van plan medelijden te hebben met een of ander opdringerig jongetje. Hij had zich opzettelijk doof gehouden tijdens het hele overbodige gesprek.
'Zou je het soms met mij afkunnen?' vroeg Ruth zachtjes. Ze zag dat Charlcote zijn ogen ten hemel sloeg in een zwijgende maar wereldse smeekbede en onderdrukte een grimmig glimlachje. 'Als je denkt dat ik je ergens mee zal kunnen helpen, kun je misschien beter even binnenkomen.'
Het scherpe gerinkel van de sleutelbos klonk als een krachtterm.
'Jij kunt wel gaan, Charlcote,' zei ze terwijl ze haar ergernis onderdrukte. 'Laat de voordeur maar open. Ik doe hem wel op slot als we hier klaar zijn. Je hoeft niet op ons te wachten.'
De oude man had zijn jas al dichtgeknoopt en met zijn pet in zijn hand mompelde hij tevreden: 'Het is mijn plicht om het gebouw af te sluiten, maar als u het zegt...'
Ze had het liefst gezegd: 'Maak dat je wegkomt, nare ouwe kerel, voor ik je alsnog hier hou,' maar dat deed ze niet; hij wilde nog wel eens met de centrale verwarming knoeien of vergeten thee rond te brengen als hij zich in zijn wiek geschoten voelde, zodat het niet de moeite loonde hem tegen de haren in te strijken.
'Beschouw het maar als een officieel bevel,' zei ze op zakelijke toon. 'Ga nu maar gauw naar je vrouw. Ik zal ervoor zorgen dat alles netjes op slot gaat.' Ze pakte Dominic bij zijn arm en trok hem mee naar de trap. 'Kom maar even mee naar mijn kantoor,

dan kunnen we erbij gaan zitten.'
'Meent u dat? Vindt u het echt niet vervelend?' Hij liep dankbaar met haar mee; ze voelde dat hij een beetje beefde van opluchting en hoop, hoewel zijn gezicht bezorgd bleef staan. Hij scheen met een probleem te zitten dat niet zo een-twee-drie opgelost zou kunnen worden, maar ze zouden het in ieder geval kunnen bespreken. Ze ging hem voor naar haar kantoor en liet hem plaatsnemen in de bezoekersstoel. Toen zette ze een tweede stoel tegenover hem aan dezelfde kant van het bureau, zodat ze zijn gezicht goed in de gaten zou kunnen houden en hij haar ogen niet zou kunnen ontwijken. Niet dat hij dat scheen te willen doen; hij keek haar juist met een ernstig, bezorgd gezicht aan en toen ze een sigaret pakte om hem de tijd te geven wat tot rust te komen, greep hij snel het doosje lucifers van de tafel om haar een vuurtje te geven. Erg volwassen; alleen trilden zijn vingers zo dat ze haar hand op de zijne moest leggen om hem stil te houden en als die aanraking ook maar een tikje minder onpersoonlijk was geweest, dacht ze, zou hij ter plekke in tranen zijn uitgebarsten.
'Ga zitten,' zei ze op kalme toon, 'en vertel me nu maar eens rustig wat er aan de hand is. Waarom wilde je meneer Shelley spreken?'
'Omdat hij de advocaat van juffrouw Norris is. Ik dacht dat het misschien het beste was om het aan hem te vertellen. Er is namelijk iets gebeurd,' zei Dominic en nu viel hij over zijn eigen woorden in zijn haast het hele verhaal te vertellen, 'iets afschuwelijks. Ik móet het aan iemand vertellen, ik weet niet wat ik moet doen. Ze hebben overal gezocht, naar de handschoenen bedoel ik – wist u dat? De politie heeft overal gezocht... en nu...'
'Welke handschoenen?' vroeg Ruth op neutrale toon.
'De handschoenen van de moordenaar. Ze zeggen dat degene die meneer Armiger heeft vermoord, handschoenen aan had en dat die onder het bloed moeten zitten. Ze weten dat de moordenaar die handschoenen vlak na de moord ergens moet hebben verstopt. Ze hebben overal gezocht want ze willen de zaak zo snel mogelijk afsluiten. Ik ben ook gaan zoeken,' zei hij terwijl zijn ogen haar met een wanhopige blik aankeken, 'omdat ik er zeker van was dat ze helemaal niet van Kitty zouden zijn; maar dan moest ik ze wel eerst vinden. Ik wist zeker dat ze het niet heeft gedaan en dat wilde ik bewijzen. En nu heb ik de handschoenen gevonden,' eindigde hij met een stem die tot een droog gefluister was weggestorven.

‘Dan is er toch niets aan de hand?’ zei ze op kalme, sussende toon. ‘Dat was toch de bedoeling? Ik neem aan dat je ze aan je vader hebt gegeven. Dan is alles toch in orde? Waar maak je je nu nog zorgen over?’
Hij had zijn schooltas naast zich op de grond gezet. Nu zijn handen zich niet meer aan dat anker konden vastklemmen, grepen ze elkaar, om zijn knieën geslagen, strak vast. Hij keek neer op de ineengestrengelde, verstijfde vingers en zijn gezicht vertrok nerveus.
‘Nee, ik heb ze niet aan mijn vader gegeven. Ik heb er tegen niemand iets over gezegd. Ik wil het niet, ik kan het gewoon niet doen, maar ik weet niet wat ik ermee aan moet. Ik was er zo zeker van dat het de handschoenen van een *man* zouden zijn. Maar dat is niet zo! Ze zijn van een vrouw – ze zijn van *Kitty*!’
De ineengeklemde handen schoten met een ruk uiteen en vlogen naar zijn gezicht dat hij niet meer in bedwang kon houden. Zijn stem sloeg over en hij begon volkomen overstuur te huilen, met beschaamde snikken en hikken die hij tevergeefs probeerde te onderdrukken. Ruth legde zorgvuldig haar sigaret in de asbak en pakte hem bij de schouders. Ze schudde hem heen en weer, eerst zachtjes en toen dwingend.
‘Rustig nu maar. Vertel me er eens iets meer over. Waar heb je ze precies gevonden en hoe komt het dat de politie ze niet heeft kunnen vinden, maar jij wel?’
‘Dat mag ik u niet vertellen,’ stootte hij er tussen twee snikken door uit. ‘Ik mag het aan niemand vertellen. Ik heb ze gewoon gevonden. Als ik u iets zou vertellen, zou u ook leugens moeten gaan vertellen.’
‘Ik probeer je alleen maar te helpen. Als je me niet alles vertelt, zal ik niet kunnen beoordelen hoe belangrijk deze handschoenen zijn. Misschien heb je je wel vergist, misschien zijn het helemaal niet de bewuste handschoenen. Misschien maak je je nodeloos zorgen.’
‘Het zijn ze wel. Ik weet het zeker. En nu gaan ze natuurlijk – nu denken ze vast dat ze – ’ Hij probeerde de hik die hem keer op keer deed schokken, de baas te worden en kon op al haar geduldige vragen alleen nog maar reageren met onsamenhangende, nauwelijks verstaanbare woorden. Het had geen zin door te drukken want hij was half hysterisch. Ze gaf het op, liep naar de kleine garderobe die aan haar kantoor grensde en kwam terug met een glas water. Ze

drukte het glas tegen zijn lippen met een gebaar dat geen tegenspartelen duldde. Hij dronk gehoorzaam, met een vuurrood en betraand gezicht, terwijl het hikken langzaam begon af te nemen. 'Ze zitten onder het bloed!' hijgde hij tussen twee aanvallen door. 'Ik weet gewoon niet wat ik moet doen!'
Ze richtte zich op en keek hem bedachtzaam aan. Hij wreef geërgerd met zijn vuist in zijn ogen en onderdrukte het hikken nu met een verkreukelde zakdoek.
'En je had meneer Shelley om advies willen vragen?'
Hij knikte met een ongelukkig gezicht. 'Hij is haar advocaat en – en ik dacht dat ik misschien – dat ik hém misschien de handschoenen zou kunnen geven. Ik dacht dat hij er misschien wel de verantwoordelijkheid voor zou kunnen nemen, omdat ik – ik –'
'Je zou ze ook kunnen laten verdwijnen,' zei Ruth opzettelijk, 'als je dat liever zou doen. Vernietig ze en vergeet dat ze ooit bestaan hebben.'
'Nee, dat mag niet! Dat zou ik nooit kunnen doen! Snapt u dat dan niet? Vanwege mijn vader – ik voel me toch zo ellendig! Mijn vader *vertrouwt* me!' Hij vocht tegen een opwelling om weer in snikken uit te barsten. 'Als het *Kitty* nu maar niet was!'
Een zestienjarige jongen die met een ongelukkige liefde te kampen heeft, ziet er meestal nogal beklagenswaardig uit en deze jongen, zag ze, was inderdaad te beklagen. Wat hij zelf ook besloten mocht hebben, het was duidelijk dat hij zijn geheim niet erg lang voor zich zou kunnen houden. Vroeg of laat zou hij het aan zijn vader bekennen. Iemand zou hem die last dus van de schouders moeten nemen.
'Luister goed, Dominic,' zei ze op zakelijke toon. 'Jij weet absoluut zeker dat Kitty meneer Armiger niet heeft gedood. Is dat juist?'
Waar, vroeg ze zich af, had Kitty in hemelsnaam deze onwaarschijnlijke aanbidder opgepikt. Hij noemde haar nog bij de voornaam ook. Hoewel Kitty altijd nogal onberekenbaar was geweest wat haar vriendenkring betrof.
'Dan moet je ook naar je overtuigingen durven handelen. Je mag hiermee niet naar meneer Shelley gaan. Hij is immers een wetsdienaar; het zou wreed zijn om dit probleem juist in zijn schoot te werpen. Weet je wat? Geef mij die handschoenen maar. Ik ben geen advocaat en ik ben niet bang om naar mijn eigen oordeel te hande-

len.' Dominic sloeg zijn dikke wimpers op en in zijn grote ogen stonden verbijstering en hoop af te lezen; hij staarde haar woordeloos aan.
'Wet of geen wet,' zei ze vastberaden, 'ik ben niet bereid Kitty levenslang te laten opsluiten, ook al zou ze een gewetenloze oude man in zelfverdediging hebben gedood, hoewel ik er, net als jij, allesbehalve van overtuigd ben dat ze dat inderdaad heeft gedaan. Ik zal de verantwoording hiervoor op me nemen. Net alsof ík die handschoenen heb gevonden en niet jij.'
'Meent u dat?' vroeg hij gretig. 'O, als u dat zou willen doen! Wat een opluchting!'
'Je hoeft niet eens te weten wat ik ermee zal doen. Geef ze me maar, dan kun je deze hele zaak verder gewoon vergeten. Vergeet maar dat je ze ooit hebt gevonden.'
'O, ik zou u zo dankbaar zijn! Ik heb ze nu niet bij me, want ik kom regelrecht uit school en ik kon ze natuurlijk niet de hele dag bij me houden. De jongens op school willen nog wel eens in andermans spullen rommelen, ook al bedoelen ze er niets mee, en stel je voor dat iemand ze had gevonden! Maar ik heb vanavond muziekles, hier in Comerbourne. Zal ik ze dan bij u afgeven?'
'Dat lijkt me een uitstekend idee, hoewel ik wel eerst naar de club moet. Waar woont je muziekleraar?'
Hij gaf haar het adres. Hij begon er zienderogen beter uit te zien, terwijl hij ook zijn gewone stem weer terug had. Zijn pianolerares woonde in Hedington Grove, een klein doodlopend zijstraatje van Brook Street, aan de rand van de stad.
'Ik heb tot negen uur les. Meestal ga ik met de bus van tien voor half tien terug naar Comerford.'
'Laat die bus dan vanavond maar zitten,' zei ze opgewekt. 'Tegen die tijd ben ik wel klaar met mijn werk op de club. Wat zou je ervan denken als ik je op de hoek van Brook Street en Hedington Grove zou oppikken en je meteen even naar huis zou brengen. Zullen we daar dan maar om negen uur afspreken?'
'Ja, prima, als u het niet vervelend vindt om me helemaal naar huis te brengen. Het is erg aardig van u.' Hij wreef nog een keer snel en beschaamd in zijn ogen en kamde met nerveuze vingers door zijn haar. 'Het spijt me dat ik me zo heb aangesteld, maar ik was gewoon ten einde raad.'
'Voel je je nu beter?'

'*Veel* beter. Nogmaals bedankt!'
'Ga dan maar gauw even je handen en je gezicht wassen en dan snel naar huis. Maak je geen zorgen. Vergeet alleen niet dat je tegen niemand iets mag zeggen,' waarschuwde ze, 'anders komen we allebei nog in moeilijkheden.'
'Mijn lippen zijn verzegeld,' zei hij plechtig.
Ze liepen samen de trap af en de uitgestorven hal door naar buiten de duisternis in. Ze knipte de laatste lichten achter hen uit en deed de deur op slot. De jongen was nu helemaal gekalmeerd en omdat ze hem zo hysterisch had meegemaakt, deed hij nu extra zijn best om zijn pas verworven mannelijkheid te bewijzen. Hij hield de deur voor haar open en liep netjes met haar mee het parkeerterrein over naar de grote, oude Riley.
'Kan ik je nu soms ook ergens afzetten? Op het busstation of zo?'
'Nee, dank u. Het is erg aardig aangeboden, maar ik ben met de fiets. Die staat daarginds in het fietsenrek.'
Toch liep hij helemaal met haar mee naar de auto. Met een zwierig gebaar hield hij het portier voor haar open en duwde hij hem dicht toen ze zich achter het stuur had geïnstalleerd; hij verroerde zich niet tot ze haar zwarte kalfsleren handschoenen uit het handschoenenkastje had gehaald, ze had aangetrokken en de motor had gestart. Hij deed een stapje achteruit om haar ruimte te geven om te keren en stak met een verlegen glimlach zijn hand op toen ze wegreed.
Nadat ze was weggereden, huiverde hij opeens in de kille wind en holde hij als een windhond naar zijn fiets. Zo snel als hij kon racete hij terug naar het centrum van de stad. Hij zag dat de winkels al begonnen te sluiten; terwijl hij hard doortrapte vervaagde de weerspiegeling van het licht van de lantaarnpalen op de natte stoep tot een lang, wazig oranjegeel licht, de kleur van de herfst.

HOOFDSTUK VEERTIEN

Die donderdagavond was professor Brandon Lucas op weg naar een kunstacademie om een weekendcursus te geven. De school interesseerde hem niet zo veel, maar hij had op een onbewaakt ogenblik ja gezegd op een uitnodiging daar wat lessen te geven. Op zijn geijkte impulsieve manier besloot hij een omweg te maken en even langs te gaan bij Jean en Leslie Armiger. Je zou kunnen zeggen dat hij dat bezoek had gepland, aangezien hij alle aantekeningen en schetsen inzake het uithangbord van De Vreugdevolle Vrouw bij zich had, hoewel hij dat tegenover zichzelf weigerde toe te geven tot de afstand tussen hem en het saaie weekend alarmerend klein begon te worden en zijn tegenzin om zich op de school te melden zo overheersend werd dat hij die niet meer kon negeren. Waarom zou hij zich daar vóór het avondeten al melden? Hij wist uit ervaring dat het voedsel op het Ellanswood College niet iets was om over naar huis te schrijven. Het was niet alleen saaie kost, maar het werd nog in ontoereikende porties opgediend ook. Hij wist daarentegen in Comerbourne een uitstekende herberg. De lichte mist zou hem een goed excuus geven voor zijn late aankomst en hij zou zijn bezoek aan de jonge Armiger wat kunnen aandikken en er misschien zelfs een studieonderwerp van het weekend van maken, zodat hij tenminste niet zou hoeven luisteren naar het dwaze geklets van de anderen.

Zonder bril slaagde hij er niet in te lezen wat er op het bordje naast de bel stond, maar hij had te veel zelfvertrouwen om zich over zulke kleinigheden druk te maken en deed de stille straat opschrikken door een flinke roffel met de klopper op de deur te geven; en toen de hospita de deur openmaakte, sprak hij haar zo beleefd aan, dat hij een diepe indruk op haar maakte en Leslies status met sprongen deed stijgen.

De professor liep onaangekondigd de trap op en zag Leslie met

opgerolde mouwen op de overloop staan afwassen. Een geurige pot koffie borrelde zachtjes op een stoofplaatje. Meteen demonstreerde de professor zijn beschaafde karakter door verrukt uit te roepen dat hij blijkbaar net op tijd was gekomen, omdat het eten in Het Vliegende Paard weliswaar prima was, maar de koffie veel te wensen over liet. Zo stelde hij hen gerust en zei dat ze geen pogingen hoefden te doen hem eten te geven, hij ging op zijn gemak zitten en maakte hun al even behendig duidelijk dat ze evenmin de hele avond met hem opgescheept zouden zitten.
'Ik moet ergens zo'n weekendcursus geven en ik kan dus niet lang blijven, maar ik wilde je alvast tussentijds rapport uitbrengen over onze bevindingen. Je hebt ons een bijzonder interessant klusje gegeven, beste kerel, bijzonder interessant.'
Leslie was achter hem aan de kamer in gelopen, had zijn mouwen naar beneden gerold en zette nu likeurglaasjes op tafel samen met het laatste, zuinig bewaarde restantje van de fles cognac, die Barney Wilson van zijn vakantie in Frankrijk had meegebracht. Jean had een glazen schaaltje te voorschijn gehaald waarvan Leslie niet eens had geweten dat ze het hadden en dat gevuld met romige chocoladekoekjes. Leslie dacht niet dat de koekjes bij deze ouwe bonvivant van een professor in de smaak zouden vallen, maar zag tot zijn verbazing dat ze met smaak en regelmaat van het schaaltje werden gepakt. Jean had bovendien haar oude blauwe jurk uitgetrokken en was verschenen in een honingkleurige blouse die haar haar een blauwzwarte glans gaf en haar huid er zo fris en koel deed uitzien als dauw. Een half uur geleden hadden Leslie en Jean nog op angstvallig verdraagzame toon met elkaar gesproken, alsof ze vreemden waren, opdat ze maar geen ruzie zouden gaan maken, maar nu de omstandigheden waren veranderd en Jean haar man moest bijstaan, schaarde ze zich weer strijdlustig en onoverwinnelijk aan zijn zijde.
'Denkt u echt dat er iets in zit? Ik durfde er zelf niet aan te gaan knoeien, hoewel ik er nauwelijks van af kon blijven.'
'Wat denk je er zelf van?'
'Ik weet niets zeker, maar ik zit wel in een bepaalde richting te denken. Ik heb om te beginnen geprobeerd te schatten hoe oud het ongeveer is en wat het genre is waar het toe behoort.'
'Heb je het nog aan iemand anders laten zien?'
'Ja, aan een antiquair hier in de stad. Hij kwam met een verhaal

aan dat het oorspronkelijk een portret was geweest van een plaatselijke schilder uit de achttiende eeuw, ene Cotsworth.'
'Belachelijk!' riep Lucas uit. Hij gooide zijn hoofd achterover en barstte in lachen uit, zodat zijn puntbaardje trillend als een pijltje van een dartspel naar het plafond wees.
'Het lijkt me eerder een sluwe zet van hem, want hij heeft me er zeshonderd pond voor geboden.'
'Kijk eens aan! En jij hebt dat aanbod afgeslagen. Goed zo! Je had dus blijkbaar zelf ook al een vermoeden dat het iets veel belangrijkers moest zijn dan een schilderij van zo'n klodderaar als Cotsworth. Zo mag ik het horen. Tussen haakjes, dit houdt nog niet in dat het inderdaad veel zal opleveren, want ik weet niet precies of er op dit moment veel commerciële belangstelling bestaat voor dergelijke ontdekkingen, maar op den duur zal het ongetwijfeld veel waard worden, als alles erover bekend zal zijn.'
Leslie merkte tot zijn verbazing dat zijn handen trilden van pure opwinding. Hij durfde niet naar Jean te kijken, want dan zou ze vast denken dat hij erover wilde opscheppen dat zijn oordeel door de professor was bevestigd; ze zou van hem verwachten een dergelijke gelegenheid niet voorbij te laten gaan, niet uit kleinzieligheid, maar vanwege zijn fundamentele gebrek aan zelfvertrouwen. En toch wilde hij dolgraag haar gezicht zien, een snelle blik op haar werpen om te zien of ze net zo beefde als hij. Er moest nog wel ergens een vonkje zitten dat ieder moment tussen hen kon overspringen, zeker als er inderdaad iets ontdekt beloofde te worden dat zo belangrijk scheen te zijn dat deze oude rot in het vak er helemaal opgewonden van raakte.
'Een mogelijke datering,' zei Lucas, de draad weer oppakkend. 'Wat schat jij?'
Hij zat hem waarschijnlijk niet bewust te plagen, maar het leek er veel op. Hij liet steeds een nieuwe schat voor hun neus bengelen en dwong hen dan een vraag- en antwoordspelletje te spelen om de prijs te kunnen bemachtigen. Goed, dacht Leslie, als hij me op de proef wil stellen, zal ik overtuigd moeten klinken en mijn mening duidelijk moeten weergeven.
'Volgens mij dateert het van vóór veertienhonderd.'
Het klonk vreselijk arrogant toen hij het eenmaal hardop zei en hij had zijn woorden bijna terug willen nemen, maar daar was het nu te laat voor. Hij stak zijn kin naar voren en begon zijn stoutmoedi-

ge oordeel op zelfverzekerde toon toe te lichten. 'De pose kan volgens mij niet van een later tijdstip zijn, en de handen ook niet, gezien de gebrekkig weergegeven lange gebogen vingers zonder knokkels. Verder hebben we de achterover getrokken schouders en het opgeheven hoofd en de manier waarop de kleurvlakken zijn opgevuld om de japon weer te geven. Als we de extra lagen verf er goed af kunnen krijgen, geloof ik dat we een plooival zullen zien die na de veertiende eeuw uit de mode is geraakt.'
'En het genre? Je zei dat je daar ook ideeën over had.'
Leslie haalde diep adem en waagde een blik op Jean. Ze hield haar grote verbaasde ogen op hem gericht; hij wist niet of ze hem daarmee wilde steunen of dat ze zich alleen verbaasde over zijn brutaliteit en verwachtte dat hij ieder moment geveld zou kunnen worden. 'Volgens mij is het een kunstwerk uit deze streek,' zei hij, nu wat bedeesd. 'Een schildering die hier al die eeuwen is gebleven en nooit ver verwijderd is geweest van de plaats waar het voor het eerst is opgehangen. En het is zeker niet oorspronkelijk bedoeld geweest als uithangbord van een café. Het enige waar ik nog niet helemaal uit ben, is die manier van lachen...'
'Ja,' zei Lucas. Zijn intelligente ogen bestudeerden de jongeman bedachtzaam. 'Die lach. Daar moet je je niet op vastbijten. Die lach is een van die dingen die in ieder tijdperk zo nu en dan voorkomen, een geniale vondst die niemand ooit had verwacht en die niemand daarna heeft durven kopiëren. Dergelijke geïnspireerde afdwalingen leveren soms heel interessante resultaten op. Ga door. Welke stijl? Je bent nog niet tot de kern doorgedrongen.'
Langzaam en voorzichtig uit ontzag voor zijn eigen gedachten zei Leslie: 'Dat ovale ornament dat eruitziet als een broche, dat heeft me eigenlijk aan het denken gezet. Op de originele schildering moet het dat vreemde voorwerp zijn geweest, dat een soort röntgenfoto voorstelt van de bovennatuurlijke wereld. Heb ik gelijk?'
'Dat moet jij maar zeggen.'
'Ja, dat moet het geweest zijn. Het is een afbeelding van het kind dat ze draagt. Het is de Maagd Maria, Onze-Lieve-Vrouwe, afgebeeld vóór de bevalling –'
'Mijn complimenten. Je schijnt het zonder advies aardig goed af te kunnen, mijn jongen.'
'Ik heb er tot nu toe niet eens echt in durven geloven,' bekende Leslie met een bevend lachje. 'Het is dat u liet doorschemeren dat

ik heel ver kon gaan, dat niets eigenlijk te gek zou zijn, anders had ik dit nooit durven opperen. Denkt u werkelijk dat een dergelijk kunstwerk sinds de veertiende eeuw op allerlei zolders heeft gelegen en zelfs jarenlang boven de deur van een café in weer en wind heeft gehangen?'

'Sinds de tweede helft van de zestiende eeuw, lijkt mij. Ik neem aan dat je inmiddels ook weet dat het huis waaruit het paneel afkomstig is, ooit een landhuis is geweest dat behoorde tot de priorij van Charnock?'

'Een kennis van mij heeft daarover het een en ander in de archieven opgegraven, maar zelf weet ik er niets van af.'

'Nee? Dat doet me genoegen. Ik wist het namelijk zelf ook niet, maar het verhaal schijnt wel waar te zijn. Wat mij opviel aan dat paneel van jou was dat het in vorm en afmetingen zoveel weghad van een van de fragmenten van de dorpskerk van Charnock. Ken je de dominee van Charnock toevallig? Een leergierig mannetje, dat veel van middeleeuwse kunst af weet. Hij is gespecialiseerd in glas-in-lood, maar hij weet ook veel van de plaatselijke verluchters en paneelschilders. Hij is al jaren op jacht naar onderdelen van de kunstwerken die na de Dissolution uit Charnock zijn verdwenen. Wat nu de dorpskerk is, is eigenlijk het beknotte restant van de oude kerk van de priorij. Hij heeft alle kunstwerken die hij tot nu toe heeft kunnen achterhalen op hun oorspronkelijke plaats in ere hersteld. Zo heeft hij het hoofd van een engel met een gebedsrol weten te bemachtigen, dat het enige overgebleven deel schijnt te zijn van een groot altaar, waarschijnlijk uit de Mariakapel.'

'En u denkt dat dit zijn Maria is?' vroeg Leslie, niet met oneerbiedige bedoelingen, maar gewoonweg zo opgewonden dat hij de spanning van serieuze vragen niet meer kon verdragen. Een opgetrokken wenkbrauw gaf blijk van een kort ogenblik van afkeuring, maar het wetende oog eronder wist door de vraag heen te kijken en er volgde geen berisping.

'Volgens mij is dat heel goed mogelijk. Ik ben al even bij de dominee langsgegaan. Hij heeft documenten in zijn bezit die aangeven dat een deel van de ornamenten samen met de laatste prior met pensioen zijn gegaan. Verder heeft hij een aantal bijzonder interessante schetsen en aantekeningen die hij door de jaren heen heeft verzameld. Hij is ervan overtuigd dat de engel met de gebedsrol de engel van het Magnificat is. Verder heeft hij verwijzingen naar de

schildering van de Madonna uit de periode zelf én van later datum. Die geven een vrij gedetailleerd beeld en ik moet eerlijk zeggen dat ik goede redenen heb om te kunnen hopen dat jouw paneel inderdaad de Heilige Maagd van dat altaar is. De naam van de meester die het heeft geschilderd is niet bekend, maar een aantal van zijn werken zijn al geïdentificeerd, inclusief een paar verluchtingen. Een daarvan lijkt erg veel op jouw Madonna.'
'Inclusief de lach?' vroeg Jean heel zachtjes.
'Inclusief de lach. Al met al zijn er zoveel verwijzingen naar, dat ik niet verwacht dat het vaststellen van de authenticiteit van jouw deel van het kunstwerk nog problemen zal opleveren. De dominee heeft het trouwens al gezien. Ik ben zelf bereid het onder voorbehoud als zodanig te identificeren, maar híj is er al volkomen van overtuigd dat het zijn Maagd Maria is. Hij heeft ooit een nauwkeurige reconstructie gemaakt, opgebouwd uit de diverse bronnen over hoe ze eruit moet hebben gezien. Het resultaat lijkt precies op jouw paneel. Nu heeft hij een tweede schets gemaakt, aan de hand van het paneel in zijn huidige staat plus zijn eerdere informatie, om ons te laten zien wat we kunnen verwachten.'
Hij zwaaide met een klap zijn aktentas op de tafel en haalde er een dikke stapel documenten en paperassen uit, die hij met een voldane glimlach uitspreidde.
'Ik heb zijn aantekeningen en schetsen meegebracht. Ik dacht dat je het misschien wel leuk zou vinden om ze tijdens het weekend te bestuderen. Dit is zijn meest recente tekening. Kijk, daar heb je haar. Zoals ze is geweest en zoals ze weer zal worden.'
Het was een klein vel papier, kleiner dan quartoformaat; ze bogen zich samen over de tekening heen. De Vreugdevolle Vrouw had haar mousseline omslagdoek afgedaan; de pijpekrullen en de kanten manchetten rond haar polsen waren verdwenen. Ze was te voorschijn gekomen in al haar vroeg-Engelse eenvoud en gratie, gekleed in een blauwe mantel over een oranjegele japon. Haar lange haar was naar achteren gekamd en vastgezet onder een witte sluier.
Ze leunde achterover vanwege het gewicht dat ze droeg. Haar als lelies zo tere handen hield ze op haar buik gevouwen met de symbolische beeltenis van haar ongeboren zoon rechtop tussen haar gekruiste palmen. Ze keek op en lachte van vreugde. Er stond niemand anders op de schildering, er bestond niemand anders meer in

de wereld; ze was alleen en ze was volmaakt, een wereld op zich.
Leslie voelde plotseling dat Jean zo opvallend zweeg alsof ze nog nooit stil was geweest. Hij liet zijn tong langs zijn lippen glijden en stelde de vraag die op dit moment niet anders dan als verkeerd opgevat zou kunnen worden, maar waarop hij toch het antwoord moest weten. Hij moest weten wat hij aan het doen was, anders had het geen waarde.
'Heeft u enig idee hoeveel het zou opbrengen als ik het zou verkopen? Aangenomen, natuurlijk, dat we het bij het rechte eind hebben?'
'Dat is moeilijk te voorspellen, maar het werk van deze meester is bekend en wordt gewaardeerd en er zijn niet veel van deze werken te vinden en waarschijnlijk niet één dat het hierbij haalt. De plaatselijke verzamelaars zullen er zeker belangstelling voor hebben. Volgens mij kun je er minstens, zeven- à achtduizend pond voor krijgen, zelfs als je haast zou hebben met verkopen.'
Wanhopig stil nu, terwijl alleen hun mouwen elkaar raakten, staarden Jean en Leslie naar de rijkdom, die in het verschiet lag.
'Denkt u dat de dominee er iets voor zou kunnen bieden? Hij wil het natuurlijk dolgraag hebben, als hij zo zeker van zijn zaak is ...'
'Hij zou zijn rechterarm ervoor geven. Je hebt hem slapeloze nachten bezorgd sinds hij dit heeft gezien, maar hij heeft al zoveel moeite om de twintigduizend pond bij elkaar te krijgen die hij nodig heeft om die arme, oude kerk van hem overeind te houden. Hij heeft helaas geen aparte spaarpotjes om madonna's mee te kopen.'
'Zelfs niet om haar naar huis te halen,' zei Leslie. Hij schoof een beetje opzij om Jeans gezicht te kunnen zien, maar ze ontweek zijn blik en bleef naar de kleine tekening staren. Hij vroeg zich af of ze besefte dat ze haar eigen handen onder haar borsten had gevouwen en op het oeroude wonder had gelegd, met datzelfde plechtige en bezitterige gebaar.
'Zelfs niet om haar naar huis te halen. Er zullen echter wel andere geïnteresseerden zijn. Als je nog een poosje wacht en er wat bekendheid aan geeft voor je haar verkoopt, zul je er misschien twee keer zoveel voor krijgen.' Professor Lucas knipte zijn tas dicht en schoof zijn stoel naar achteren. Het jonge stel zat duidelijk in geldnood en hij kon het hun niet kwalijk nemen dat ze er bij voorbaat al van genoten.
'Ik kan het me niet veroorloven haar te laten restaureren,' zei Les-

lie. Zijn stem trilde een beetje door de zware beslissing die hij had genomen. 'Zou uw laboratorium soms bereid zijn dat op zich te nemen, als ik het werk zou teruggeven aan Charnock?'
Lucas keek met een scherpe blik naar hem op en kwam langzaam overeind. 'Mijn beste kerel, weet je wel wat je zegt?'
Ja, hij wist het en hij moest het snel, met klem en beslissend zeggen, zodat hij geen mogelijkheid zou hebben zich alsnog te bedenken. Paniek kroop omhoog in zijn keel en probeerde zijn woorden te verstikken. Nu durfde hij niet meer naar Jean te kijken. Hij wist dat hij iets had gedaan dat ze nooit zou kunnen begrijpen en dat ze hem nooit zou vergeven, maar hij moest het wel doen, hij zou niet met zichzelf kunnen leven als hij dit ogenblik voorbij liet gaan.
'Het is niet van mij,' zei hij, 'ik heb het in mijn bezit gekregen na een lange reeks onaangename incidenten, die me al met al tegen de borst stuiten. Het moet terugkeren naar waar het thuishoort. En het maakt niets uit dat dat toevallig een kerk is,' zei hij op bijna boze toon, voor het geval ze hem verkeerd zouden begrijpen. 'Als het niet om een heiligenafbeelding ging, zou ik er net zo over denken. Het is met een specifiek doel geschilderd voor een van tevoren vastgestelde plaats en ik zou graag zien dat het daarnaar zou terugkeren, maar het zou wel een beetje wreed zijn als ik het zo aan de dominee zou geven terwijl hij het uit geldgebrek niet kan laten restaureren.'
'Als je echt meent wat je zegt, hoef je je daarover geen zorgen te maken. Ons laboratorium zal dat met alle plezier op zich nemen. Ik zou het niet eens aan iemand anders toevertrouwen! Maar als ik jou was, zou ik er dit weekend nog eens heel goed over nadenken,' zei de professor opgewekt, terwijl hij Leslie een fikse klap op zijn schouder gaf, 'voor je een dergelijk besluit neemt. Ik zal alle paperassen hier laten, zodat je zelf kunt zien hoe sterk we staan, voor het geval je van gedachten mocht veranderen.'
'Dat zal niet gebeuren. Ik heb mijn besluit genomen, hoewel ik de documenten natuurlijk graag zal lezen. Het is niet mijn bedoeling mezelf in de hoogte te steken of zoiets,' zei hij langzaam, 'hoewel dat op zich me niet tegen staat, maar stel dat ik het aan de hoogste bieder zou verkopen en dat het ergens in Amerika terecht zou komen of zelfs hier in Engeland in een privé-verzameling die niemand ooit te zien krijgt? Dat zou altijd aan me blijven knagen. Ik wil deze Madonna graag op haar eigen plaats terugzien en als men

daar het geld niet voor heeft, dan maar geen geld. Bovendien vind ik eigenlijk dat daar helemaal niet voor betaald hoeft te worden. Ze zal daar weer toebehoren aan een ieder die naar haar kijkt en iedereen zal haar zien op de manier waarop ze gezien behoort te worden – althans, we kunnen proberen daar zo dicht mogelijk bij in de buurt te komen. Dan zal ik pas het gevoel hebben dat ze echt van mij is. Dat gevoel heb ik nu niet.'
'Ik probeer je er niet van af te brengen, hoor, je hoeft mij niet te overtuigen. Ik zou alleen niet graag willen dat je een overhaaste beslissing zou nemen waar je later spijt van krijgt. Denk er goed over na en doe dan wat je zelf het beste vindt. Bel me begin volgende week even op als je wilt, dan zullen we een andere afspraak maken, op de universiteit, als dat niet te lastig voor je is. En nu moet ik echt gaan.' Hij stak zijn nu platte tas onder zijn arm. 'Welbedankt voor je heerlijke koffie, Jean.'
Jean maakte zich met moeite uit haar droomtoestand los om hem samen met Leslie te bedanken en goedenavond te wensen. Leslie liep met de professor mee naar de deur en toen hij terugkwam, stond Jean weer bij de tafel. Met een ernstig, bleek en aandachtig gezicht bekeek ze de schets die de dominee had gemaakt.
Leslie deed de deur zachtjes achter zich dicht en wachtte tot ze iets zou zeggen of naar hem om zou kijken. Ze verroerde zich echter niet en hij wist niet hoe hij de stilte moest verbreken zonder kruiperig of strijdlustig te klinken, want hij wist uit ervaring dat hij daarmee alles alleen maar nog erger zou maken. Jean scheen de spanning die zijn zenuwen teisterde, helemaal niet te voelen, zozeer ging ze in haar eigen gedachten op.
'Ik kon niet anders,' zei hij hulpeloos, zich bewust van de verdedigende klank in zijn stem, maar niet in staat die te onderdrukken.
Ze schrok op en keek hem aan met ogen waarin hij niets kon aflezen: grote, donkere, stille ogen, als die van een vrouw die zich in een shocktoestand bevindt.
'Het was van mij,' zei hij kortaf uit wanhoop, 'ik kon ermee doen wat ik zelf wilde.'
'Dat weet ik,' zei ze zachtjes en ergens diep in haar uitdrukkingsloze ogen begon het begin van een glimlach los te komen.
'Je zult wel teleurgesteld zijn en dat spijt me, maar ik zou het van mezelf niet hebben kunnen uitstaan, als ik –'
Ze kwam opeens met een vreemd protesterend gebaar naar hem

toe en zei: 'Wat ben je toch een sufferd. Ik zou je wel door elkaar kunnen rammelen!' Nu was ze met één stap bij hem en pakte ze hem bij zijn schouders, alsof ze dat dreigement tot uitvoer wilde brengen. Toen liet ze haar armen onder die van hem glijden en knelde ze stijf om hem heen. Ze drukte zich tegen hem aan en verborg haar gezicht tegen zijn borst. 'Ik hou van je, ik hou van je!' zei ze op omfloerste toon tegen zijn hart.
Hij begreep er niets van, hij was reddeloos verloren. Hij zou er nooit iets van begrijpen; hij zou datgene wat hij nu opeens goed had gedaan, een even groot raadsel blijven vinden als alles wat hij verkeerd had gedaan. Misschien zou hij zelfs tot de conclusie komen dat ze gewoon een vrouw was, die onlogisch redeneerde en een vaste hand nodig had om haar te leiden en zou hij zijn onschuldige macht aanwenden om haar de baas te blijven. Het maakte niets uit, als hij haar maar geloofde. 'Ik hou van je,' zei ze. Zijn armen gleden automatisch om haar heen en hij hield haar voorzichtig vast, alsof hij bang was dat ze zou breken en dat hij zijn vingers zou openhalen aan de brokstukken, maar met haar warme lichaam zo lief en stevig tegen het zijne gedrukt, begon hij verbaasd te trillen van hoop.
'Het spijt me van het geld, Jean,' stamelde hij, heen en weer slingerend tussen de stromingen van tederheid, angst en steeds terugkerende vreugde die aan alle kanten aan hem rukten. 'Maar we zullen het samen best redden. Ik weet dat jij het onverantwoordelijk van me vindt, maar ik kon gewoon niet anders. Ik heb nooit echt het gevoel gehad dat ze van mij was. Nee, huil nu niet!'
Ze hief haar hoofd op en ze huilde helemaal niet, maar lachte juist, niet om hem, maar van pure vreugde. En toen ze zo met opgeheven gezicht lachte, leek ze opeens precies op de vrouw van de tekening. 'Schei toch uit zeg!' lachte ze. 'Je kraamt alleen maar onzin uit!' En ze kuste hem, gedeeltelijk om alle verdere wartaal die hij nog had willen uitslaan af te kappen en gedeeltelijk omdat ze het gewoon heerlijk vond om hem te kussen. Het had geen zin te proberen hem uit te leggen wat een openbaring ze had ervaren; hoe het plotseling tot haar was doorgedrongen hoe rijk ze eigenlijk waren op alle gebieden die belangrijk waren, hij en zij en het kind dat op komst was. Als je zoveel had, waarom zou je je dan druk maken om kleine probleempjes? Hoe had ze ooit iets anders kunnen voelen dan diep medelijden voor de oude Alfred Armiger die steenrijk was

geweest, maar niet in staat iets weg te geven? En vooral: hoe had ze ooit bang kunnen zijn dat ze zich teleurgesteld zou voelen en niet gelukkig zou kunnen worden met deze man, die niets had en toch zo'n prachtig geschenk kon weggeven?
'Ben je dan niet boos?' vroeg hij verdwaasd. Hij wachtte echter niet op antwoord. Wat maakte het uit of hij had begrepen hoe ze zo plotseling weer zo volkomen één waren geworden? Waarom zou hij zijn hoofd erover breken hoe hij haar had teruggewonnen? Het enige belangrijke was dat ze weer samen waren. Alle spanning was weggevallen. Zwijgend en warm van dankbaarheid bleven ze met hun armen om elkaar heen staan.
Een onverwacht klopje op de deur verbrak de betovering. De korte roffel was een teken dat het mevrouw Harkness moest zijn, die alleen boven kwam als ze iets te klagen had. Leslie trok met tegenzin zijn armen terug, sloeg ze nog even snel om zijn vrouw heen voor een laatste kus en liep naar de deur.
Mevrouw Harkness zag er echter ongewoon kalm en vredelievend uit; de invloed van professor Lucas hing nog om haar heen als een weldadige wolk.
'Een jongen heeft daarstraks dit briefje voor u afgegeven. Hij zei dat ik het onmiddellijk aan u moest doorgeven, maar ik wilde u niet storen zolang u bezoek had.'
'Een jongen? Wie dan?' vroeg Leslie, die meteen aan Dominic moest denken, hoewel hij zelf niet wist waarom Dominic briefjes voor hem af zou geven in plaats van zelf boven te komen, als hij hem iets te vertellen had.
'De zoon van mevrouw Moore van de overkant. Ik dacht dat het waarschijnlijk niet veel zou uitmaken als ik er een kwartiertje mee zou wachten.'
'Dat neem ik aan. Dank u wel.'
Hij deed de deur dicht en keek met een fronsend gezicht naar de envelop terwijl hij een gevoel van onrust voelde opkomen waar hij geen verklaring voor had. De zoon van mevrouw Moore was ongeveer net zo oud als Dominic en zat waarschijnlijk bij hem in de klas; misschien was het dus toch een boodschap van Dominic. Maar wat zou er dan aan de hand zijn?
'Wat is er?' vroeg Jean, die hem vragend aankeek.
'Ik weet het niet. Eens even kijken.' Hij scheurde de envelop open, nog doezelig van haar warmte zo dicht tegen zich aan. Hij

was zich meer van haar bewust dan van welke wereldse problemen dan ook, tot hij begon te lezen.

Beste meneer Armiger,
Ik heb Mick Moore gevraagd dit briefje om precies half negen bij u af te geven, omdat ik om negen uur hulp nodig heb. Het is heel erg belangrijk, maar ik durf er niet eerder dan een half uur voordat het gaat gebeuren iets over los te laten. Als mijn vader het te weten zou komen, zou hij het me verbieden, maar als hij alleen maar net op tijd aankomt om er getuige van te kunnen zijn, zal hij me hopelijk mijn gang laten gaan en geen tijd meer hebben om me tegen te houden. Ik wil niet zelf opbellen, omdat ik dan mijn moeder misschien aan de lijn krijg en ik wil haar niet bang maken. Zij mag er niets van afweten tot het allemaal voorbij is. Dus leek het me het beste deze boodschap bij u af te laten geven.
Ik zou graag willen dat u iets voor me zou doen, namelijk mijn vader opbellen met de mededeling dat de politie om negen uur de hoek van Hedington Grove en Brook Street in de gaten moet houden. Daar zal ik worden afgehaald door iemand in een auto, iemand die me een lift zal geven naar Comerford. *De politie moet die auto volgen*. Dat is heel belangrijk. Ik heb iets gedaan om de zaken aan het rollen te krijgen, maar de politie moet er wel bij zijn, anders heeft het allemaal geen zin, dan heb ik alles voor niets gedaan en zal Kitty er ook niets mee opschieten.
Als het voor mij soms niet erg goed mocht aflopen, probeert u Kitty dan te helpen, alstublieft. Ik maak me over mezelf niet zo druk, zolang Kitty maar vrijkomt.
Bedankt.

Dominic Felse

'Wat zullen we nu krijgen?' vroeg Leslie niet-begrijpend. 'Zou dit soms een grapje van hem zijn?'
'Nee, niet als het om Kitty gaat. Hij meent het echt. En hij is *bang*,' zei Jean terwijl ze zijn arm stijf vastgreep. 'Wat zou hij aan het doen zijn?'
'Joost mag het weten! Iets idioots, dat is zeker! O, nee!' zei Leslie geschrokken toen hij zag hoe laat het was. Hij holde de deur uit en roffelde de trap af. Het was elf minuten voor negen, elf minuten

voor het uur U. Hij had geen tijd om ergens over na te denken en kon niets anders doen dan het briefje bijzonder serieus opvatten.
Hij hoorde Jeans hakken vlak achter zich op de traptreden tikken en riep vanuit de deuropening over zijn schouder dat ze thuis moest blijven, dat hij het wel zou regelen en dat hij zo terug zou komen. Maar ze holde achter hem aan terwijl ze hijgend haar jas aantrok. Leslie sprintte naar de telefooncel op de hoek van de straat en rukte de deur open.
Het scheen een eeuwigheid te duren voor hij het nummer van George Felse had gevonden en nog langer tot er werd opgenomen. Hij kreeg Bunty aan de lijn. Dominics overtuiging dat je moeders geen angst mocht aanjagen, verlamde Leslies tong bijna. Nee, het kon wel wachten, als meneer Felse niet thuis was. Nee, dat hoefde niet, hij zou nog wel terugbellen. Hij gooide met een klap de hoorn op de haak en draaide een ander nummer.
'Het politiebureau van Comerbourne? Luister goed, dit is een spoedgeval. Doet u alstublieft precies wat ik vraag. Later zal ik u alles wel uitleggen. Het gaat om de moord op Armiger. U spreekt met Leslie Armiger en dit is geen grapje. Is inspecteur Felse daar soms? Nee? Maakt niet uit. Luister goed –'
Jean fluisterde in zijn oor: 'Ik ga de auto van Barney halen. Wacht op me.' Ze liet de deur dichtvallen en holde met het staccato van haar klikkende hakken als een echo achter zich aan de straat weer door.
'Op de hoek van Brook Street en Hedington Grove, om negen uur precies,' herhaalde Leslie op dringende toon. 'Wij zullen er ook zijn – zorg dat uw mensen paraat staan.'
Het was twee minuten voor negen toen hij de hoorn voor de tweede keer op de haak gooide.

HOOFDSTUK VIJFTIEN

Dominic sloeg voor de honderdste keer die avond een verkeerde toets aan en verbeterde hem met een keiharde aanslag van beide handen die normaal gesproken redelijk met de muziek overweg konden. Op gelaten toon zei hij: 'Verdorie! Sorry! Ik breng er vanavond niet veel van terecht. Misschien kan ik er beter mee ophouden.'

'Dat zou inderdaad het beste zijn,' zei de oude juffrouw Cleghorn openhartig, 'maar jouw ouders betalen mij per les, jochie, zodat je dit uur toch zult moeten volmaken, ook al word ik er zo onderhand stapelgek van. Misschien kan ik beter mijn oude ebbehouten stok maar eens te voorschijn halen en je iedere keer dat je me zo op mijn zenuwen werkt, een tik op je knokkels geven.'

Dominic sloeg een waanzinnig akkoord aan en trok een gezicht tegen haar. Mejuffrouw Cleghorn was een gezet vrouwtje van over de zestig met een even levendig karakter als van een terriër. Ze mocht haar leerling graag en Dominic vond haar het enige leuke aan de verplichte wekelijkse lessen. Bunty was degene die erop had aangedrongen dat het kunnen bespelen van een muziekinstrument een onontbeerlijk onderdeel vormde van de opleiding van jonge mensen. Dominic boog zijn onwillige neus dan ook steeds braaf over het toetsenbord, voornamelijk omdat hij ergens in zijn achterhoofd eigenlijk wel wilde geloven dat ze waarschijnlijk gelijk had wat het uiteindelijke nut van de lessen betrof.

'Dat zal wel!' snoof Dominic. 'Volgens mij heeft u niet eens een ebbehouten stok en als dat wel zo was, zou u er nooit iemand mee slaan!'

'Pas maar op! Het is nooit te laat om ermee te beginnen en de stok hoeft helemaal niet van ebbehout te zijn. En probeer me maar niet af te leiden, dat helpt je geen zier. Vooruit, nog een keer van voren af aan en hou in hemelsnaam je hersens erbij!'

Hij deed zijn best, maar het probleem was dat zijn hersens heel druk bezig waren met iets anders, iets wat niets te maken had met de onschuldige pianoles die vandaag alleen als achtergrond voor zijn plannen diende. Hij klemde zijn kiezen op elkaar en ploegde verbeten door het muziekstuk heen, maar zijn gedachten holden ver vooruit en probeerden alle mogelijke complicaties die hij tegen zou kunnen komen te bekijken en voor ieder ervan een oplossing te vinden. Wat hem het meeste dwarszat, was het feit dat hij zijn plan op zoveel onzekere factoren had moeten baseren en dat er in iedere fase zoveel fout kon gaan. Hij mocht nu echter niet meer terugschrikken voor alle mogelijk vergissingen die hij had gemaakt, want daarvoor was het te laat. Hij kon nu niet meer terug.
'Eén ding is zeker,' zei de pianolerares met een gedecideerd knikje toen hij met veel moeite het laatste akkoord had bereikt, 'jij hebt sinds de vorige les geen piano aangeraakt! Waar of niet? Zeg eens eerlijk!'
Dat was waar en hij gaf het eerlijk toe. Hij begreep best dat dat van haar standpunt uit gezien niet erg netjes was en maakte dan ook nederig zijn excuses. Hij wilde dat hij kon geloven dat dit soort dingen op een gegeven moment weer belangrijk voor hem zouden worden, maar nu drukten de problemen van de echte wereld als een zwaar gewicht op zijn schouders; de gezellige, alledaagse wereld waarin maaltijden en muzieklessen belangrijk waren leek hem opeens verbazingwekkend aantrekkelijk en begeerlijk, maar hij wist niet hoe hij daarin terug moest komen. Als een stuurloze raket was hij afgeschoten en hij kon alleen maar recht op zijn doel afgaan.
'En hoe denk jij ooit te kunnen leren pianospelen als je thuis niet oefent? Nee, ga me nu maar niet paaien met vlugge vingeroefeningen. Haal je handen van dat toetsenbord af en luister naar me.'
Hij haalde gehoorzaam zijn handen van de toetsen, vouwde ze op zijn schoot en onderwierp zich gedwee aan haar berispingen. Hij luisterde echter niet, hoewel zijn ogen onafgebroken naar haar ronde blozende gezicht keken met een aandachtige blik die zijn zwervende gedachten moeiteloos wist te verbergen. Het deed hem goed naar haar te kijken, ze was zo gewoon, zo alledaags en rechtdoor-zee, zo wetend en wijs, geen handlanger van de duisternis die achter de gesloten gordijnen heerste en waar hij steeds banger voor begon te worden. Hij staarde met een ernstig gezicht naar

haar zelfgebreide twinset en de modieuze tweedrok, de plastic schuifjes in haar steile, kortgeknipte grijze haar en de moedervlek op haar kin die ijverig meedanste met al haar bestraffende woorden. Hij glimlachte toegenegen, opgebeurd door de menselijke overtuiging dat er niets sinisters of angstaanjagends kon bestaan zolang er mensen als zij waren; maar zodra hij zijn blik van haar afwendde of zijn ogen dichtdeed, wist hij dat het wel bestond en dat hij het kwaad zelf had opgeroepen en er nu niet meer aan kon ontsnappen.

'Jij denkt zeker,' zei ze op ernstige toon, 'dat je alles goed kunt maken door alleen maar tegen me te glimlachen. Dat is het probleem met jou, mijn jongen, jij denkt dat je met je charme iedereen in de luren kunt leggen.'

Ze wist zelf niet hoe dicht ze bij de waarheid zat.

'Ik weet het,' zei hij op verzoenende toon, 'maar deze week heb ik een heleboel aan mijn hoofd gehad. Ik heb echt geen tijd gehad om te oefenen. Volgende week zal ik beter mijn best doen.' Als ik er dan nog ben tenminste, dacht hij en zijn hart kromp verkild ineen in zijn borstkas. Hij grinnikte tegen haar. 'Geen nood, het is bijna negen uur, uw leed is bijna geleden.'

'En het jouwe gaat nu pas beginnen,' diende ze hem van repliek, 'als je zo brutaal blijft doen. Je weet zelf zeker wel waar je om vraagt?'

'Ja, met twee schepjes suiker, graag.' Hij wist dat er in de keuken een pot chocolademelk op een klein pitje stond. Op koude avonden had ze die altijd klaar staan. Ze stond lachend op. 'Vooruit dan maar. Het is wel genoeg voor vandaag.'

Het was nog geen negen uur en hij wilde geen minuut te vroeg zijn voor zijn afspraak. Als Leslie had gedaan wat hij moest doen, moest de politie nu al opgesteld staan om de hoek van de straat in de gaten te houden. Als hij zich te vroeg zou vertonen, liep hij het risico een woedende vader op zijn nek te krijgen, die zou willen weten wat hij in godsnaam dacht dat hij aan het doen was en die zijn zo moeizaam in elkaar gedraaide plannen in één klap in het honderd zou doen lopen. Zelfs redelijke vaders konden soms vreemd reageren en je in je bewegingsvrijheid belemmeren als het ging om zaken die hun gezag aantastten en gevaar met zich meebrachten; en dat hij vanavond gevaar zou lopen, daar twijfelde Dominic geen moment aan. Dat was het hele punt. Als hij niet in ge-

vaar zou zijn, betekende dat dat hij er helemaal naast zat, dat al zijn gekonkel voor niets was geweest en dat Kitty even verloren en verstrikt zou blijven als nu. Bovendien was dit gevaar iets wat hij niet mocht afwenden. Hij moest het naderbij laten komen en stil blijven zitten als een gehypnotiseerd konijn tot het hem in zijn greep zou hebben. Als hij weerstand zou bieden, zou hij niet kunnen bewijzen waar het hem om te doen was. Hij mocht niet terugvechten, hij moest het aan de anderen overlaten hem te redden en kon alleen maar hopen dat ze op tijd zouden zijn. Hij was een vrijwillig lokaas.
'Wat kijk je toch bedrukt vanavond,' zei juffrouw Cleghorn. Ze greep een handvol van zijn roodbruine krullen en schudde hem zachtjes heen en weer. 'Ik vroeg of je er soms een paar koekjes bij wilde hebben, al snap ik niet waarom ik nog zo aardig voor je ben. Ik zou je zonder eten naar bed moeten sturen! Wat is er toch? Problemen op school?'
School! Dat was het enige waar ze ooit aan dachten. Als je zestien jaar was en met een probleem zat, kon dat alleen maar iets met school te maken hebben.
'Nee, er is niets. Ik heb gewoon zo'n dag dat ik me nergens op kan concentreren. Volgende week zal het wel beter gaan.'
'Laten we het hopen! Alsjeblieft, een lekker kopje chocolademelk. Drink het maar gauw op, voor het koud wordt. Je kunt wel iets warms gebruiken voor als je zo dadelijk op de bus moet wachten. Dat busstation is een van de naargeestigste plekken van de hele stad, vind ik.'
Hij treuzelde met zijn chocolademelk tot het precies negen uur was. Hij kon haar beter een of twee minuten speling geven, voor het geval ze op de club werd opgehouden.
'Zal ik maar tegen mijn moeder zeggen dat ik goed vooruitga?' vroeg hij ondoordacht toen hij zijn jas aantrok.
'Vertel haar maar dat ik vind dat ze je een flink pak voor je broek moet geven; misschien zal ze dat nog doen ook. Wees voorzichtig buiten, ik zie notabene een ijslaagje op de straat! Nachtvorst in oktober. Nu vraag ik je!'
'Tot volgende week,' zei hij terwijl hij naar het tuinhekje liep.
'Wel thuis!' Ze deed de deur langzaam, bijna met tegenzin dicht. Wat zou er toch met die jongen aan de hand zijn, dacht ze geprikkeld. Hij zit ergens mee, dat is duidelijk. Misschien kan ik beter

zijn moeder even bellen. Hoewel, zestien is natuurlijk een moeilijke leeftijd; misschien gaat het om iets wat hij haar helemaal niet wil vertellen. Hij zou het me nooit vergeven als ik me met zijn persoonlijke zaken bemoeide. Nee, laat maar gaan. Ze deed de televisie aan, installeerde zich in een luie stoel en was Dominic Felse na een paar minuten helemaal vergeten.
Hij liep de straat uit, maar hoe dichter hij bij de hoek kwam, hoe langzamer hij ging lopen. Hij probeerde net te doen alsof hij er geen erg in had dat hij langzamer ging lopen en probeerde er een normale pas in te houden. Laat me alsjeblieft normaal blijven doen! Er is nu een last van mijn schouders afgevallen, er is er niet een bij gekomen. Als ik dit niet goed kan doen, kan ik het beter helemaal niet doen. Denk aan Kitty! Hij dacht aan haar en voelde hoe de spanning van binnen werd verlicht als door een plotselinge warmte die al zijn zenuwen deed ontspannen. Wat maakte het gevaar uiteindelijk uit? Het ging erom Kitty in veiligheid te brengen en dat zou hij doen. Wat er vanavond zou gebeuren, zou haar geen kwaad kunnen doen, het kon haar alleen maar bevrijden. Hij vatte weer moed; alles zou best in orde komen. Zelfs als het zou gebeuren, zou hij het accepteren en er niet voor terugdeinzen.
Ergens in zijn achterhoofd speelde nog een vage gedachte dat ze misschien helemaal niet op hun rendez-vous zou komen, dat ze van gedachten veranderd zou zijn. De mogelijkheid bestond ook dat ze wel zou komen, maar te goeder trouw; in dat geval zou ze gewoon aanpakken wat hij haar zou geven, hem geruststellen en thuis afzetten en de duizend doden die hij onderweg zou sterven, zouden zijn verdiende loon zijn, terwijl hij tegenover haar nooit zou kunnen goedmaken wat hij haar stilzwijgend had aangedaan. Er zaten zoveel haken en ogen aan zijn plan, er waren zoveel dingen die mis konden gaan; en toch wist hij diep in zijn hart dat hij het niet bij het verkeerde eind had.
Ze was er. Toen hij bij de hoek van de stille, bevroren straat aankwam, in de knisperende schaduw van de bomen, zag hij de lange, gestroomlijnde vorm van de oude Riley elegant en rustig langs de messcherpe stoeprand staan. Ze duwde met een glimlach het portier voor hem open. Het was hem nog nooit opgevallen hoe stil en verlaten deze buurt 's avonds was. Er was niemand op straat en slechts één eenzame auto reed langs toen hij naar de wagen liep. Toen de auto voorbij was, was alles weer zo stil dat zijn lichte voet-

stappen keihard door de straat galmden en met een ontstellend eenzaam geluid weerkaatsten tussen de vrieskou en de sterrenhemel.

'Hallo Dominic,' zei Ruth Hamilton. Ze pakte wat spullen van de passagiersstoel en gooide ze op de achterbank; een sjaal, een handtas en wat fotokopieën die eruitzagen als mededelingen van de club, plus een grote zaklantaarn die naar het uiterste hoekje van de leren bank rolde.

'Goedenavond, juffrouw Hamilton. Erg aardig van u. Weet u zeker dat het niet te lastig is? Ik kan best met de bus, hoor.'

'Welnee,' zei ze kalm. 'Stap maar in. Het zal me nauwelijks een kwartier kosten. Ik ben evengoed nog vroeg thuis. En het is veel te koud om op de bus te moeten wachten.' Ze boog zich voor hem langs en drukte op het slotje van het portier. 'De deurknop is een beetje versleten, ik moet er eigenlijk een nieuwe op laten zetten. Als ik het portier niet op slot doe, wil hij nog wel eens openvliegen onderweg, vooral in de bochten. En aangezien ik vaak nogal rumoerige passagiers heb, is dat wel een beetje gevaarlijk,' beëindigde ze met een glimlach.

'Vanavond heeft u niemand aan boord, zie ik,' zei hij met een vluchtige blik op de achterbank.

'Ik heb er net twee afgezet. De club is nog open, maar ik kan niet de hele avond blijven.' Ze installeerde zich weer achter het stuur en keek hem aan met een inschikkelijke glimlach die rekening hield met zijn jeugdige leeftijd, zijn overgevoeligheid, zijn hulpeloze tranen van die middag en zijn wens dat ze die zou vergeten.

'Heb je ze bij je?' vroeg ze rustig. 'Of heb je je bedacht en ze alsnog aan je vader gegeven? Dat zou ik je helemaal niet kwalijk nemen trouwens, het zou heel begrijpelijk zijn. Zoiets kun je alleen zelf beslissen.'

'Ik heb ze bij me,' zei hij.

'Dan kun je ze me het beste meteen maar geven. Ik zal zorgen dat ze verdwijnen en jij kunt ze verder vergeten. Ik zal je er nooit aan herinneren en niemand anders weet hier iets van af. Je hebt het toch aan niemand verteld, hè?'

'Nee.'

'Mooi zo. Vanaf dit moment hoef je je er dan ook geen zorgen meer over te maken. Als Kitty het niet heeft gedaan, zal alles best in orde komen en wij zijn het erover eens dat ze het niet heeft ge-

daan. Waar of niet?'
'Ja.' Uit zijn tas met de bladmuziek haalde hij een kleine zachte bundel te voorschijn, die nogal slordig in vloeipapier was gewikkeld, zodat de plastic zak eronder te zien was. In het weerkaatsende licht van de bevroren straat kon je nog net onderscheiden dat het zachte zwarte leer onder het plastic inderdaad besmeurd en bevlekt was. Met zijn grote ogen vol vertrouwen op Ruth Hamiltons gezicht gericht, overhandigde hij haar het pakketje. Hij slaakte een diepe zucht toen ze het van hem aanpakte, alsof ze een zware last van zijn schouders had genomen.
Haar ogen flitsten van zijn gezicht naar het pakketje in haar hand en toen weer terug. Ze boog zich schuin naar voren om het handschoenenkastje open te maken en stopte de handschoenen weg in het uiterste hoekje. 'Wees maar niet bang,' zei ze toen ze zijn ongeruste blik opving, 'ik zal ze niet vergeten. Ze zijn bij mij volkomen veilig. Doe nu maar wat ik je heb gezegd en vergeet dat ze ooit hebben bestaan. Je hoeft ze nooit meer te zien en je er niet meer druk over te maken. We zullen er niets meer over zeggen, nooit meer. Hiermee is deze zaak afgesloten. Begrepen?'
Hij knikte en even later wist hij er heel zachtjes uit te brengen: 'Dank u!'
Ze startte de motor. Een motorfiets stoof langs hen heen in de richting van het centrum van de stad, maar het geknetter van de motor werd al gauw opgeslokt door de stilte. Een oude man had een brief in de ronde brievenbus aan de overkant gegooid en liep een zijstraat in. Ze zaten in een ontvolkte wereld, een ijskoude nacht vol wachtende, smachtende echo's die geen geluiden hadden om te weerkaatsen. Hij mocht niet omkijken. Zijn hoofd wilde steeds omdraaien, zijn ogen wilden de straat achter hen afzoeken, zijn oren spitsten zich om het geluid op te vangen van een andere automotor die in de vrieskou moeizaam werd gestart, maar hij mocht niet omkijken, zelfs niet half. Hij was een onschuldige, nietsvermoedende sukkel, een sufferd die tegen niemand iets over dit rendez-vous had gezegd. Waar kon hij nu zijn aandacht op richten, nu ze de last van zijn schouders had genomen? Ja natuurlijk, op de auto. Die was een beetje enthousiasme wel waard en als je zestien was, verwachtten volwassenen niet dat je echt ergens in kon volharden, zelfs niet in je onrust en namen ze gewoon aan dat je makkelijk verleid kon worden door dingen als auto's.

'Uit welk bouwjaar is deze auto?' vroeg hij terwijl hij keek naar de competente bewegingen van haar handen, toen ze de auto liet optrekken. Ondanks alles beleefde hij een waar genoegen aan de soepele manier waarop de wagen bij de stoeprand weggleed. 'Nog van vóór 1930?'
Nee, dat niet, maar het scheelde niet veel. Ze glimlachte zwakjes terwijl ze zijn vragen beantwoordde. Het was de geforceerde, toegeeflijke glimlach van een verdraagzame volwassene die een kind zijn enthousiasme gunt en zich zelfs verwaardigt er belangstelling voor te tonen, maar er in feite jaloers op is dat het kind nog in staat is er zo volkomen in op te gaan, omdat ze die zegen zelf al heel lang niet meer had ervaren. Het was het soort glimlach die Dominic, gezien de omstandigheden, van haar had verwacht en waar hij niets wijzer van werd, terwijl hij best een paar aanwijzingen kon gebruiken. Hij had gehoopt iets te kunnen opmaken uit die ene blik die ze op zijn zorgvuldig klaargemaakte pakketje had geworpen, iets wat hem zou vertellen of hij op het juiste spoor zat of dat hij verkeerd had gegokt en zichzelf volkomen had verraden; maar hij had niets kunnen zien, geen zijdelingse blik, geen verscherpen van haar gelaatstrekken. Nu was het te laat om daar nog over te blijven piekeren.
'U onderhoudt hem goed,' zei hij oprecht.
'Dank je,' antwoordde ze op ernstige toon. 'Ik doe mijn best.'
De weg was wat smaller geworden, de bomenrij langs de straat was opeens verdwenen en de muren en hekken van de tuinen werden nu afgewisseld met heggen van weilanden. Kon hij maar wat meer naar het midden leunen om even in de achteruitkijkspiegel te kunnen kijken, maar hij wist dat hij dat niet mocht doen. Wist hij maar of ze hem volgden. Het zou wel erg zijn als hij dit allemaal voor niets had gedaan.
'Laten we de weg langs de rivier nemen,' zei Ruth Hamilton, 'dat is korter. Ik neem aan dat je nog niet hebt leren rijden?'
'Nee, helaas niet. Ik mag natuurlijk nog niet de weg op en we hebben thuis maar een heel klein opritje, eigenlijk alleen maar een pad tot aan de garage, waar ik dus niets aan heb. Ik heb gehoord dat ze op school rijles willen gaan geven – achter de school is daar ruimte genoeg voor – maar er is nog steeds niets van gekomen.'
'Dat lijkt me een uitstekend idee,' zei ze op besliste toon. 'Op school leer je het beste, daar zit je in de sfeer. En het is vandaag de

dag beslist een noodzakelijk onderdeel van de opleiding.'
'Ja, maar ik geloof dat ze bang zijn voor hun bloemperken. Ze zijn vreselijk zuinig op hun rozen, weet u.'
Het was mogelijk om over dergelijke abstracte dingen te praten, merkte hij tot zijn verbazing, ook al was zijn keel kurkdroog van de zenuwen en bonkte zijn hart. Hij wierp een snelle blik op haar profiel dat afstak tegen het licht van de laatste lantarenpalen en zag de regelmatige, strenge lijnen van haar gezicht, de vage glimlach, het glanzende zwarte haar en de gladde vorm van de dikke knot in haar nek. Het volgende moment was de met bomen omzoomde weg in duisternis gehuld. Als de snaren van een harp plukten de koplampen de ene slanke stam na de andere uit de duisternis die voor hen lag. Als strakke strepen licht flitsten de bomen langs en verdwenen weer in de duisternis achter hen. Rechts van hen, achter de bomen, zag hij de rivier glinsteren, bitter koud onder de ijzige sterren. Als het zomer was geweest, zouden op de oevers wel een paar auto's hebben gestaan met ineengestrengelde paartjes voor wie de rest van de wereld niet meer bestond en zouden er ook paartjes tussen de bomen hebben geslenterd en in het gras langs de rivier hebben gelegen; maar nu niet. Op de achterste rijen van de bioscopen was het warmer en in de rokerige hoekjes van cafés kon je net zoveel privacy vinden. Op een avond als deze kwam hier niemand. En zonder de minnende paartjes was dit een eenzame, stille weg.
Hier ergens moet het gebeuren, dacht hij, ergens op deze weg, voor we onder de bomen vandaan komen. Hij greep het metalen frame van zijn stoel stevig vast en voelde het zweet in zijn handen staan, omdat hij er niet zeker meer van was of hij het wel zou kunnen volhouden. Het gaat er niet alleen om dat ik bang ben, dacht hij, maar wat moet je doen als je de klap, of het schot, ziet aankomen en weet dat je niet mag wegduiken, geen dekking mag zoeken, maar hem gewoon moet laten komen. Hoe moet je zoiets doen? Hij ontspande zijn vingers en merkte dat ze helemaal pijn deden, zo hard had hij in de stoel geknepen. Hij was sterk en hij zou zich best kunnen verdedigen, maar dat zou hij pas kunnen doen als de getuigen erbij waren. Ze moesten met hun eigen ogen kunnen zien wat hij voor hen had geënsceneerd. Het zou niet genoeg zijn als ze hem op zijn woord zouden moeten geloven. En als ze hen niet volgden, als ze niet op tijd zouden komen, zou wat er met hem zou gebeuren in geval van nood in ieder geval voldoende

bewijs opleveren om Kitty van blaam te zuiveren. Kitty, die er tenminste niet van beschuldigd zou kunnen worden iets te maken te hebben met de eventuele moorden van deze avond.
Ruth stak haar linkerhand uit en knipte het handschoenenkastje open. Ze tastte tussen de voorwerpen tot ze een pakje sigaretten te pakken had. Ze had haar vaart tot bijna stapvoets laten verminderen, terwijl ze met één hand reed en een sigaret uit het pakje schudde met een geroutineerd gebaar waaruit bleek dat ze dit al honderden keren had gedaan. Ze tastte weer in het vakje, nu op zoek naar haar aansteker, maar kon die daar niet vinden.
'Ach ja, dat is waar ook, die heb ik in mijn tas gestopt,' zei ze. Ze bracht de auto tot stilstand. 'Zou jij die soms even kunnen pakken?'
Hij keek achterom naar de spullen die ze op de achterbank had gegooid; haar tas was naar het hoekje gerold, tegen de zaklantaarn aan. Het was een grote, brede auto met veel ruimte voor de passagiers achterin en hij moest zich omdraaien en op zijn knieën gaan zitten om de tas te kunnen pakken. Hij deed het met doodsangst in zijn hart en de scène flitste door zijn hersens voor het echt gebeurde. Doodsbang, tegenspartelend, zichzelf dwingend zich te onderwerpen aan datgene waartegen zijn hele wezen zich verweerde, als een dier in een kooi, leunde hij met zijn arm uitgestrekt over de leuning van zijn stoel en bood hij haar gedwee zijn achterhoofd met de kastanjebruine krullen. O God, laat ze het snel doen! Ik hou dit niet vol, ik wil me omdraaien – *Ik kan niet meer! O Kitty! En jij zult het misschien nooit te weten komen!*
Hij kreeg zo'n harde klap op zijn hoofd dat de duisternis in zijn gezicht uiteenspatte. Met een schokkerige beweging vloog hij over de leuning van de stoel en kwam op de achterbank terecht. Door een schok van pijn en angst werd alle lucht uit hem weggezogen. Toen kwam een duisternis opzetten die hem in elkaar kneep. Hij werd weggezogen in een vacuüm waarin de lichtflitsen waren verdwenen, meegesleurd in een koker van leegte waarin hij viel en viel en viel tot zelfs het vallen ophield en er geen pijn of angst meer was, geen happen naar adem, geen angst en martelende, onbeantwoorde liefde, niets meer.

HOOFDSTUK ZESTIEN

'Ik wou dat ik wist waar we naar zoeken,' zei Jean. Ze zat voorover geleund en tuurde door de voorruit van Barney Wilsons bestelwagen naar het kleine stukje wereld dat door de koplampen werd verlicht. 'Een auto – maar welke auto? Het kan zelfs een taxi zijn. Wie zal het zeggen?'

'Een taxi is het zeker niet,' zei Leslie op besliste toon. 'Hij heeft iets gedaan "om de zaak aan het rollen te brengen". Het lijkt mij dat het hier om een speciaal iemand gaat.'

'We weten niet eens of ze deze weg wel hebben genomen, misschien zijn ze wel over de hoofdweg gereden.'

'Misschien zijn ze wel helemaal niet naar Comerford gegaan. Beide wegen worden door de politie in de gaten gehouden. Meer kunnen we ook niet doen. Het enige dat we kunnen doen, is allebei de wegen goed afzoeken en dit is de stilste en eenzaamste. Let op, daar komt een auto aan.'

De naderende koplampen volgden de slingerende weg, twee of drie bochten van hen verwijderd. Ze zwiepten door de bomen heen en kwamen snel dichterbij. Nu namen ze een haarspeldbocht en kwam de auto hun op een van de korte rechte stukjes tegemoet. Leslie liet zijn groot licht aan en stuurde iets naar het midden van de weg met de bedoeling de bestuurder van de andere auto te verblinden zodat hij gedwongen zou zijn vaart te minderen. De naderende koplampen, die netjes gedimd werden toen de wagen op het rechte stuk kwam, flitsten boos naar hem op en toen Leslie niet reageerde, deed de ander ook zijn groot licht weer aan om hem te dwingen zijn fout te herstellen. Leslie kneep zijn ogen tot spleetjes en probeerde zijn blik vast te houden op de voorruit van de auto. Er was maar één gezicht te zien, maar hij kon onmogelijk vaststellen of het een man of een vrouw was. Op een verlichte weg zou het makkelijker zijn geweest.

Een claxon toeterde verontwaardigd. 'O *God!*' riep Leslie uit, toen hij opzij zwenkte om de lange wagen de ruimte te geven. De bestuurder reed goed, beheerst en snel, met een doel voor ogen.
'Geen Dominic,' zei Jean, maar haar adem stokte in haar keel en ze greep zich snel aan het dashboard vast toen hij abrupt op de rem stond. 'Leslie! Wat doe je!'
Ze zag echter meteen wat de bedoeling was en Leslie nam niet de moeite antwoord te geven. Hij was tot vlak bij de bomen de berm in gereden en hing nu zwaar aan het stuur om de wagen te keren.
'Wat is er? Wat heb je gezien? Hij zat toch niet in die auto?'
'Niet rechtop, nee,' zei Leslie. Hij manoeuvreerde de auto met een behendigheid die hij onder normale omstandigheden nooit zou hebben vertoond. 'Weet je welke auto dat was?' Ze waren nu met een grote zwaai door de andere berm gekeerd en stoven weg, achter de reeds verdwenen achterlichten aan. 'De Riley van Ruth Hamilton! Dat kan geen toeval zijn! Godzijdank ken ik die auto zó goed dat ik zelfs in het pikkedonker die claxon weet te herkennen. Maar zij kent deze wagen niet. Ze is eraan gewend me in allerlei bestelwagens van de zaak te zien rondrijden, maar niet in deze.'
Jean drukte zich tegen zijn arm aan, huiverend, maar niet van de kou. 'Leslie, stel dat zij het inderdaad is – en dat Dominic niet meer in de auto zit? Stel dat er al iets is gebeurd?' Ze zei er niet bij dat ze zich niet kon voorstellen dat Ruth Hamilton verdacht zou kunnen worden van moord en geweldpleging, want opeens was niets meer ondenkbaar; iedere regel was al geschonden en alle remmen waren losgegooid. 'Misschien heeft ze hem al ergens uit de auto gegooid.'
Daar had hij niet bij stilgestaan en dat gaf hem een aardige klap. De Riley kon een dodelijk wapen zijn voor een moordenaar. Maar hij hield zijn ogen vast gericht op de achterlichtjes in de verte en drukte nog iets harder op het gaspedaal. 'De politie moet zo dadelijk van die kant komen.'
'Ja, maar het is hier zo donker, en dat zwarte asfalt –'
'Ze slaat af,' zei hij abrupt en gretig. Hij gaf plankgas; want als ze alleen was en een onschuldig ritje maakte, waarom zou ze dan hier rechtsaf slaan? Er was daar alleen maar een verlaten laantje, een doodlopend weggetje dat naar de oever van de rivier liep. Het was niet eens een laantje, alleen maar een karrespoor tussen de bomen door dat ooit was afgesloten door een groot hek, dat nu al meer dan een jaar scheef weggezakt in het gras hing. Leslie kende deze plek

goed want hij had er vroeger vaak gepicknickt. Langs de rivier was een breed stuk gras waar je met de auto tot vlak bij het water kon komen en makkelijk kon keren. Wat zou een vrouw alleen daar op een ijskoude oktoberavond te zoeken hebben?
Hij draaide de wagen het pad op en remde. 'Jij kunt beter hier op de politie wachten, Jean.'
'Nee,' protesteerde ze half buiten adem. Ze klemde zich aan zijn arm vast. 'Ik wil met jou mee.'
'Dat kan niet. Je móet wel hier blijven. Anders weet de politie niet waar ze moeten zoeken. Toe nou, we hebben geen tijd te verliezen!'
Ze trok haar hand met een ruk los en sprong uit de wagen. Hij zag dat ze hem met een bleek gezicht en grote ogen nastaarde, toen hij de duisternis onder de bomen inreed. Ze had hem niet willen laten gaan. Ze hadden hier te maken met een moord en een achtervolging en allerlei andere dingen waar ze normaal gesproken niets mee van doen hadden. Stel dat er ook vuurwapens aan te pas zouden komen? Maar hoe zouden ze ooit een echt team kunnen zijn als ze nu ieder hun eigen zin probeerden door te drijven? Ze zag de bestelwagen over het ongelijke pad hobbelen en bleef rillend van de kou staan om trouw de weg in de gaten te houden. Leslies overwicht werd met dat ene besluit duidelijk; hij had niet eens meer gedacht aan hun samenzijn of hun tegenstrijdigheden. Ze kon zich geen zwaardere test indenken. Niets kon moeilijker voor hem zijn geweest dan haar te vragen hier achter te blijven en hem in zijn eentje verder te laten gaan, juist nu ze opnieuw had ontdekt hoeveel hij voor haar betekende.
De bevroren karresporen van het pad grepen de wielen van de bestelwagen en sleepten hem hevig botsend mee door de ruisende tunnel van bomen. Hij kon de achterlichten van de Riley nu niet meer zien, maar hij hoorde de motor; met veel moeite hield hij de wagen op het pad en reed hij zo snel als maar mogelijk was in de richting van de vage flonkering van de sterren die de open plek langs de rivier verlichtten. Het bos aan weerskanten werd minder dicht. Hij minderde vaart en doofde de koplampen in de hoop onopgemerkt te blijven tot hij iets zou kunnen zien. Zachtjes reed hij door naar de rand van het bos.
Ze was over het vlakke terras van berijpt gras doorgereden tot aan de rand van het water en had daar een bocht gemaakt zodat de neus

van de wagen weer naar het pad wees, klaar om weg te rijden. Beide portieren stonden open als de vleugels van een insekt dat klaar staat om weg te vliegen en halverwege de auto en de rand van het water was ze bezig moeizaam iets over de grond te slepen, een lange, slappe gedaante die als een dood gewicht in haar armen hing. Achter de twee silhouetten die zich zijwaarts voortbewogen als een kreupel dier, stroomde de brede rivier in het zachte, bleke licht, snel en onbeweeglijk tegelijk, een trillend, zilveren lint.
Tijdens de hobbelige rit onder de bomen had Leslie koel en helder doorgedacht zodat hij precies wist wat hij moest doen. Geen vluchtwegen openlaten. De wagen dwars op het pad zetten. Er was daar geen andere weg. Hij moest dus haar auto klem zetten. Maar uiteindelijk deed hij helemaal niet wat zijn hardwerkende verstand allemaal had uitgedacht, want daar was geen tijd voor. Ze had nog maar een klein stukje te gaan tot aan het water. Hij kende de stromingen hier en kon wel raden hoe koud het water moest zijn. Hij dacht helemaal niet meer na, maar slaakte een kreet waarvan hij zich niet eens bewust was, gaf een tik tegen de hendel van de koplampen en reed met groot licht en plankgas op haar af. Het kon hem nu niets meer schelen als ze zou ontsnappen; van hem mocht ze in haar auto springen en verdwijnen, als ze de jongen maar op tijd losliet.
De voorwielen schoten van het pad af en maalden als een gestrand zeedier door het ongelijke gras. Hotsend en botsend stoof hij de oever over en zijn koplampen grepen haar vast in een felle zwartwitte gloed. Ze werd door het licht en het brullen van de motor tegelijkertijd aangevallen. Hij zag haar ineenkrimpen en de jongen even loslaten. Ze hief haar hoofd op en staarde wild naar de koplampen. Hij zag een gezicht dat in het felle licht leek te zijn uitgehouwen, zo hard en glad en wit als marmer, met een hijgende mond en holle, fel starende ogen. In de ogen vonkten nog steeds onmiskenbaar intellect en zelfbeheersing, zodat hij geen sprankje hoop meer kon koesteren dat ze misschien haar verstand had verloren. Ze bukte zich, greep de jongen weer onder zijn armen en trok hem met een woedende vastberadenheid half overeind. Half struikelend sleepte ze hem verder naar de rand van het water. Hij was zwaar en log en dreigde weer weg te glippen uit haar greep, maar ze klauwde zich wild aan hem vast om af te kunnen maken waaraan ze was begonnen.

Pas op het laatste moment, toen de bestelwagen met gillende remmen vlak bij haar slippend tot stilstand kwam, gaf ze het op. Met een boze kreet gooide ze de jongen van zich af en als een windhond stoof ze naar haar auto, terwijl de dikke, gedistingeerde knot losraakte, zodat haar donkere haar langs haar witte gezicht viel en over haar schouders golfde. Leslie had zich al uit de auto laten vallen voor die goed en wel tot stilstand was gekomen. Hij greep tevergeefs naar haar arm, maar liet haar gaan om zich aan dringender zaken te wijden. Met een paar grote sprongen was hij bij de jongen die was blijven liggen waar ze hem had laten vallen.
Ze was bijna in haar plannen geslaagd; nog een paar seconden en hij zou in de rivier terecht zijn gekomen. Zijn hoofd en zijn ene arm hingen over de rand van de oever met de slappe vingers vlak boven het water. Leslie liet zich op zijn knieën vallen, sleepte hem bij de rand van het water weg en draaide hem om zodat hij op zijn rug in het gras kwam te liggen. Onder het verwarde kastanjebruine haar zag Dominics gezicht er grauw uit. Zijn ogen waren gesloten en hij haalde door zijn half geopende lippen adem met een zwaar, pijnlijk, schokkend ritme, maar hij leefde in ieder geval nog. Leslie betastte hem met snelle gebaren en nam het dode gewicht toen in zijn armen. Hij was net moeizaam met zijn vracht overeind gekomen toen hij de motor van de Riley brullend tot leven hoorde komen.
Hij was vergeten dat ze nog steeds een dodelijk wapen bezat. Ze was nog niet klaar met hen. Ze had voldoende ruimte om te keren en tussen het water en de bestelwagen in volle vaart op hen in te rijden. Wat kon haar er nu nog van weerhouden hen allebei te doden, in plaats van alleen de jongen? Ze dacht natuurlijk dat hij alleen was en in de rivier was meer dan genoeg ruimte voor hem en de jongen samen.
De koplampen van de Riley zwiepten over de Bedford, kwamen parallel met de rivier en stoven toen in verblindende vaart op hem af. Half in paniek en strompelend onder het gewicht van de jongen, begon hij schokkerig te hollen. Er was geen kans dat hij het bos zou kunnen bereiken, de enige plek waar ze hem niet zou kunnen volgen. In plaats daarvan liep hij zo snel als hij kon naar de bestelwagen om te proberen die tussen hem en de aanstormende auto in te krijgen. Ze zou niet op de bestelwagen inrijden, want ze zou niet het risico willen lopen hier te stranden: ze had haar auto

nodig. Ze was niet krankzinnig, integendeel, ze wist precies wat ze deed. Wat dat betrof kon hij tenminste raden hoe ze zou denken. Het felle licht van de koplampen verblindde hem, zodat hij opeens de bestelwagen niet meer kon zien noch de grond en de met sterren bezaaide nacht. Het enige dat hij nog kon doen, was een duik nemen in de richting waar hij de auto had zien staan.
Opeens bleef zijn voet steken in het drassige gras en viel hij languit boven op zijn last, vlak naast de achterwielen van de Bedford. De Riley miste zijn snel opgetrokken voeten op een paar centimeter. Hij voelde de ijskoude kluiten gras op zijn benen neerkomen. Toen waren het licht en de voorbijstuivende kolos verdwenen en ontspande zijn ineengekrompen lichaam zich met een snik van opluchting. Hij rolde van de jongen af en drukte even zijn gezicht in de kromming van zijn arm, hijgend en misselijk van de angst waarvan hij zich nu pas bewust werd.
Het gebrul van de motor verminderde. De auto verdween hobbelend over het pad in de richting van de plek waar Jean stond te wachten. Leslie worstelde zich los uit zijn verdoving, sprong overeind en begon al te hollen, maar wat had het voor zin? Over een paar minuten zou de Riley de weg op schieten. Hij zette zijn handen tegen zijn mond en brulde met een stem die de rijp van de bomen deed vallen: 'Jean! Kijk uit! Ze komt eraan!'
Ze zou toch niet iets dwaas gaan doen? Met Jean wist je het nooit. Ze kon het nooit uitstaan verslagen te worden en zou liever sterven dan iets opgeven.
Uit de richting van Comerbourne naderden de koplampen van twee auto's over de kronkelige weg; het was bijna te laat maar ze reden snel. Jean stond midden op de weg met haar armen naar de eerste van de auto's te zwaaien toen ze het loeiende geluid van de Riley over het pad hoorde terugkomen. Ze schrok hevig en begon te trillen toen ze Leslie hoorde roepen. Ze holde terug en staarde wanhopig de tunnel van bomen in. Niet de bestelwagen, maar de auto van Hamilton. Wat was er gebeurd? Waar was Leslie? Ruth Hamilton mocht niet ontsnappen, onder geen voorwaarde, ook al maakte het uiteindelijk niets meer uit. Jean rende als een gek naar het oude verzakte hek en zette haar schouder onder de bovenste balk. Piepend en krakend kwam het hek los uit de grasberm. Ze sleepte het strompelend met zich mee het pad over en gooide het aan de andere kant met een klap tegen de oude paal. Er hing een

grote houten klink aan die piepend op zijn plaats viel. Ze stompte hem stevig vast en kon zich nog net onder de heg aan de kant van de weg laten vallen toen de Riley in volle vaart op het hek afstoof.
De klap kwam zo hard aan dat de latten van het hek doormidden braken en de zwakste van de twee palen scheef zakte. Houtsplinters en scherven glas vlogen fluitend door de lucht en kletterden neer met een vreemd geluid als van een metalen regen. De auto had niet voldoende vermogen om dwars door het obstakel heen te rijden en bleef bonkend in de ravage steken; de voorruit werd versplinterd en een van de koplampen werd van de wagen afgerukt. De motor sloeg af. Jean bleef even, bevend op haar knieën, weggedoken zitten.
Ze deed haar ogen open, haalde haar handen van haar oren weg en kroop wankelend van onder de heg vandaan. Achter de vastgelopen Riley kwam de bestelwagen langzaam het glooiende pad af hobbelen. Ze zag Leslies verwarde haar en angstige gezicht boven het stuurwiel. Op de stoel naast hem rolde Dominics bewusteloze hoofd heen en weer boven de oude plaid van Barney. De twee politiewagens uit Comerbourne stonden langs de kant van de weg en vijf mannen in burger waren eruit gesprongen. Twee van hen liepen van weerskanten op de gedeukte wagen af. Twee anderen waren begonnen de brokstukken van het hek los te trekken en uit de weg te ruimen. En de vijfde, George Felse, was naar de Bedford gehold en naast zijn zoon gaan zitten. Hij had het bengelende hoofd tegen zijn schouder gelegd en betastte met voorzichtige vingers de schedel onder het besmeurde haar.
Dominic kwam bij en voelde meteen een verstikkende golf van angst en pijn over zich heen rollen. Toen merkte hij dat hij door iemand als een baby werd vastgehouden en dat iemands vingers zachtjes probeerden de vlammende pijn die in zijn hoofd heen en weer beukte, te verlichten. Hij trok de onvermijdelijke conclusie, drukte zich dankbaar nog wat dichter tegen de troostende schouder aan en sloeg snel een hand voor zijn ogen toen hij de stroom tranen achter zijn oogleden voelde prikken.
'Mamma! Mijn hoofd doet zo'n pijn!' fluisterde hij klagend. Maar het was de stem van zijn vader die zachtjes antwoordde: 'Ja kerel, ik weet het. Blijf maar stil zitten, dan krijg je zo dadelijk iets tegen de pijn.'
Die tegenstrijdigheid gaf hem zo'n schok dat hij snel zijn ogen

opendeed om te zien of hij soms droomde, maar hij deed ze even snel weer dicht omdat het hem veel te veel pijn deed. Hij had echter het gezicht gezien dat zich over hem heen boog en er bestond geen twijfel aan: het was zijn vader. Nou, als die zó reageerde, was het nog niet zo erg. Dominic had minstens verwacht een enorme uitbrander te krijgen. Als je eenmaal had besloten je ergens volledig voor in te zetten, had het blijkbaar een gunstig effect om je half dood te laten slaan, ook al deed dat allemachtig pijn.
Hij zweefde aan de rand van het bewustzijn, maar herinnerde zich dat er één ding was dat hij per se moest weten, het enige dat voor hem belangrijk was.
'Kitty heeft het niet gedaan,' zei hij. De woorden kwamen er niet erg duidelijk uit, maar George had hem toch begrepen. 'Dat weet je nu zeker wel, hè?'
'Ja, dat weten we nu. Alles is dik in orde, maak je geen zorgen. Blijf jij nu maar rustig zitten.'
Zonder tegenstribbelen liet hij zich wegzinken in een waas van vermoeidheid en opluchting terwijl de tranen nu van onder zijn gesloten oogleden ontsnapten en op Georges schouder rolden, maar opeens schrok hij op door een afgrijselijk geluid. Iemand lachte hard en venijnig, met een wanklank die in zijn oren knarste.
Hij deed zijn ogen weer open. Zijn gemartelde zenuwen trilden. Tussen het hoofd van George en de solide schouder van Duckett door, achter Jean en Leslie die er hand in hand bij stonden, zag hij een wilde figuur in een gescheurd zwart mantelpakje. Haar wang was opengehaald door het rondvliegende glas en lang zwart haar hing in zware lokken rond haar gezicht. Ze was met bloed besmeurd en probeerde als een waanzinnige vergeefs haar polsen los te wringen uit de handboeien, terwijl ze met vertrokken lippen uitdagend gif spuwde.
'Ja, ik heb hem vermoord! Het kan me niets meer schelen dat jullie het nu weten. Denken jullie soms dat jullie me bang kunnen maken met jullie beschuldigingen en juridische termen? Ik heb hem vermoord. En wat dan nog? Er staat geen doodstraf op, jullie kunnen mij niet vermoorden, ik ken de wet, ik ken die maar al te goed. Twintig jaar!' schreeuwde ze hees, 'twintig jaar van mijn leven heeft hij me afgenomen! Ik had wel tien keer kunnen trouwen, maar nee, ik moest hem zo nodig hebben! Twintig jaar ben ik zijn hoer geweest; geduldig heb ik gewacht tot dat rotwijf van hem eens

dood zou gaan...'
Dominic begon te beven in zijn vaders armen en snikte nu hardop. Hij kon het niet helpen, en toen het eenmaal was begonnen, kon hij er niet meer mee ophouden. Al die zwart met witte deftigheid, die waardige houding en gedisciplineerdheid werden in één klap aan flarden gescheurd en hem in het gezicht gesmeten. Hij kon het niet verdragen. Hij begroef zijn bonkende hoofd wanhopig tegen Georges schouder en huilde sidderend, maar hij kon het geluid van haar stem niet buitensluiten.
'...en toen ze eenmaal dood was, heb ik nog steeds gewacht, maar mijn beloning kreeg ik niet. Ik heb mijn hele leven niets anders gedaan dan wachten en wat heb ik ervoor teruggekregen? En toen hing *zij* opeens aan de telefoon, dat idiote wicht. Jankend vroeg ze me om hulp – ja, *ik* moest haar helpen! – terwijl hij van plan was om met *haar* te trouwen! Wat zou ik krijgen, nadat ik hem al die jaren van mijn leven had gegeven? Niets, geen enkel recht, ik mocht alleen zijn brieven typen en met hem naar bed gaan als hij daar toevallig zin in had – terwijl *zij* nu de teugels in handen zou krijgen! Ja, ik heb hem vermoord,' hijgde ze met zwaar op en neer deinende borst, 'maar het was niet genoeg. Ik wou dat hij niet bewusteloos was geweest! Hij had iedere klap moeten voelen! Ik had hem wel tien keer opnieuw dood kunnen slaan voor alles wat hij mij heeft aangedaan!'

HOOFDSTUK ZEVENTIEN

Hij kon zich niets herinneren van de rit terug naar huis in de bestelwagen, in de beschermende armen van zijn vader. Leslie had zo voorzichtig gereden, zei Jean naderhand, alsof hij een hele lading aanstaande moeders achterin had gehad, in plaats van slechts eentje. Dominic was bij bewustzijn, maar volkomen in de war. Een lichte hersenschudding, verklaarde de dokter, en hij stelde hen gerust dat de herinneringen vanzelf weer zouden bovenkomen; maar die rit naar huis kwam nooit meer terug. Ze stopten hem in bed en gaven hem iets dat de pijn langzaam wegnam, maar ook de wereld deed verdwijnen. 'Maakt u zich geen zorgen,' zei de dokter. 'We geven hem morgen nog wat kalmerende middelen, maar morgenavond is hij vast alweer een hele Piet.'

Dominic werd midden in de nacht schreeuwend wakker, want in zijn dromen had hij de weerstand die hij een paar uur eerder gedwongen had moeten vasthouden, laten varen. Bunty bracht hem een glas water, dat hij gulzig leegslokte. Hij vroeg haar verbaasd wat er aan de hand was en viel met haar arm om zich heen weer in slaap. Tegen de ochtend begon hij in zijn slaap hevig te huilen, maar dat ging langzaam over toen ze zijn hete voorhoofd bette en hem sussend in een diepere slaap liet wegzakken; toen hij een paar uur later wakker werd, had hij honger en was hij weer opperbest te spreken, hoewel hij er nog wat bleek en gespannen uitzag. Hij vroeg naar zijn vader.

'Vanavond mag je hem alles vertellen,' zei Bunty op een toon die geen tegenspraak duldde. 'Hij is op dit moment druk bezig Kitty van verdere rechtsvervolging te laten ontslaan. Dat wilde je zeker weten, hè? Je hoeft je echt geen zorgen meer te maken. Het is nu allemaal voorbij.'

'Goh, mam,' zei hij verwijtend, bijna beledigd, 'hoe speel jij het toch altijd klaar zo verdraaid kalm te blijven!' Dat zou hij niet ge-

zegd hebben als hij haar gezicht had kunnen zien toen ze hem de avond daarvoor hadden thuisgebracht. Hij liet zijn gedachten over de herinneringen glijden, die steeds duidelijker naar boven begonnen te komen en viste voorzichtig: 'Je bent toch niet boos op me?'
'Laten we zeggen,' zei Bunty opgewekt, terwijl ze de thermometer weglegde, die had bevestigd dat zijn temperatuur weer normaal was, 'dat ik bozig ben.'
'Bozig? Wat is dat nu voor woord? Tussen haakjes, al mijn zakgeld is aan dit grapje opgegaan. Die handschoenen kostten ruim drieëntwintig pond. Ik had geen idee dat ze zo duur waren. Zou ik daarvoor soms schadeloos gesteld kunnen worden?'
'Ik kan een detective moeilijk de onkosten uit eigen zak laten betalen,' zei ze geruststellend. Hij voelde zich nog lang niet zo stoer en ongedwongen als hij zich voorgaf, maar ze liet hem wijselijk niet merken dat ze dat allang in de gaten had. 'Het valt me nog mee dat je er niet voor naar Haywards bent gegaan en ze op mijn rekening hebt laten zetten.'
'Gut,' zei Dominic, een beetje uit het veld geslagen, 'daar heb ik helemaal niet aan gedacht.'
Die avond was hij in zoverre opgeknapt dat hem werd toegestaan net zoveel te praten als hij wilde. Later zouden ze hem nog een officiële verklaring moeten afnemen, maar voorlopig was het enige belangrijke dat hij het hele verhaal aan zijn vader zou kunnen vertellen en zijn hart erover zou kunnen luchten.
'Is alles nu in orde?' vroeg hij angstvallig, nog voor George een stoel bij zijn bed had geschoven. 'Is Kitty weer vrij?' Hij kon de trilling in zijn stem niet onderdrukken, toen hij haar naam uitsprak.
'Ja, alles is in orde en Kitty is weer vrij.' Meer zei hij niet, dat zou Kitty zelf moeten doen. Dominic wist zelf wat hij voor haar had gedaan en wat George ook zou zeggen, het zou zijn trots en gelukzaligheid niet nog groter kunnen maken dan die al waren en hij was zeker niet van plan daar iets aan af te doen. 'Je hoeft je nergens meer zorgen over te maken. Je hebt gedaan wat je vond dat je moest doen. Doet je hoofd nog pijn?'
'Ja, en ik heb ook een stijve nek, maar dat maakt niet uit. Waar heeft ze me eigenlijk mee geslagen?'
'Hou je vast. Een gummiknuppel met een loden pijp erin. Je weet wel, die dingen waar die nozems wel mee rondlopen.'

'Meen je dat?' zei Dominic. Zijn mond zakte open van pure verbazing. 'Hoe komt ze daar nu aan?'
'Wat denk je? Van een van de jongens van de club. Ze had hem die knuppel een paar weken geleden afgenomen en hem notabene nog flink de les gelezen ook dat het verboden is om met wapens rond te lopen.' Alfred Armiger had de ironie daarvan niet meer mogen meemaken, maar Dominic wel. 'Hoe ben je haar eigenlijk op het spoor gekomen?'
'Dat heb ik aan Jean Armiger te danken. Ik had namelijk zitten denken. Alle mensen die iets met de zaak te maken hadden, kenden meneer Armiger al jaren en ik zat me af te vragen waarom een van hen juist díe avond had besloten dat hij of zij hem niet langer kon verdragen. Het leek mij logisch dat het ware motief iets moest zijn dat die avond was gebeurd, iets waardoor voor die persoon alles opeens was veranderd. Toen we eenmaal wisten dat Kitty iemand had opgebeld en het aannemelijk leek dat degene die ze had gebeld degene was die Armiger had gedood, wist ik opeens dat het motief iets te maken moest hebben met wat er tijdens dat telefoongesprek was gezegd. Daarvan uitgaande had ik een prachtige beschuldiging in elkaar gedraaid tegen meneer Shelley en daarmee ben ik naar Leslie en Jean gegaan. Jean zei dat ik het mis had, dat het zo niet gebeurd kon zijn. Ze zei dat Kitty nooit een man om hulp zou hebben gevraagd, maar een vrouw. Ze zei...' Dominic staalde zijn nu aarzelende stem om de volwassen woorden te herhalen die Jean had gebruikt en deed dat toen heel beheerst en met het gezag dat een man betaamt, 'dat Kitty een soort seksuele woedeaanval had gehad, eigenlijk nog erger dan dat, omdat die onbeschofte ouwe kerel haar alleen maar had proberen te versieren om een deal met haar te sluiten. En daar kwam nog bij –'
Hij draaide zijn hoofd om en staarde naar de muur. Hij kon het niet zeggen, zelfs nu niet. Daar kwam nog bij dat ze nog steeds verliefd was op Leslie en dat het koele aanzoek van zijn vader daarom des te schokkender moest zijn geweest. 'Jean zei dat ze daarom een vrouw om hulp moest hebben gevraagd,' zei hij uiteindelijk, vastberaden zijn stem in bedwang houdend. Hij was nog niet helemaal de oude en kon zo weer in tranen uitbarsten als hij niet goed oppaste.
'Juist,' zei George. Hij dacht terug aan die avond dat Bunty hem met bijna dezelfde woorden op een nieuw spoor had gezet en hem

achter dezelfde prooi had aangestuurd, zij het via langzamer en orthodoxer methoden. 'Jij kwam dus terecht bij een vrouw die ouder was dan zij, die ze goed kende en die die avond op de plaats van het misdrijf was geweest.'
'Ja. Ik dacht ook aan wat Kitty tegen haar gezegd kon hebben, waardoor ze plotseling besloot meneer Armiger te vermoorden en dat was toen eigenlijk meteen zo klaar als een klontje.' Ja, dat was inderdaad zonneklaar, al had hij er niet genoeg van af moeten weten om te kunnen raden in welke richting hij het moest zoeken. Kinderen ontgaat niet veel en opgroeiende jongens horen de roddelpraatjes van het dorp onwillekeurig, ook al leggen ze die minachtend naast zich neer. 'Ik durf er iets om te verwedden,' zei Dominic, 'dat Kitty de enige is die niet wist wat er over Armiger en juffrouw Hamilton allemaal werd gefluisterd. Ze let namelijk helemaal niet op dat soort dingen. Zelfs als je het haar ronduit zou vertellen, zou het nog het ene oor in en het andere uit gaan. Wat haar niet interesseert, hoort ze gewoon niet.'
George was niet bereid hem in het duistere doolhof van Kitty's brein te volgen; daar was voor geen van hen een permanente plaats.
'Toen we de handschoenen nergens konden vinden, besloot jij dus maar te bluffen en net te doen alsof jij ze wel had gevonden. Hoe heb je dat precies gedaan?'
Dominic vertelde hem het hele verhaal, blij dat hij het nu van zich af kon zetten; het was moeilijk om zich zijn angst weer in te denken nu hij eenmaal weer veilig thuis zat, maar af en toe beefde hij toch.
'Ik ben op een middag naar het kantoorgebouw gegaan en heb gewacht tot Shelley weg was. Toen heb ik net gedaan of ik hém had willen spreken. Ik zei dat het iets met de moord te maken had. Toen ze eenmaal in dat aas had gebeten en zei dat ik het háár dan misschien ook wel kon vertellen, wist ik dat ik het bij het rechte eind had. Toen ik haar vertelde dat ik de handschoenen had gevonden en dat het vrouwenhandschoenen waren – terwijl ik natuurlijk net deed alsof ik dacht dat ze dan wel van Kitty moesten zijn en dat ik die bewijsstukken wilde verdoezelen – begon het er steeds veelbelovender uit te zien, want ze zei meteen dat ik ze wel aan haar kon geven, dat zij wel wist wat ze ermee moest doen. Waarmee ze dus duidelijk bedoelde dat ze ze zou vernietigen. Het leek me niet logisch dat ze zomaar zo'n risico zou nemen, niet voor een jongen

die ze helemaal niet kende, dat doe je nu eenmaal niet. Tenzij je daarvoor zelf een goede reden hebt. Ze probeerde van me los te krijgen waar ik ze had gevonden en hoe ze eruitzagen en zo, om uit te zoeken of ze wel echt iets te vrezen had of niet, maar ik deed net of ik helemaal overstuur was zodat ze geen zinnig woord uit me kon krijgen. Bovendien kon ze het zich niet veroorloven het risico te nemen dat mijn verhaal waar was. Het was misschien maar een kans van één op duizend dat ik haar iets zou kunnen maken, maar ze kon het zich niet veroorloven dát risico te lopen. Dus zei ze dat ik ze maar aan haar moest geven. En als ik dat ter plekke had gedaan, weet ik niet wat zij zou hebben gedaan, want ik had allang door dat ze wist dat ikzelf net zo gevaarlijk voor haar was als die handschoenen en dat ze mij dus ook onschadelijk zou moeten maken. Ik bleef dus maar zitten snotteren en ik wil wedden dat ze gedacht heeft: dat jong zal er nooit zijn mond over dicht kunnen houden, op een gegeven moment biecht hij vast alles op aan zijn vader. Ik geloof dat ze het liefst meteen, daar op haar kantoor, met me had afgerekend. Ze had me makkelijk in haar auto kunnen zetten en me ergens ver weg kunnen dumpen, maar ik zei dat ik de handschoenen niet bij me had, omdat de jongens op school altijd in elkaars spullen zitten te neuzen. Ik zei dat ik ze haar die avond na mijn pianoles wel kon brengen. Nou, ze hapte meteen! Niemand zou weten dat ik met haar had afgesproken en als ik zou verdwijnen, zou niemand ooit háár kunnen verdenken. Ze stelde voor op de hoek van de straat op me te wachten. Ze moest eerst nog even naar de club, zei ze, en ze drukte me op mijn hart dat ik er tegen niemand iets over mocht zeggen. Toen wist ik het helemaal zeker. Ze had dus inderdaad die avond ergens in de buurt van de schuur haar met bloed besmeurde handschoenen verstopt. Zíj was degene die meneer Armiger had vermoord. Waarom zou ze anders zoveel moeite doen om die handschoenen te pakken te krijgen?'
'En waarom,' vroeg George zachtjes, 'ben jij niet naar mij toe gekomen? Waarom heb je me dit niet verteld? Waarom wilde je het helemaal alleen doen? Vond je dat je me niet kon vertrouwen?'
De verwijtende opmerking, hoe mild ook ingekleed, was een vergissing. 'Goed, goed, ik weet het!' zei George haastig. 'Het was geen bewijs en je wist dat je harde bewijsstukken zou moeten leveren. Maar moest je per se zelf het lokaas zijn?'
'Toen ik eenmaal zover was, kon ik niet meer terug. Als ik het jou

had verteld, zou je me verboden hebben mijn plannen uit te voeren. Je zou niet anders hebben gekund. *Ik* kon zoiets wel uithalen, maar *jij* had het nooit toegestaan als je het had geweten. Dat neem je mij toch niet kwalijk?'
'Ik neem jou niets kwalijk, ik neem het mezelf kwalijk. Ik had je de mogelijkheid moeten geven meer op mij te kunnen leunen.' Dat hielp echter ook niet; zelfverwijten schenen op Dominic een nog veel averechtser effect te hebben. 'Laat maar zitten,' zei George sussend. 'Je hebt gedaan wat je vond dat je moest doen, laten we het daar nu maar op houden. Hoe wist je met wat voor soort handschoenen je op de proppen moest komen? Dat zal wel een probleem zijn geweest. Als het de verkeerde waren, zou ze meteen hebben geweten dat je het hele verhaal had gelogen.'
'Maar dan zou ze ook geweten hebben dat ik haar verdacht en probeerde haar in de val te lokken. Dat zou op hetzelfde zijn neergekomen. Ze zou nog steeds geweten hebben dat het absoluut noodzakelijk was mij uit de weg te ruimen, nu ze daar de kans toe had. Dat maakte dus niets uit. Maar ik heb niettemin mijn best gedaan. Het was me opgevallen dat ze geen handschoenen aan had toen we het kantoor uitgingen, dus ben ik met haar meegelopen naar haar auto en ja hoor, ze had ze in het handschoenenkastje liggen. Het waren eenvoudige, korte zwarte kalfsleren handschoenen en ze waren vrij nieuw, want er zaten nog bijna geen kreukels in aan de binnenkant van de vingers. Het leek mij logisch dat ze hetzelfde soort handschoenen had gekocht als die ze had weggegooid. Ik ben dus als een haas de stad in gegaan en heb zo'n zelfde paar gekocht. Ik heb ze een poosje onder de kraan gehouden en er modder op gesmeerd om ze een beetje oud te laten lijken en ik heb ze zelfs in vloeipapier gewikkeld zodat ze ze niet erg goed zou kunnen bekijken. De rest weet je,' zei Dominic.
Met een diepe zucht liet hij zich weer tegen de kussens zakken. 'Ik kon natuurlijk niet weten dat mijn briefje niet onmiddellijk aan Leslie zou worden doorgegeven, anders had ik acht uur gezegd in plaats van half negen.'
'Dat zou wel verstandig zijn geweest,' stemde George van harte in. 'Het was al over negenen toen ze me eindelijk bij haar garage te pakken kregen en tegen de tijd dat we bij Brook Street aankwamen, waren jij en de Riley allang verdwenen. Als Leslie er niet was geweest...' Hij liet het eind van die zin maar in het midden, dat was

zowel voor Dominic als voor hemzelf het beste.
'Zou ze haar bekentenis nog kunnen intrekken? Kan ze zonder de echte handschoenen wel veroordeeld worden?'
'Ja, wat dat betreft zitten we goed. We hebben een heleboel bloedsporen in haar auto gevonden, in de naden van de bekleding. Ze heeft het leer gewassen, maar ze heeft de klassieke fout gemaakt om daar warm water voor te gebruiken. Bovendien kun je bloed nooit wegkrijgen uit het garen van de naden. Verder hebben we het haakje gevonden van de zwarte rok die ze die avond aan had, plus de twee metalen sierknopen die aan de voorkant hadden gezeten – die lagen in de as van de verwarmingsketel van haar flat. Ze moet gedacht hebben dat de jas die ze droeg schoon was gebleven, want die heeft ze naar een liefdadigheidsbazaar gestuurd, maar we hebben hem achterhaald. Op de rechtermouw zaten ook bloedspetters. Ja, we hebben haar goed te pakken. Ze is waarschijnlijk naast hem op de vloer neergeknield. Hoe dan ook, ze heeft het nodig gevonden de rok te verbranden. Geen wonder dat de zoom van Kitty's jurk vies is geworden toen hij langs de hare streek.'
Starend naar de rand van het laken dat hij tussen zijn vingers geklemd hield, vroeg Dominic opeens: 'Heb je haar vandaag nog gezien?'
'Wie? Ruth Hamilton?'
'Nee,' zei Dominic, verstijvend. 'Kitty. Toen ze haar – toen ze weer vrij was.'
'Ja, ik heb haar gezien.'
'Heb je ook met haar gesproken? Hoe zag ze eruit? Heeft ze iets gezegd?'
'Ze zag er nog een beetje beduusd uit,' zei George voorzichtig zijn woorden kiezend, terwijl hij de verbijsterde purperen ogen weer voor zich zag die ongelovig naar de vrijheid keken die haar werd aangeboden. 'Over een dag of twee zal ze wel weer helemaal de oude zijn. Eerst kon ze het gewoon niet geloven, maar toen ik haar later terugzag, begon ze alweer aardig op te knappen. Ze zei dat ze eerst naar de kapper wilde en dat ze daarna een nieuwe jurk zou gaan kopen.'
Dominic bleef zwijgend liggen. Zijn prutsende vingers lagen nu stil op de rand van het laken en hij hield zijn blik afgewend.
'Ze zei ook dat ze vanavond graag even langs wilde komen, als je tenminste zover was opgeknapt dat je bezoek mocht hebben.'

Dominic draaide met een ruk zijn hoofd om en schoot recht overeind. Hij gooide de dekens van zich af en in zijn ogen verscheen een gouden glans. 'Echt waar? Heeft ze dat gezegd?' Hij klampte zich uit alle macht aan die heerlijke belofte vast, maar durfde het nog niet te geloven. 'En toen heb jij natuurlijk gezegd dat ik het voorlopig nog rustig aan moet doen,' zei hij achterdochtig. Ze hoefden niet te denken dat hij hen gisteravond niet over hem had horen praten, ook al had hij geen fut gehad om er iets tegenin te brengen.

'Ik heb gezegd dat je een nogal harde kop hebt en dat er verder niets bijzonders met je aan de hand is. Ik neem niet aan dat ze iets aan die harde kop van je zal kunnen doen,' zei George lachend, 'maar ze zei dat ze rond acht uur zou komen. Je hebt dus nog een kwartier de tijd om je een beetje op te knappen.'

Dominic stond al met één been naast zijn bed en riep om zijn moeder. George duwde hem echter terug onder de dekens en gaf hem de nieuwe donkergroene zijden kamerjas die hij voor zijn verjaardag had gekregen en die hij alleen bij speciale gelegenheden aan deed. 'Blijf jij nu maar rustig in bed. Je moet van de omstandigheden weten te profiteren, mijn jongen. Je ziet er erg interessant uit. Alsjeblieft.' Hij gooide een kam en een spiegeltje op Dominics bed. 'De rest laat ik aan jou over.' En daarmee liet hij hem alleen met zijn gelukzaligheid.

Hij wilde net de deur achter zich dichttrekken toen Dominic opeens riep: 'Hé!' En toen hij omkeek: 'Iemand moet haar verteld hebben wat ik heb gedaan. Anders had ze nooit kunnen weten – anders zou ze helemaal niet –'

'Verdraaid, daar heb je gelijk in!' zei George. 'Wie zou dat nu geweest kunnen zijn?'

Op de trap kwam hij Bunty tegen die zich naar boven haastte zodra ze haar kuiken had horen piepen. George spreidde in een opwelling zijn armen uit, vervuld van dankbaarheid en opluchting en draaide haar in het rond. Hij kuste haar hoog in de lucht en zette haar op de overloop neer. Ze gaf hem ook een zoen en verdween snel. Ze wist zelf niet met wie van de twee ze het meeste medelijden had, maar ze wist dat ze het allebei wel zouden overleven. In werkelijkheid had George het lang niet zo moeilijk als ze dacht, want het was inmiddels tot hem doorgedrongen dat hij zo vervuld was van trots, opwinding en blijdschap voor Dominic dat het ja-

loerse trekje helemaal was verdwenen.
Bunty trad de gejaagde, ongebruikelijke drukte die haar zoon om zijn uiterlijk maakte, met heel wat meer respect tegemoet dan George. Ze lachte hem niet uit en was net zo serieus als Dominic, hoewel ze hem bemoederde alsof hij weer zes was in plaats van zestien. Ze haalde zelfs een zijden Paisley-sjaal uit de kast van George en knoopte die elegant om zijn nek; Dominic was zo opgewonden dat hij helemaal niet tegenstribbelde, zolang haar moederlijke zorgen maar het gewenste resultaat bereikten. Hij liet haar zelfs zijn gezicht wassen en zijn haar kammen alsof hij een kleuter was.
'En pas nu goed op dat je haar niet van streek maakt,' zei Bunty listig toen ze de kam door zijn krullen trok. 'Vergeet niet dat ze een heleboel ellende heeft meegemaakt en dat ze misschien nog niet helemaal zichzelf is. Hou je dus rustig en wees lief voor haar, dan komt het best in orde.' Haar woorden hadden het gewenste effect, want ze zag hem alle spanningen van zich af gooien en zo diep adem halen alsof hij de lucht tot in zijn tenen wilde laten stromen.
Kitty kwam stipt op tijd. Ze was magerder en bleker dan de laatste keer dat hij haar had gezien en haar vage, wat spottende glimlachje had een verwonderd trekje, alsof ze hem lange tijd kwijt was geweest en nu opeens had teruggevonden. Ze had hem eer aangedaan. De nieuwe jurk bleek een zijden japon te zijn van een kleur die het midden hield tussen honing en amber. De zachte golven van haar blonde haar getuigden van de zorg die iemand aan haar nieuwe kapsel had besteed en het parfum dat om haar heen wolkte als ze zich bewoog, bracht zijn hoofd helemaal op hol. Ze ging naast zijn bed zitten, strekte haar mooie, slanke benen in de bijna onzichtbare nylons en keek eerst naar de punten van haar belachelijk tere schoentjes en toen naar Dominic.
Even hing er een verlegenheid over hen beiden heen, als een doorzichtige luchtbel, en ze hielden allebei hun adem in uit angst meer te breken dan alleen de stilte. Toen trok ze opeens haar neus op en grinnikte ze en wist hij dat het goed was, dat het allemaal de moeite waard was geweest. De schaduw was nog niet verdwenen, de glimlach was nog niet helemaal onbekommerd, maar dat zou nog wel komen en als ze dan niet tegen hém zou lachen, zou ze het in ieder geval wel aan hem te danken hebben.
'Ik weet gewoon niet wat ik moet zeggen,' zei Kitty. 'Zo zie je maar

weer dat een goede daad altijd beloond wordt. Als ik niet een halve liter bloed had weggegeven, zou ik jou nooit hebben leren kennen en zou ik nu nog steeds in de penarie zitten!'
'Ze zouden er zonder mij ook wel achter gekomen zijn,' zei Dominic nederig. 'Mijn vader had al in dezelfde richting zitten graven, alleen wist ik dat niet. Zo ben ik nu eenmaal, zo eigenwijs als wat. Ik dacht dat alleen ík de zaak zou kunnen oplossen.' Wat zou zijn vader – en zijn moeder! – denken als ze hem nu konden horen? Kitty's bewondering voor hem had een vreemd effect op hem: hij kreeg het gevoel dat hij op zijn knieën voor haar neer moest vallen om al zijn slechte karaktertrekken aan haar op te biechten en haar om vergiffenis te smeken dat hij niet goed genoeg voor haar was, terwijl hij aan de andere kant gek was van vreugde dat hij in haar ogen veel aardiger en edelmoediger was dan in werkelijkheid het geval was.
'Ik weet wel hoe je bent,' zei Kitty zonder omwegen. 'Hoe voel je je? Doet het nog pijn?'
'Ik voel me uitstekend, maar ze hebben gezegd dat ik morgen pas uit bed mag. En jij?'
'Prima. Ik ben in de gevangenis vijf kilo afgevallen,' zei Kitty en dit keer was haar grijns warmer en zelfverzekerder. 'Een geluk bij een ongeluk, zou je kunnen zeggen. Vind je dat ik er slecht uitzie?'
'Nee, je ziet er geweldig uit,' zei Dominic met onverhulde hartstocht.
'Mooi zo. Ik heb me speciaal voor jou zo opgetut.' Ze leunde naar voren en speelde met de franje van zijn dekbed. 'Weet je wat ik ga doen? Jij bent de eerste aan wie ik het vertel. Ik heb het over dat geld, dat snap je zeker wel. Ik wil het namelijk niet hebben. Ik zou die hele erfenis het liefst gewoon weigeren, maar eerst moet ik zeker weten of Leslie het geld dan wél krijgt. Zo niet, dan moet ik het accepteren en een manier zien te vinden om het alsnog aan Leslie en Jean over te dragen. Ik wil per se dat zij dat geld krijgen, de vraag is alleen hoe ik dat het beste kan regelen. Ik ga het morgen met Ray Shelley bespreken.'
'Leslie wil het vast niet hebben,' zei Dominic, nogal aarzelend, want hij kende Leslie nog maar zo kort dat het hem nogal aanmatigend leek dat hij dacht dat hij haar kon vertellen wat Leslie wel of niet wilde.
'Dat weet ik wel, maar ik denk dat hij het toch wel aanneemt, om-

dat hij mij niet ongelukkig zal willen maken.' Ze had bijna gezegd 'nog ongelukkiger dan ik al ben'; de jongen keek zo ernstig en was zo lief dat ze bijna zou vergeten dat ook hij het zwaar te verduren had gehad. 'En ik denk dat Jean het wel goedvindt, om dezelfde redenen. Wat mijzelf betreft: ik ga hier weg. Als ik voor de rechtszaak moet blijven, blijf ik, maar daarna ga ik weg. Ik kan hier niet meer blijven wonen, niet nu.'
Ze hief haar hoofd op en de grote paarsbruine ogen keken in de zijne. Hij zag de kristallen van haar eenzaamheid erin verzonken liggen en voelde de heerlijke last van verantwoordelijkheid voor haar op zijn schouders neerkomen. Wie zou haar er anders uit kunnen helpen?
'Ja,' zei hij en hij slikte hard tegen het hart dat opeens te groot voor zijn borst leek te zijn geworden. 'Dat begrijp ik. Je hebt gelijk.'
'Niet omdat ik in de gevangenis heb gezeten of dat ik de mensen niet meer onder ogen durf te komen, helemaal niet,' zei ze. 'Daar gaat het niet om. Ik moet hier gewoon weg.'
'Dat begrijp ik best,' zei Dominic.
'Echt? Begrijp je echt wat het betekent als je van iemand houdt die niet eens weet dat je bestaat?'
Daar gaf hij geen antwoord op; dat kon hij niet. Zijn bonkende hart zat weer in zijn keel en verstikte hem. Opeens hoorde ze haar eigen woorden en wist ze wat het antwoord was dat was uitgebleven. Ze liet zich van de stoel afglijden en zakte met een zacht, zielig kreetje van spijt en tederheid op haar knieën naast zijn bed neer. Ze pakte zijn handen vast en drukte ze tegen haar wang. Haar golvende haar spreidde zich over zijn knieën uit.
Zijn hart scheen open te barsten en opeens kon hij weer ademhalen en praten. Hij trok zachtjes een van zijn handen weg en streelde de blonde lokken en haar ene zichtbare wang. Langzaam liet hij zijn trillende vingers over de lange, zijdeachtige grens van haar voorhoofd glijden tot ze uiteindelijk naast haar mond bleven rusten.
'Er komt heus nog wel een ander,' zei hij manmoedig. 'Je moet gewoon wat geduld hebben. Als je hier eenmaal weg bent, zal alles anders worden.' Hij luisterde verbaasd en met ontzag naar zijn eigen stem. De bittere woorden die hij had verwacht, waren zo zoet als honing en smaakten niet naar een nederlaag, maar naar succes. 'Je moet je alleen niet zomaar ergens vestigen. Reis de hele wereld

rond en geef 'hem' een kans je te ontmoeten. Je zult hem heus wel vinden.'
Ze bleef stil liggen en liet zich door hem troosten. Ze luisterde naar de zwaarder wordende klank van zijn stem die met grote sprongen richting volwassenheid schoot. Dit had ze helemaal niet verwacht. Ze had de hele dag lopen dubben wat ze voor hem mee zou kunnen brengen, een cadeautje voor alles wat hij voor haar had gedaan, maar al wat ze had kunnen bedenken, had alleen maar aan zijn triomf afgedaan in plaats van die compleet te maken, zodat ze uiteindelijk met lege handen was gekomen. En nu had ze hem zomaar opeens het mooiste geschenk gegeven, haar leven voor het zijne, de gift van haar zwervende, eenzame geest die opnieuw in model werd gebracht en met liefde en zorg op een nieuwe koers werd gezet. Híj had haar gered; híj had het recht haar te vertellen wat ze moest doen. En waarom niet? De wereld bestond niet uit Comerbourne alleen. Er waren wel meer mannen dan alleen die ene, tenzij ze hen met opzet buitensloot. Ik moet weer gaan leven, dacht ze; ik maak deel uit van zijn leven, hij heeft er recht op dat ik weer tot leven kom.
'Je hebt gelijk,' zei ze zachtjes, haar lippen fluisterend tegen zijn handpalm. 'Je hebt volkomen gelijk. Dat ga ik doen.'
'Ga naar India, naar Zuid-Amerika, al die plaatsen met exotische namen. Er zijn overal mensen. Aardige mensen. Je moet ze alleen een kans geven.'
'Misschien zijn er zelfs bij die net zo aardig zijn als jij,' zei ze. Met haar wang tegen zijn hand glimlachte ze naar hem. Ze stond in dubio of ze zijn geluk nog even moest laten voortduren door hem te vragen haar reis en haar toekomst samen met haar te plannen, maar zag daar toch van af. Ze kon nog één ding voor hem doen en dat was hier een goed einde aan maken en uit zijn leven verdwijnen, zodat hij er een perfecte, volmaakte, onaantastbare ervaring aan zou overhouden, waar nooit een anticlimax op zou kunnen volgen. Ze moest dit op het hoogtepunt afkappen. Hij zou zich ongelukkig voelen, maar het zou een heerlijk smachtend gevoel zijn. Niet zoals voor mij, dacht ze, met lange, lege dagen die zich van week tot week en van maand tot maand aaneen zullen rijgen. Maar dat is mijn eigen schuld! En dat mag ik hem niet aandoen. Ik heb al genoeg ellende veroorzaakt. Als ik wat gevoeliger was geweest, wat aardiger, had ik dit allemaal kunnen voorkomen. Dan zou *hij*

nog in leven zijn geweest en zou die arme, gefrustreerde, berekenende, wraakzuchtige Hammie geen moordenares zijn geworden. Maar ik had alleen oog voor mijn eigen ellende. Nu kijk ik naar Dominic en zie ik mezelf helemaal niet meer zo duidelijk, maar hem wel, hij is heel echt. Met hem zal ik die fout niet maken.

'Dat zal ik doen,' zei ze. 'En zodra ik hem heb gevonden, hoor jij het als eerste.'

Ze stond op en boog zich over hem heen. Haar gezicht was waar het gezicht van een vrouw behoorde te zijn, vlak beneden het zijne. Ze stak een aarzelende hand uit en liet die zachtjes onder zijn achterhoofd glijden, waar het dikke haar kort was geknipt. Hij kon haar vingers door het verband heen nauwelijks voelen. Ze was zo dichtbij, dat hij alleen nog maar haar grote warme ogen en haar lieve mond zag. Haar hele gezicht werd wazig. Hij haalde diep adem, sloeg toen zijn armen om haar heen en drukte haar tegen zijn hart. Hij kuste haar drie keer, beginnend bij haar keel en ten slotte op haar lippen, onervaren maar niet onhandig, met een abrupte, maagdelijke hartstocht.

Zijn mond was koel, fris en zacht en bracht in haar weer sporen van hoop, opwinding, vrolijkheid en tederheid naar boven. Ze begreep uit zijn omhelzing dat er niets meer ter wereld was dat hij nog begeerde, zelfs niet van haar. Ze liet hem de kus beginnen en eindigen. Ze hield hem teder vast zolang hij dat wilde en zodra hij zijn rol weer had teruggevonden en zich zachtjes en beslist van haar losmaakte, kreeg ze de indruk dat hij haar liet gaan, dat hij haar losliet. Ze trok haar armen terug en kwam in één vloeiende beweging overeind.

'Tot ziens, Dominic! Dank je voor alles. Ik zal je nooit vergeten.'

Ze was al weg en had de deur zachtjes achter zich dichtgetrokken voor hij verdwaasd 'Dag Kitty! Veel succes!' kon zeggen. Hij zei niet dat hij haar ook nooit zou vergeten, maar dat wist ze wel; niet voor de Grieken de marathon zouden vergeten.

Toen Bunty een half uurtje later boven kwam, lag Dominic met zijn armen om de kussens geslagen tevreden glimlachend als een voldane kleuter te slapen.

Kitty hield zich aan haar woord. Negen maanden later, op een warme zomerochtend, lag er een ansichtkaart uit Rio naast Dominics ontbijtbord. Er stond op:

Ik heb hem gevonden en jij bent de eerste aan wie ik het nieuws vertel. Hij heet Richard Baynham, hij is ingenieur en we gaan in september trouwen. Ik ben toch zo gelukkig.

Liefs, Kitty

Dominic las de kaart met een frons. Hij kende het handschrift niet en hij was nog maar net wakker. De betekenis van het bericht drong niet meteen tot hem door, want negen maanden is een lange tijd. Uiteindelijk zei hij vaag: 'Kitty?' En toen, op een heel andere toon: 'O, *Kitty*!' Dat was alles; maar hij liet de ansichtkaart niet slingeren, maar stopte hem in zijn portefeuille en niemand kreeg hem ooit nog te zien; na het ontbijt stond hij op en liep weg met een warme blik van herinnering in zijn ogen. Hij leek opeens een paar centimeter gegroeid te zijn; een man met een toekomst en een verleden.